CB070472

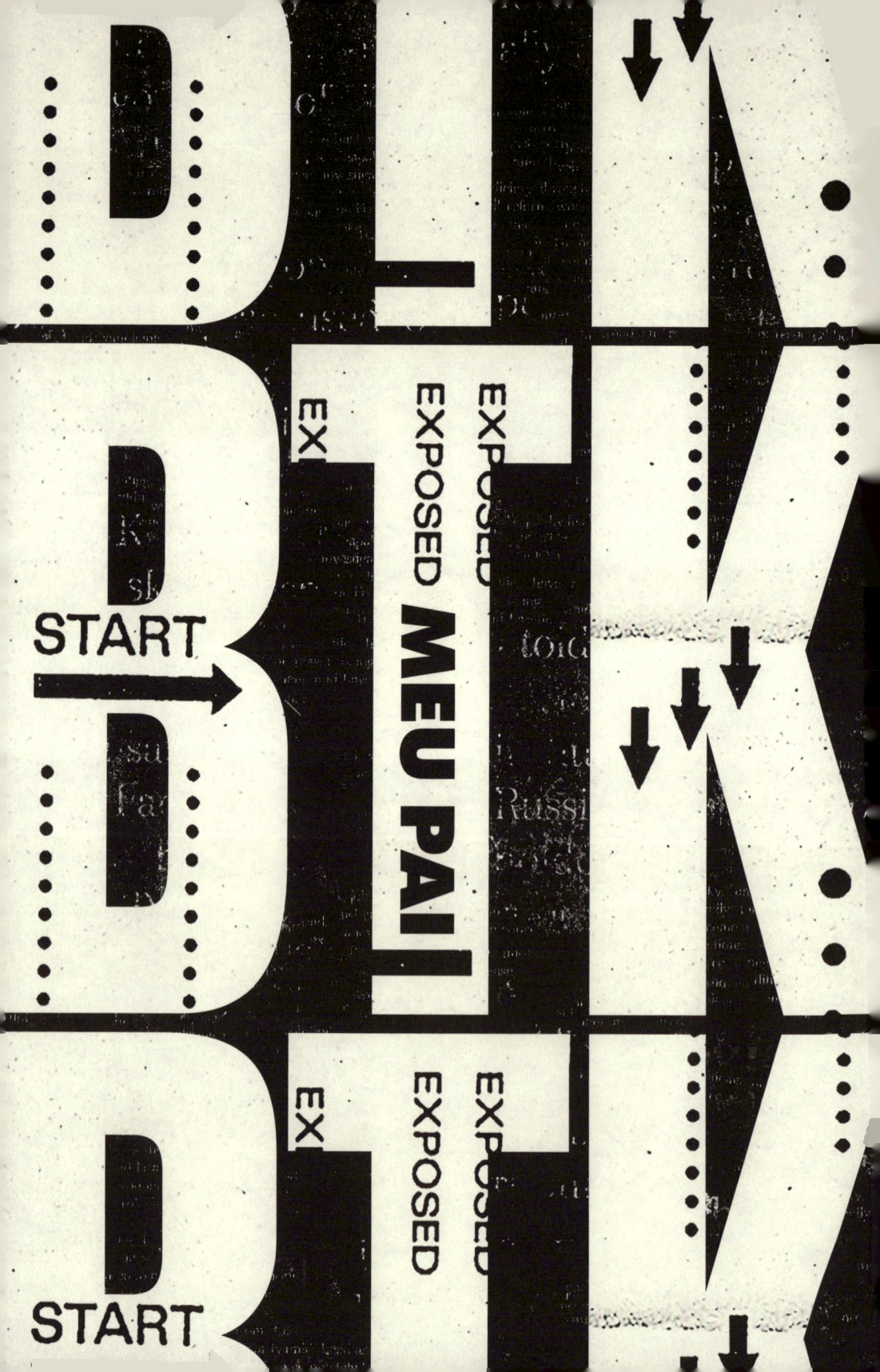

120 120 120 120 120 120 **120**

· 2 ● · · 3 ● · · 4 ●
· 2 ● · · 3 ● · · 4 ●

CRIME SCENE
DARKSIDE

A SERIAL KILLER'S DAUGHTER : MY STORY OF FAITH, LOVE, AND OVERCOMING
Copyright © 2019 by Kerri Rawson.
Published by arrangement with Thomas Nelson,
a division of HarperCollins Christian Publishing, Inc
Todos os direitos reservados.

As fotos são da coleção particular da família Rader.

Tradução para a língua portuguesa
© 2021 Monique D'Orazio

Diretor Editorial
Christiano Menezes

Diretor Comercial
Chico de Assis

Gerente Comercial
Giselle Leitão

Gerente de Marketing Digital
Mike Ribera

Gerentes Editoriais
Bruno Dorigatti
Marcia Heloisa

Editor
Lielson Zeni

Capa e Projeto Gráfico
Retina 78

Coord. de Arte
Arthur Moraes

Coord. de Diagramação
Sergio Chaves

Designer Assistente
Jefferson Cortinove

Finalização
Sandro Tagliamento

Preparação
Talita Grass
Retina Conteúdo

Revisão
Lauren Nascimento

Impressão e acabamento
Coan Gráfica

DADOS INTERNACIONAIS DE CATALOGAÇÃO NA PUBLICAÇÃO (CIP)
Jéssica de Oliveira Molinari - CRB-8/9852

Rawson, Kerri
  BTK : Meu Pai / Kerri Rawson ; tradução de Monique D'Orazio.
— Rio de Janeiro : DarkSide Books, 2021.
  384 p.

  ISBN: 978-65-5598-145-2
  Título original: A Serial Killer's Daughter : My story of faith,
love, and overcoming

  1. Rader, Dennis, 1945- 2. Filhos de criminosos – Kansas – Wichita
– Biografia. 3. Crimes seriais – Kansas – Wichita – Biografia
4. Biografia cristã I. Título II. D'Orazio, Monique

21-4123   CDD 923.4

        Índices para catálogo sistemático:
            1. Rader, Dennis, 1945-

[2021]
Todos os direitos desta edição reservados à
DarkSide® *Entretenimento LTDA.*
Rua General Roca, 935/504 — Tijuca
20521-071 — Rio de Janeiro — RJ — Brasil
www.darksidebooks.com

PROFILE
profile

Kerri Rawson

BTK
MEU PAI

Tradução ■ ■ **MONIQUE D'ORAZIO**

DARKSIDE

Para Darian, por nunca deixar de me amar. E para Emilie e Ian: quando vocês tiverem idade suficiente, vou lhes dar esta história — a minha história. Não, vocês ainda não têm idade para isso, então chega de perguntar. E, sim, a mamãe finalmente terminou o livro.

CHROME FILM
Daylight Type with Filter for Photoflood

Lamp-to-Subject Distance in Feet: for two No. 2 Flood Lamps in Vari-Beam Lights, or in Kodaflectors; or for two 375-watt Reflector Floods.

CAMERA LAMP — SIDE LAMP AT 45° — BOTH LAMPS AT CAMERA

f/ 2.8 3½ 3 4½ 6
f/ 1.9 5 4

For detailed exposure data insert this card in the Cine Universal Guide

SUMÁRIO

120 120 120 120 **120 384**

PRÓLOGO 16

◀— START —▶

▶ PARTE 1: FIQUE FIRME NOS SEUS ALICERCES

1. O que não te mata 21
2. Fé em bons começos 27
3. ...para sempre 33
   Boletim de Notícias 38
4. Terror noturno 39
5. Caçando cometas 46
6. A vida é frágil 52
7. Permita-se viver o luto 56
8. O silêncio do céu 63
9. ...isso te fortalece 69

▶ PARTE 2: TENTANDO ATRAVESSAR O DESERTO

10. Os meus limites 79
11. A panela de pressão 88
12. A luz da via láctea 97
13. Um riacho no deserto 104
14. Continue seguindo 112
15. O abismo e as estrelas 119

▶ PARTE 3: O AMOR NUNCA FALHA

16. Futura esperança 129
17. Pelo menos uma vez 134
18. Um lugar só seu 140
19. Cânone em ré maior 146
20. O homem no canto 152
21. Diga sempre "até breve" 157

 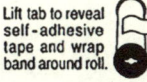

Lift tab to reveal self-adhesive tape and wrap band around roll.

CHROME FILM
Daylight Type

CLEAR SUN — Front Lighting — 11

CLEAR SUN — Side or Back Lighting — 8

HAZY SUN or Back-Lighted Close-Ups — 5.6

CLOUDY BRIGHT — 4

OPEN SHADE Clear Sky — 2.8

For light-colored subjects, use a half stop smaller; for dark-colored, a half stop larger.

25H

PARTE 4: QUANDO TODO O RESTO SE FOI

Boletim de Notícias 166
22. Choque, DNA e FBI 167
23. Papai não fez isso 175
24. Um álibi no Google 182
25. Os circos da mídia 188

PARTE 5: BUSQUE ABRIGO

26. Sempre serei a filha dele 199
27. Juntos e seguros 206
28. Talvez o amor baste 216
29. Crimes para especialistas 223
30. A luz e a escuridão 231

PARTE 6: FIRME-SE NA SUA ROCHA

31. O tempo sempre passa 241
32. Enfrentando os medos 249
33. O mundo não é mau 256
34. Lute por quem ama 264
35. Longe de coisas ruins 269
36. Os bons momentos 276
Boletim de Notícias 283
37. Não sei quem ele é 284
38. 175 anos é muito tempo 292

PARTE 7: CONSERTAR UM CORAÇÃO PARTIDO

39. Mantenha a fé no bem 305
40. Lágrimas e saudade 315
41. O mais puro trauma 324
42. Terapia salva vidas 332
43. Tudo para sobreviver 339
44. ...continue, continue 348
45. Vista sua armadura 353
46. Tente perdoar 361

EPÍLOGO: RAIO DE SOL 366

Notas .370 • Álbum de família .372 • Agradecimentos .382

The Wichita Ea[gle]

5mm COLOR [SL]IDE OUTFITS

ME PROCESS OUTFIT
ASA 64 Color Slide Film
t, easy-to-use, wide latitude,
75" processing kit.
finest cassettes.
Pako slip-in ALL
slide mounts. FOR
plus 50' ASA 500 — 29.95
19.95

DELUXE OUTFIT
0" ASA 64 Color Slide Film
1-Qt. Kits
Cassettes ALL
Pako mounts FOR
plus 50' ASA 500 — 46.95
37.95

RESH 35mm [K]ODACHROME
AK PROCESSING INCLUDED
May ASA 25 - KR Day ASA 64

3m x 36 Exp. **7.19** ea.
more
7.29 ea.   3 @ 7.79 ea.

5mm B & W FILM FRESH ASA 400
Use Kodak or any standard
developer. Fine grain.
" Roll **14.95**
Rolls or more 14.49 ea.

[K]O B&W FILM
ory Fresh! Use Kodak or
standard film developers.
SA 25   Okay to m'x
SA 125 100
SA 400 Rolls **99¢**
Rolls or more ....1.04 ea.
Rolls or more ....1.09 ea.
PECIAL! ASA 400 ONLY.
DEDUCT 10¢ PER ROLL
ROLLS—DEDUCT 15¢ ea.

[FR]ESH ILFORD PAN F
st Grain Black & White Film
e at ASA 50 for grainless
x 14 prints.
sh to ASA 125 for outstand-
g medium speed results.
mm x 100' **13.95**
ils @ 13.49 ea.

[J]APAN'S FINEST [CO]LOR PRINT FILM
sh ASA 100 or 400
tandard C41 Processing
(Specify Speed)
mm x 100' Roll **29.95**
. Roll 15.49

mm x 24 Exp. **1.59** ea.
1.79 ea. 10 or more

mm x 36 Exp. **2.09** ea.
2.19 ea. 10 or more

X PROCESSING MAILERS
2 Ex. 2.79   24 Ex. 4.69
6 Ex. 3.79   36 Ex. 6.69

FRESH 35mm [C]OLOR SLIDE FILM
superb daylight color

FRESH AGFACOLOR RC PAPER
ONE OF THE WORLD'S FINEST COLOR PAPERS PRICED LOWER THAN BLACK & WHITE! Dries quickly, lays flat. Use Agfa or type "B" chemistry. Satin or glossy surface. (Specify surface)

	25 sheets	100 sheets 19.95
8x10	**5.99**	200 sheets 37.95
		500 sheets 89.95

| 5x7 | 100 sheets | **12.49** | 300 sheets 34.50 |
| | | | 500 sheets 49.50 |

| 11x14 | 10 sheets | **5.99** | 25 sheets 13.95 |
| | | | 50 sheets 19.99 |

| 16x20 | 10 sheets | **9.89** | 25 sheets 23.49 |
| | | | 50 sheets 44.95 |

AGFACOLOR PROCESS KIT
Use with Agfa RC
color paper for
excellent results.
8.95
½ gallon
(develops up to fifty 8x10s)

35mm FILM BUYS

GAF 35mm COLOR SLIDE FILM

ASA 500	ASA 64	Process Mailers For GAF
100'19.99	100'14.99	20 EXP.
50'—10.99	50'—8.25	6@1.89 ea.
36 EXP.	36 EXP.	12@1.79 ea.
10-1.45 ea.	10-1.29 ea.	36 EXP.
20 EXP.	20 EXP.	6@3.09 ea.
10-1.04 ea.	10-1.05 ea.	12@2.99 ea.

GAF COLOR DEVELOPING KIT
One quart 75° kit does ten 20
Exp. cartridges. One quart **9.99**
ONE GAL. KIT 19.95   3 Qts. 27.95

KODAK SUPER XX ASA 250
BLACK & WHITE FILM. FINE GRAIN.
USE ANY STANDARD DEVELOPER.
35mm x 100' Roll **11.95**

ADOX B&W FILM ASA 100
FRESH KB21. Excellent contrast.
Fine grain. Use any standard developer.
35mm x 100' Roll **12.95**

35mm KODAK 5247
FRESH WORLD FAMOUS COLOR
ASA 100 NEGATIVE FILM
35mm x 100' - **17.95** 50' roll **9.99**
36 EXP. 10 or more **1.39** ea.

| HOME DEV. OUTFIT | • 50' 5247 Color Film • 1 qt. developing kit • 10 empty carts ...... | **17.99** |
| DELUXE OUTFIT | • 100' 5247 Color Film • ½ gal. developing kit • 25 empty carts ...... | **29.95** |

PAKO 2x2 35mm SLIDE MOUNTS
Full frame plastic slip-in mounts
Thin mounts 100 - **3.25** 50¢ - 14.95
fit all trays   1,000 - 28.95
Kodak 2 x 2 Cardboard Mounts 375-7.99

FRESH 35mm HP-5 ASA 400
ILFORD'S best in finest reloadable carts.
36 Exp. 10 or **1.69** ea.   5 or more 1.79 ea.
35mm x 100' **19.95**

America's Most Popular Loaders 35mm BULK FILM LOADER'S

Latest Deluxe Watson "100" Includes 10 metal reloadable carts Made in USA	Western Model 45 Includes 10 metal reloadable carts Made in U.S.A.	Genuine Lloyd Includes 10 metal reloadable carts Made in USA
11.39 Add Postage	**8.99** Add Postage	**8.69** Add Postage

POSTAGE FREE SPECIALS WITH PURCHASE OF ANY LOADER!
35mm x 100' FRESH ILFORD PAN F SUPER B&W FILM **11.95**
Use at ASA 50 or easily pushed to ASA 125

| Finest Reloadable Metal Cartridges | 25 for **4.49** | 100 for **15.99** | Plastic Film Cans for Cartridges | 25 for **2.59** | 50 for **4.99** |

AGFACOLOR RC OUTFITS
GLOSSY or SATIN (specify surface)
Outfit • 50 sheets 8 x 10
#1A • 50 sheets 5 x 7   **22.95**
• ½ gal. develop kit

Outfit • 100 sheets 8 x 10
#2A • 100 sheets 5 x 7   **42.95**
• Two ½ gal. dev. kits

Outfit • 100 sheets 8x10
#3A • Two ½ gal. dev. kits **35.95**

COLOR ACCESSORY SPECIALS
8x10 Color Print Process Drum 12.49
11x14 Center Tube 6.49
COMPLETE SET OF 22 - 3"x3" **9.49**
COLOR PRINTING FILTERS ....

C-41 COLOR NEGATIVE KIT
PROCESS ANY C-41 COLOR FILM
Fast 3-Step Start-to-Finish 15 Min.
One Quart **6.95** (2 lb) | Half Gallon **9.95** (3 lb)
(1 qt. does 10-36 exp.) Add Postage

COLOR RETOUCHING KIT
INCLUDES EVERYTHING:
Brushes, dyes, paints,
etc. For Black & White,
color prints
and slides ... **12.95**
With purchase of any color paper 9.95

AIR COLLAPSE CUBITAINER
Keeps air out. Lengthens
chemical life. One gallon **2.49**

PAPER SAFES Add Postage
3 Shelves holds 200
8x10 sheets, Auto Closing . **17.95**
100 sheet Model. Lift top.
Single Tray. 8x10 .... **6.49** (2 lb)
11x14 Model.
Holds 100 Sheets .... **8.39** (3 lb)

CHANGING BAG
Finest made. Light tight.
Dbl. zipper. Dbl. lined.   **9.49**
Pro size—27" x 30"   (3 lb) Add Postage

KODAK B&W DUPLICATING FILM
1-step direct positive continuous tone.
Duplicate slides or negs. Develop in
Dektol. Red safelite OK.
35mm x 50' Roll 5.95 | 4 x 5
35mm x 100' Roll 9.98 |50-6.95

KODAK POSITIVE PRINT FILM
Make slides from negatives. Use like
enlarging paper. Develop in Dektol.
Okay to use with any safelight.
35mm x 100' Roll **7.95**
4 x 5 50 sheets **8.49** | 8 x 10 20 sheets **8.95**
9½" x 20 ft. 9.50 9½"x50 ft. 14.50

35mm PLASTIC FILM CANS
Ideal for storage and shipping.
25 cans **2.99** | 50 cans **5.49**

3[M] COL[OR]
HUGE 5x7
Processing & del[uxe]
standard C-41 col[or]
35mm and HUGE [...]
Save time. Buy [...]

| 12 EX. 35mm 126 or 120 **4.79** | 20 [EX.] [...] **7.[2...]** |

| New Low Prices | Processing lustre col[or] 12 **2.79** Ex. |

FREE MAIL [...]

FRESH RC COLOR PAPE[R]
MADE IN U.S.A. USE KODAK 2-STE[P]
OR ANY "A" CHEMISTRY. SUPER
PRINTS FROM ANY COLOR NEGATIVE

| 8x10 | Satin or Glossy 25 Sheets | **7.29** |
100 sh. 22.95   200 sh. 44.9[5]
8" x 500 ft. Roll Glossy ......89.9[5]

| 5x7 | Silk, Satin or Glossy 100 Sheets | **12.9[5]** |
300 Sheets (OK to mix) ..... 35.9[5]
5"x75 ft. Silk-makes 985-5x7s 64.5[...]

| 11x14 | Glossy 10 Sheets | **6.49** | 25 Sh[eets] 14.9[5] |
16 x 20 Glossy — 10 Sheets ...10.9[5]
3½ x 5 Satin - 500 sheets ... 27.9[5]
3½ x 775 ft. Roll (Satin) .... 42.5[...]

2-STEP "A" COLOR PROCESS K[IT]
64 oz. w/stabilizer
(does up to 50—8 x 10s) .... **7.9[5]**

HOME PROCESS COLOR OUTFI[T]
(Please specify surface. See above.)
100 Sheets 8x10   OUTFIT #[2]
100 Sheets 5x7   ALL FOR
Two ½ gal. A Chemistry .. **44.9[5]**

100 Sheets 5x7   OUTFIT #[3]
500 Sheets 3½x5 ALL FOR
Two ½ gal. A Chemistry .. **39.9[5]**

COLOR PRINTING FILTERS
Full set of 22—3"x3" filters 9.4[5]
Kodak Filter Holder (Fits Lens) 6.4[9]

GLASSINE NEGATIVE PAGES
35mx42 Exp. holds 7 strips of 6 neg[s]
120x12 Exp. holds 4 strips of 3 neg[s]
50 8½ x 11 pages **4.49** 100 kits **8.4[9]**

STURDY LOOSE-LEAF BINDER
w/24 pgs. 35mm or 120 (specify) **7[...]**

35mm NEGATIVE FILE
Book Bound. Holds
900-35mm negatives ...... **4.7[5]**

STAINLESS STEEL T[ANKS]
Lab Quality Stainless Steel for Lif[e]
Smooth, no-scratch finish. Sprin[...]
Newest rapid fill for thorough de[...]

SS Steel or PVC Plastic Easy Lift Top
OUTFIT "A" —16 oz.
leak-proof top, plus 2 [...]
OUTFIT "B" —16 oz.
leak-proof top, plus 1 [...]
OUTFIT "C" —16-oz.
steel top, plus two 3[5...]
OUTFIT "D" —16-oz.
steel top, plus one [...]
16 oz. Rapid Fill Tank w/stainless st[...]
30 oz. tank with stainless steel top [...]

Stainless Steel | 35mm x 36 Exp. Re[els]
REELS ONLY | 3.19 ea. 4 or mor[e]

AGFA LUPE | Stainle[ss]

Finest 8X **3.49** Magnifier
For color or [...]
1½" dial [...]
6" probe [...]

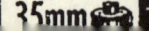

35mm [...] [FR]ESH AGFA FRESH 35mm

NOTA DA AUTORA

Minha família e eu temos uma grande dívida de gratidão para com as seguintes organizações e pessoas que lutam em prol do bem maior e trabalham por ele. Centenas de pessoas nos prestaram auxílio nas últimas quatro décadas, incluindo o Departamento de Polícia de Wichita, o Federal Bureau of Investigation (FBI), o Kansas Bureau of Investigation (KBI), o Xerife do Condado de Sedgwick e o Centro de Detenção do Condado de Sedgwick, o Departamento de Polícia de Park City, o Centro Correcional de El Dorado, a Procuradoria Distrital e a Defensoria Pública do Condado de Sedgwick, o município e a comunidade de Wichita, o Wichita Eagle e a Igreja Luterana de Cristo. Todo e qualquer erro neste texto é meu.

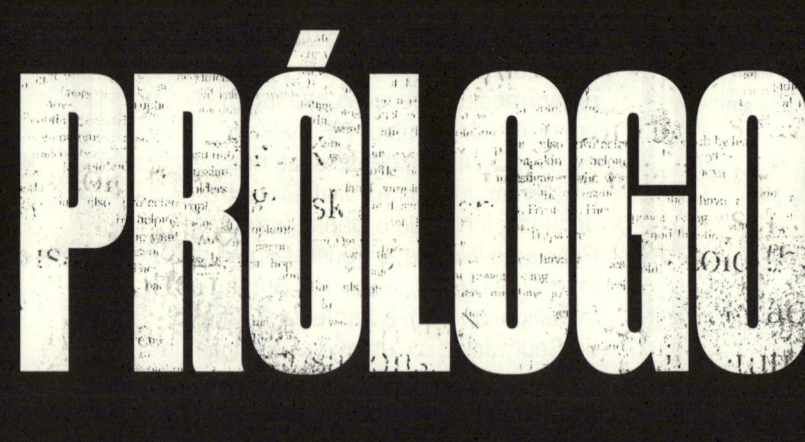

START

SOBREVIVENTE TEIMOSA

Em 25 de fevereiro de 2005, meu pai, Dennis Lynn Rader, foi preso por assassinato. Nas semanas seguintes, descobri que ele era o *serial killer* conhecido como BTK (sigla em inglês para *"Bind, Torture, Kill"* ou "Amarrar, Torturar, Matar"), que havia aterrorizado por três décadas a minha cidade natal: Wichita, Kansas. Enquanto ele confessava em rede nacional as mortes brutais de oito adultos e duas crianças, eu me esforçava para compreender que os primeiros 26 anos da minha vida tinham sido uma mentira. Meu pai não era o homem que eu conhecia.

Desde sua prisão, lutei muito para aceitar a verdade sobre ele. Eu me digladiei com a vergonha, com a culpa, com a raiva e com o ódio. Aceitei o fato de que sou uma vítima de crime, desde os dias em que minha mãe me carregava no ventre.

Não luto mais contra o passado nem tento escondê-lo. Ele apenas é. Ele apenas aconteceu e é terrível. Algo terrível de sonhar, terrível de pensar, terrível de falar. A perda incalculável, o trauma, o abuso emocional, a depressão, a ansiedade, o estresse pós-traumático — tudo deixa cicatrizes.

Eu me debati com o perdão, lutei pela compreensão, tentei juntar os cacos da minha vida e da vida da minha família. É uma batalha contínua, mas a esperança, a verdade e o amor — as coisas boas e certas deste mundo — continuam a enfrentar a escuridão e a derrotar os pesadelos. Sou uma sobrevivente que encontrou a resiliência e a resistência na fé, na coragem e na minha teimosia de nunca desistir.

Kerri Rawson

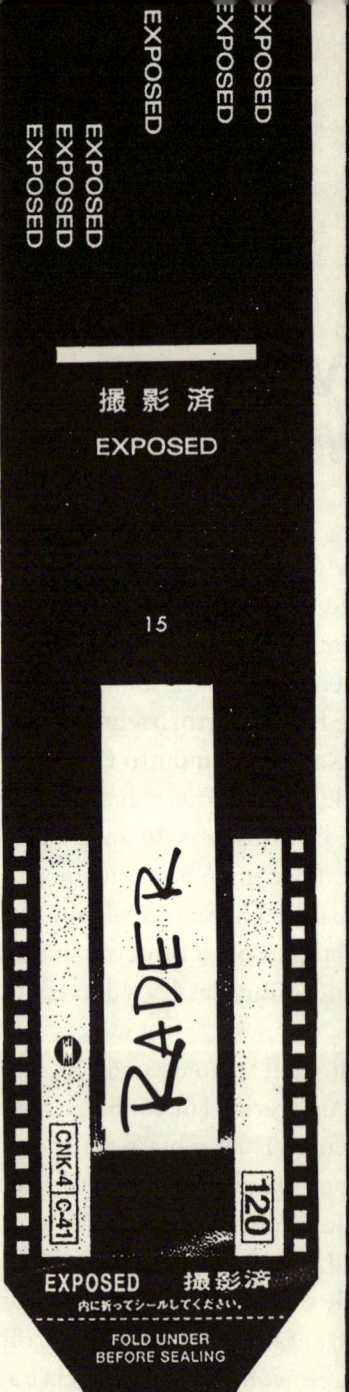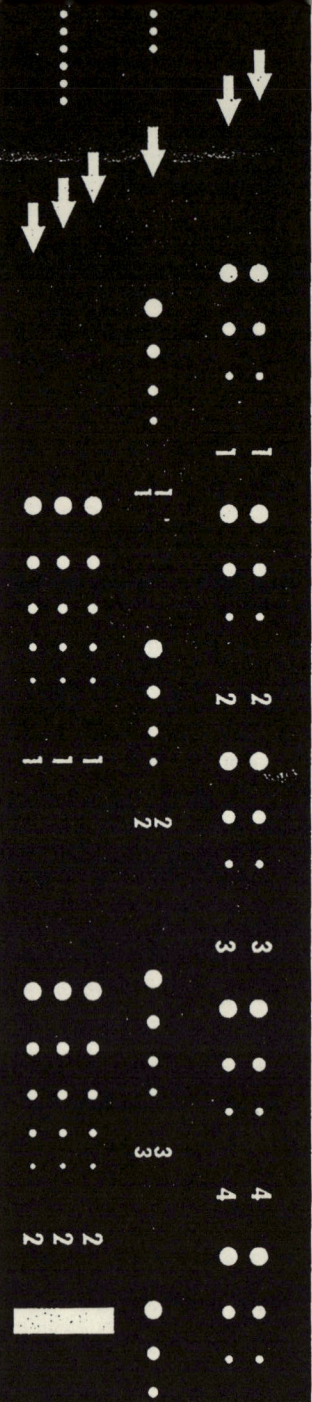

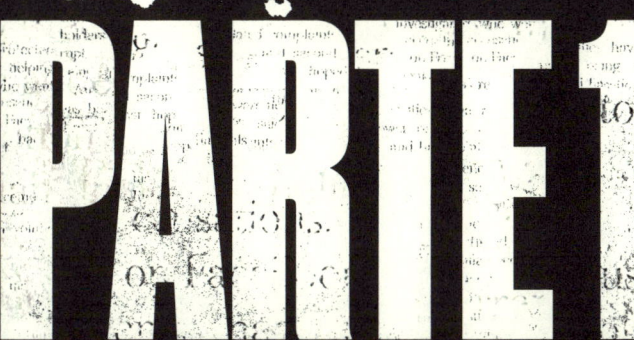

BK

PARTE 1
FIQUE FIRME NOS SEUS ALICERCES

PORTANTO, NÃO TEMEREMOS AINDA
QUE A TERRA SE TRANSTORNE E OS MONTES
SE ABALEM NO SEIO DOS MARES.
— SALMOS 46:2

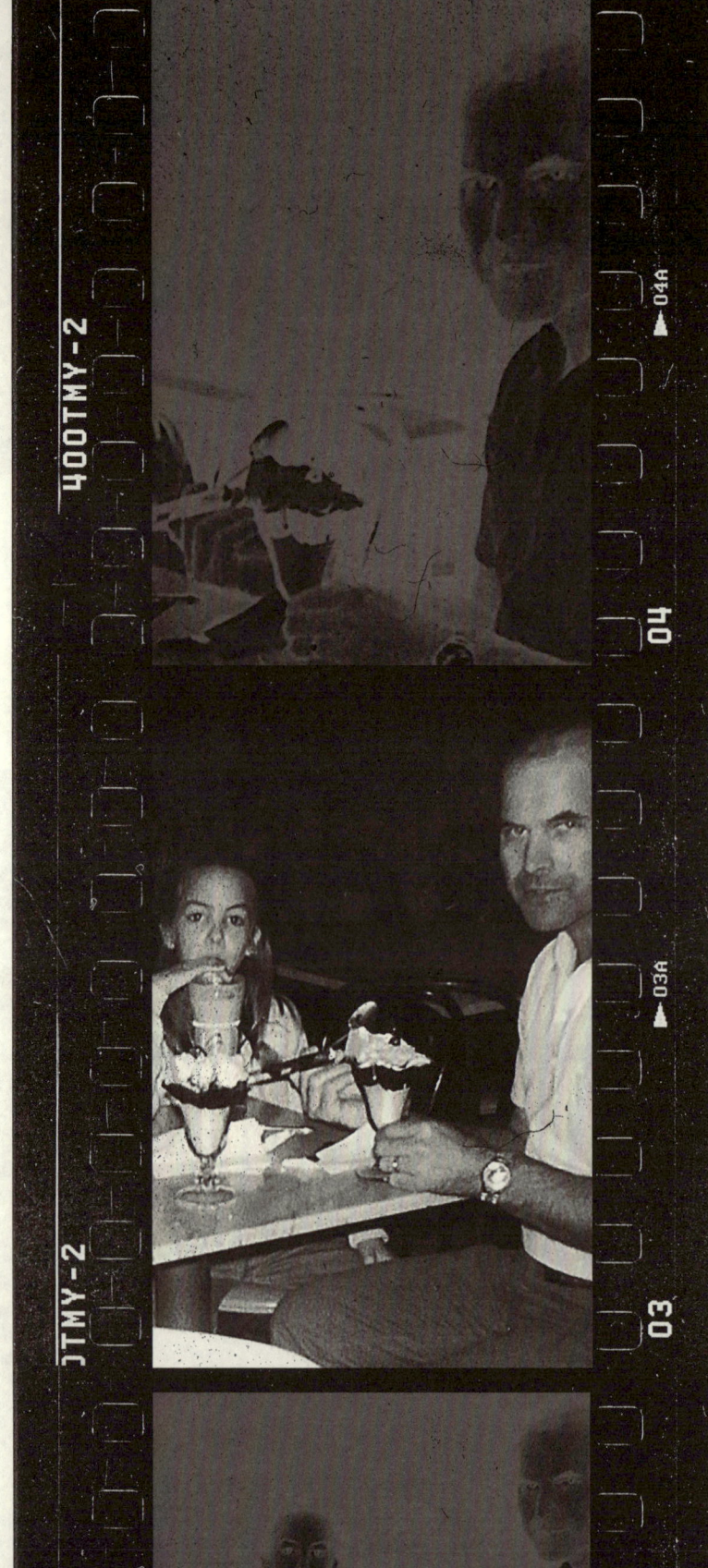

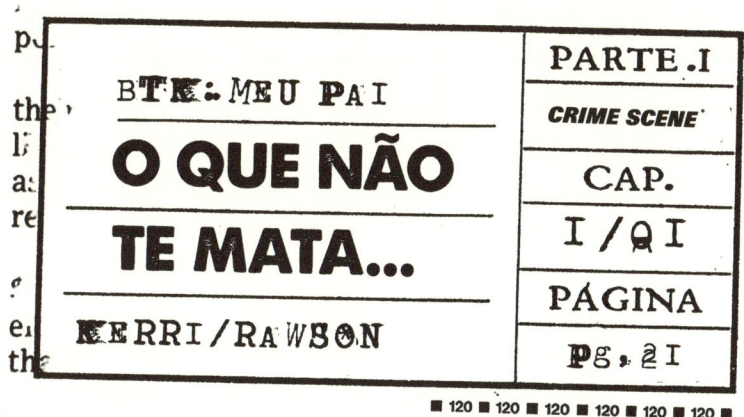

MEIO-DIA
SEXTA-FEIRA, 25 DE FEVEREIRO DE 2005
DETROIT, MICHIGAN

No dia em que o mundo desabou sobre mim, eu acordei tarde. Prendi o meu cabelo castanho-escuro em um rabo de cavalo com um frufru folgado, e ao meio-dia ainda estava vestida com meu pijama de lã verde-menta. Era um presente que ganhei dos meus pais na manhã de Natal, dois meses antes, quando estava em casa, no Kansas, com meu marido, Darian. Era nosso segundo inverno em Michigan, e eu havia tirado o dia de folga no meu trabalho como professora substituta. Recentemente, eu ficava muito em casa porque dirigir na neve e no gelo me deixava nervosa.

    Aquela sexta-feira, 25 de fevereiro de 2005, havia começado como apenas mais um dia frio, com neve no chão e no ar. Por volta das 12h30, olhei pela janela panorâmica para ver quanta neve havia caído na noite anterior. Não que alguém fosse responder com precisão, pois estávamos no final de fevereiro, o auge do inverno — era tudo apenas branco sobre branco.

Notei um carro castanho-avermelhado, algo velho e enferrujado, ao lado da lixeira verde atrás do nosso prédio. Havia um homem sentado ao volante e ele parecia observar a nossa janela no primeiro andar.

Meus alarmes internos dispararam. *Perigo, desconhecido.*

Eu não esperava Darian antes do almoço, dali a algum tempo, se é que ele viria.

Perto das 13h, olhei outra vez. O homem ainda estava lá.

Meu pai nos ensinava o tempo todo a ter medo de estranhos, a não abrir portas para quem não conhecíamos, a sermos extremamente cautelosos.

Certo, é isso. Vou ligar para Darian.

"Oi, quando você vem para casa almoçar?" Minha voz estava calma o suficiente para enganá-lo.

"Não sei bem. Quer que eu leve comida? Taco Bell?"

"Não precisa." Parei um instante. "Liguei porque tem um carro velho estranho e surrado que estacionou perto da lixeira. Tem um homem dentro e eu juro que ele está olhando para nossa janela." Eu estava começando a demonstrar certo pânico na voz, mas Darian nem se abalou: "Hum... Para nossa janela? No primeiro andar?"

"É, olhando bem aqui dentro."

"Hum, não é possível, mas se ele está te deixando preocupada ou coisa assim, chame a polícia."

"Acho que não. Bem, talvez. É. Se ele não for embora logo."

"Tá. Vou atrasar um pouco para o almoço, vou tentar fugir. Estou atolado de trabalho hoje."

Nos despedimos e eu olhei de novo, desta vez espiando pelo canto das venezianas, como meu pai faria.

Meu pai nos ensinava o tempo todo a ter medo de estranhos, a não abrir portas para quem não conhecíamos, a sermos extremamente cautelosos. Quando era mais nova, ele trabalhava com instalação de alarmes, e eu sempre achei que era daí que vinha a paranoia. Ainda assim, não há nada de errado em ser inteligente. Em estar seguros. Melhor do que remediar.

Espiei mais uma vez.

O carro ainda estava lá. O homem, não.

Clank, clank, clank.

O que aconteceu com o interfone para um visitante precisar tocar antes de entrar? Alguém deve ter deixado a porta da frente aberta de novo.

Nesse momento, meus alarmes internos estavam soando a toda. Meu coração, acelerando; minha pele, ficando quente.

Eu tinha certeza de que o homem no carro estava agora do outro lado da porta, que contava apenas com uma fechadura simples, sem trava de segurança. A casa onde cresci tinha travas, sempre trancadas, o dia todo.

Vou fingir que não estou.

Clank, clank, clank.

Ok. Seja corajosa. Não é nada.

Ergui os óculos de aro de metal no topo da cabeça e olhei através do olho mágico da porta. Vi um homem de cinquenta e poucos anos de camisa social. Gravata. Óculos.

Torci meus óculos nas mãos e os coloquei de volta no rosto.

"Olá? Pois não?", perguntei do meu lado da porta — da porta fraca do apartamento.

"Sou do FBI. Preciso falar com a senhora."

Comigo? O FBI?

"Do quê?"

"Preciso falar com a senhora. Posso entrar?"

Ainda estou de pijama, descalça.

Meu pai sempre dizia: "Peça para mostrarem o distintivo. Faça-os provar quem são". Não que alguém, alguma vez, tenha vindo até minha porta com um distintivo, mas acho que tem a primeira vez para tudo na vida. Abri um pouco a porta, colocando meu pé ao lado. Se ele fosse do FBI, poderia forçar a entrada. Ou não. Era difícil saber, com base no que eu tinha visto nos filmes.

Ele não parecia ser do FBI, e sim alguém que faria meu imposto de renda.

"Então, é... posso ver sua identificação?"

"Pode." Ele abriu seu distintivo e me deixou estudá-lo por um instante. Em seguida, perguntou em tom mais suave: "Posso entrar? Eu preciso falar com a senhora".

Tá... mas que negócio é esse?

"Claro. Meu marido vai chegar logo. Está a caminho. Sabe, para o almoço?"

Este é outro truque que meu pai ensinou há muito tempo: diga ao estranho na sua casa que tem alguém a caminho, mesmo que não seja verdade.

"Ah, ótimo. Preciso falar com ele também."

Parada ali no hall de entrada do apartamento com aquele cara, decido que parece tudo bem. Ele nem tinha arma, apenas um bloco de notas amarelo e um lápis.

Nada a ver com os filmes.

"Sobre o que o senhor precisa falar comigo? Sou eu mesma, né?"

Ele olhou para seu bloco de notas e depois para mim.

"Sim, acho que sim. A senhora é Kerri Rawson? Sobrenome de solteira Rader? Tem 26 anos?"

Confirmei.

"Originalmente de Wichita, Kansas? Seu pai é Dennis Rader?"

"Hum, sim. Eu mesma." Minha mente estava toda confusa. *Por que esse homem está aqui? O que ele quer?*

Eu me virei para ir à cozinha, mas o corredor era tão estreito que apenas uma pessoa podia passar de cada vez. Eu não queria ter aquele homem atrás de mim, então parei e dei um passo para trás, sugerindo que ele fosse na frente. Minha mente tentou encontrar algum motivo para a visita e não encontrou nada além de um forte ruído branco. E *medo*.

Em vez disso, me concentrei em pequenos detalhes: os panos de prato de centáurea-azul com girassóis coloridos pendurados na cozinha "branco sobre branco", um pouco de cor trazida do Kansas para Michigan havia dezoito meses, quando meu pai nos ajudou na mudança para cá após o casamento. Havia um bolo de chocolate com cobertura de açúcar de confeiteiro no balcão, que eu tinha feito na noite anterior. Minhas chaves e bolsa azul-marinho estavam ao lado dos livros de receitas. O livro da Betty Crocker com espiral vermelha estava apoiado na caixa de cartões de receitas escritos à mão, as favoritas de amigos e familiares do Kansas.

O homem do FBI estava agora de frente para mim, de costas para o micro-ondas.

"A senhora já ouviu falar do BTK?"

O qu...?

A sala se iluminou e depois estreitou-se, intensificou-se.

"Hum, quer dizer aquele cara que estão procurando em Wichita? No Kansas?"

"É."

Apertei o botão de pânico. "Aconteceu alguma coisa com a minha avó? Minha avó foi assassinada?"

"Sua avó? Não. Ela está bem."

"Vovó é frágil", eu disse. "Cai o tempo todo. Meus pais precisam ajudar muito. Ela esteve no hospital esta semana. O BTK assassina mulheres."

"Não. É o seu pai."

"O que tem o meu pai?"

"Ele foi preso."

"Meu pai foi o quê?"

"Preso. Seu pai é suspeito de ser o BTK. Procurado por assassinatos no Kansas."

"Meu pai é o quê...?"

"BTK. Procurado. Preso. Podemos nos sentar? Preciso fazer algumas perguntas."

"Minha mãe? Minha mãe, Paula, ela está bem? Minha mãe foi assassinada? Pelo meu pai?"

"Não. Ela está bem. Em segurança. Ela está indo agora mesmo para interrogatório."

"Quem? Quem está levando ela?"

"A polícia. Eles vão interrogá-la. Sua mãe está bem."

"Meu irmão, Brian? Meu irmão está bem? Ele está lotado em Groton, Connecticut, com a Marinha dos Estados Unidos."

"Está sim. Está sendo notificado agora."

"Por quem?"

"Pelo FBI." O homem levantou uma página do bloco de notas. "Preciso interrogar a senhora. É importante. Quando disse mesmo que seu marido estaria em casa?"

A sala estava girando.

Agarrei a parede que se projetava perto do fogão. Minha mão roçou o quadro liso de mosaico pendurado ali — era de roxos vívidos, rosas, verdes, uma borboleta gravada e as palavras *O amor nunca falha.*

Eu tinha ouvido: *Seu pai é o BTK.*

Eu estava tremendo. "Acho melhor eu me sentar. Não estou me sentindo bem."

A sala ficou vermelha. Manchas escuras surgiram na minha visão.

Eu estava caindo em um buraco negro, sem ideia de como ia sair.

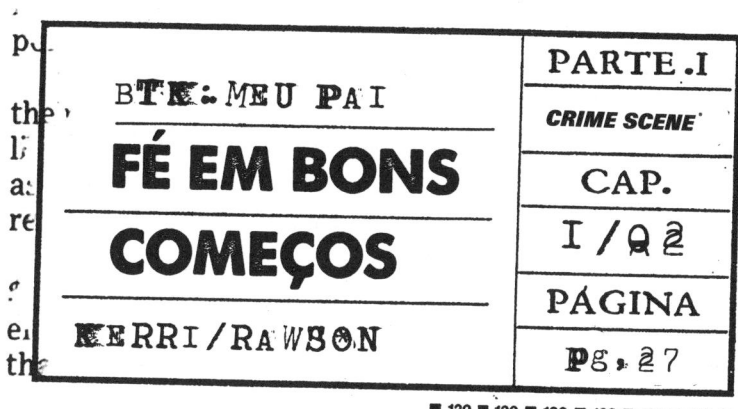

JUNHO DE 1981
WICHITA, KANSAS

As pessoas que conheceram meus pais antes de 25 de fevereiro de 2005, teriam dito: Dennis adorava Paula. Meu pai lhe diria isso também — até hoje. Só que ele deveria saber que não seria para sempre.

Algumas das minhas primeiras lembranças são de música preenchendo toda a casa, tocada pela vitrola que meu pai nos enviou quando estivera no exterior em uma missão da Força Aérea, anos antes. Enquanto The Carpenters se harmonizavam em "We've Only Just Begun", meu pai puxava minha mãe para perto e ela ria, e eles giravam juntos por um ou dois minutos na sala de estar, perdidos, lembrando-se dos bons momentos que haviam acontecido em torno de sua música. Quando era bem pequena, eu girava, batia palmas e esperava minha vez. Quando papai e eu dançávamos "(They Long to Be) Close to You" com meus pezinhos em cima de suas meias brancas, eu tinha certeza de que o amor do meu pai por mim não tinha limites.

Esses hits foram lançados em 1970, pouco antes dos meus pais se conhecerem. Meu pai, o mais velho de quatro irmãos, foi o último a conhecer minha mãe, a mais velha de três irmãs. Na Igreja Luterana de Cristo, minha avó, Dorothea, dizia para mamãe, Paula: "Eu tenho mais um filho. Você ainda não conheceu Dennis. Espere, ele vai voltar para casa em breve".

No verão de 1966, meu pai entrou para o Exército voluntariamente antes que o alistamento obrigatório o pegasse. Ele viajou feliz por quatro anos como mediador de comunicação da Força Aérea para missões que o mantiveram fora do Vietnã: Grécia, Turquia, Coreia do Sul e Okinawa, no Japão. Papai poderia escalar um poste de energia sem esforço, instalar antenas, fios e tudo o que precisava para montar o sistema: bastavam breves movimentos com o pulso, poucos ajustes aqui e ali e paciência. Ele voltou para casa com histórias e com uma caixa cheia de fotos e lembranças. Em sua passagem pelo exterior, ele mais parecia um turista do que um sargento em tempos de guerra.

Dois irmãos de papai lutaram nas selvas do Vietnã: Paul foi marinheiro em um torpedeiro PT da Marinha; Bill, fuzileiro naval, andando no mato. Meus tios não falavam muito de suas viagens em serviço, mas era claro: com certeza pareciam férias. O irmão mais novo de papai, Jeff, foi poupado de ir para o Vietnã.

O pai do meu pai, William Rader, cresceu em Rader, Missouri, cidade fundada pelos meus ancestrais no século XIX. Sua família mais tarde se estabeleceu em Pittsburgh, Kansas, onde ele e os irmãos trabalhavam na fazenda da família. Em fevereiro de 1943, meu avô, de 20 anos, ingressou no Corpo de Fuzileiros Navais. Dois meses depois, minha avó, de 17 anos, que morava em Columbus, Kansas, viajou de trem para San Diego, Califórnia, para se casar com o namorado de tempos de colégio, em uma folga que meu avô tivera no treinamento para mecânico de aeronaves.

Sempre imaginei meus avós dançando "Moonlight Serenade", da *Glenn Miller Orchestra*, uma das minhas favoritas e da vovó Dorothea também, embora a melodia de *swing* atemporal de "In the Mood" pudesse ser adequada ao ritmo acelerado deles. Passaram uma noite juntos; mas depois era necessário voltar às realidades da Segunda Guerra Mundial.

Vovô logo acabou no Pacífico, consertando os bombardeiros B-25 que sobreviviam ao fogo inimigo e, de alguma forma, conseguiam retornar à Ilha Midway. Voltou para casa cheio de histórias de pouso forçado, aviões crivados de bala e a vida em um atol de cinco quilômetros quadrados no meio do oceano.

Uma folga em terra proporcionou o nascimento do meu pai nove meses depois, em março de 1945. Vovó e meu pai bebê ficaram com a família em Columbus por um ano, até que meu avô retornou para casa em março de 1946. O vovô era cozinheiro no navio enquanto cruzavam o Pacífico, descascando montanhas de batatas. Mais tarde, ele diria: "Com certeza supera esfregar o convés".

Meu pai não decidiu de um dia para o outro cometer assassinatos. A decisão foi se formando dentro dele, crescendo ao longo de seus 29 anos de vida. Depois de ser preso, papai falou de comportamentos desviantes ocultos que datavam de tenra idade: espionagem, perseguição, invasão, roubo, tortura de animais.

Quando meu pai era pequeno, meus avós se mudaram para a região de Riverview, ao norte de Wichita, por causa do novo emprego do vovô, que ia trabalhar em jornada noturna na fábrica de *Ripley* da *Kansas Gas & Electric* (KG&E). As chaminés de tijolos vermelho, altas do outro lado do rio Little Arkansas, podiam ser vistas da rua onde a família de papai se estabeleceu em uma casa térrea branca com beirais pretos.

Papai e seus três irmãos mais novos dormiam em beliches em um quarto, onde papai contava histórias de caubóis e índios ou policiais e ladrões para os mais novos pegarem no sono. Os meninos caminhavam até a escola de ensino fundamental de Riverview por uma rua ladeada por árvores arqueadas, e, todo outono, cada um deles ganhava um novo par de jeans, que vovó remendava várias vezes antes de transformar em bermudas para as férias de verão. Na infância, os meninos passavam muito tempo ao ar livre, fazendo bagunça, pescando e atirando ao redor do rio.

Em 1960, a vovó conseguiu um emprego mais tranquilo como contadora do supermercado *Leeker's Family Foods*. Meu pai, então com 15 anos, logo se juntou a ela como empacotador e estoquista.

Mais tarde, quando todos nos reuníamos no outono para os acampamentos da família Rader, meu pai e tios contavam história após história de sua infância, enquanto meus primos e eu caíamos no sono ao lado da fogueira de chamas alaranjadas. Havia histórias de guerra e histórias de fantasmas, histórias de pescador e outras maravilhas.

* * *

Minha avó materna, Eileen, formou-se na escola de ensino médio de Plainview, no sul de Wichita, em 1944, e foi trabalhar na Boeing. Ela pilotava um carrinho Cushman no chão da fábrica, entregando peças enquanto os bombardeiros B-29 eram fabricados no alto.

O pai da minha mãe, Palmer, cresceu em WaKeeney, Kansas, e serviu dois anos no Pacífico como operador de rádio e código Morse nas Forças Aéreas do Exército. Ele nos disse: "Ovos nunca estragam — comíamos ovos de dois anos atrás naqueles navios de tropas e ficávamos felizes".

Depois da guerra, minha avó começou a prestar atenção em um caixa no supermercado Safeway. Vovô também estava de olho nela e declarou "Essa é a garota com quem vou me casar", já na primeira vez em que a viu no caixa. Parece que ainda há certo debate sobre quem foi atrás de quem, mas depois de alguns encontros, estava tudo resolvido e se casaram três meses depois, em 1946.

Mamãe nasceu em 1948, morou em Plainview nos primeiros anos, depois mudou-se para Park City, subúrbio ao norte de Wichita, onde cresceu a cinco quilômetros de meu pai. Quando adolescentes, minha mãe e suas irmãs, Sharon e Donna, ajudavam na confeitaria da família em Wichita e gerenciavam a piscina pública de Park City com a vovó.

Em agosto de 1970, meu pai, então com 25 anos, acabava de voltar da Força Aérea. Era bonito e elegante em seus trajes azuis, olhos verde-avelãs enrugando nos cantos quando sorria. Mamãe, de 22 anos, era bonita, de pernas longas em vestido tubinho, com olhos castanho-escuros e cabelo castanho-escuro curtinho. Eles chamaram a atenção um do outro no salão de congregação após a igreja.

Mamãe me dizia: "Quando a gente sabe, sabe".

Já meu pai dizia: "Foi amor à primeira vista; e ela tinha um carro esportivo".

Papai morou com meus avós nos meses seguintes, frequentava o Butler Community College e trabalhava meio período no Leeker's. Mamãe morava com os pais dela e trabalhava como secretária na Administração de Veteranos.

Meus pais noivaram logo após o Natal de 1970, no meio do rio Arkansas congelado, no centro de Wichita. Dois meses depois, o Chevelle vermelho 1966 da mamãe, apelidado de *Big Red*, derrapou na ponte congelada a um quarteirão da igreja e colidiu com outro veículo. Ela quebrou a coluna e papai correu para o lado dela no Wesley Hospital e a ajudou durante o processo de recuperação.

Em maio de 1971, amigos e familiares se reuniram para o casamento deles. As irmãs da mamãe foram as madrinhas, com vestidos azul-celeste e chapéus de estilo *pillbox* no mesmo tom, segurando margaridas brancas. Os irmãos do meu pai foram os padrinhos, de gravata e paletó.

No altar na igreja onde se conheceram, a tia da minha mãe cantou "We've Only Just Begun". Papai vestia paletó branco e fez os votos tradicionais de fidelidade: "Eu te recebo como minha esposa". Depois de ouvir a história tantas vezes, ainda não sei a maneira certa de contá-la. Mamãe recitou seus votos com perfeição, ereta como uma vareta, seu vestido de renda branca de gola alta escondendo o colete ortopédico.

Na noite em que meus pais se casaram, o céu escureceu, e o bolo de casamento com flores azuis e amarelas quase tombou no estacionamento. O bolo foi salvo do desastre e, durante a festa, papai, com brilho travesso nos olhos, deu um pedação na boca da minha mãe. Ela, com olhos brilhantes e sorridentes, cobriu educadamente a boca com a mão e retribuiu o gesto.

Parados na porta da igreja, papai e mamãe fizeram um aceno de despedida para os amigos e familiares. Então, de mãos dadas, correram rindo na chuva — não apenas na chuva do céu, mas também na tradicional chuva de arroz —, até o Big Red, decorado com serpentinas flutuantes, latas arrastando e letreiros escritos com graxa de sapato branca, que lhes desejavam amor, sorte e que fossem felizes para sempre.

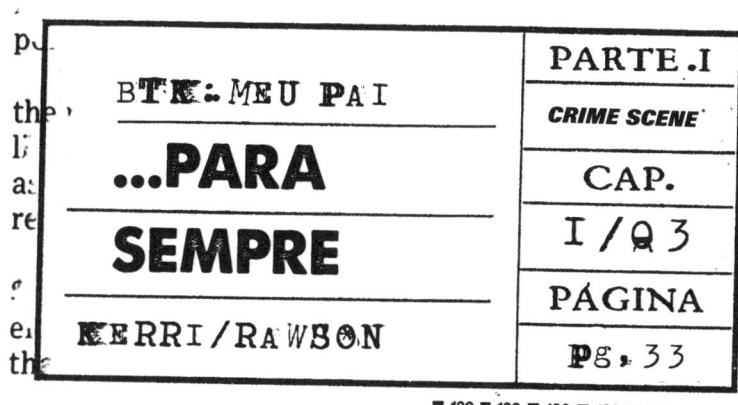

JUNHO DE 1971

Depois da lua de mel, meus pais compraram uma casa térrea de aproximadamente oitenta metros quadrados e três quartos — branca com beirais amarelos —, a uma quadra de onde meus avós maternos moravam. A casa de tijolinhos, construída em meados da década de 1950, tinha uma planta baixa idêntica à da casa da infância de minha mãe.

Avançando no caminho para o sonho americano, meus pais guardaram a porcelana de casamento, branca como ossos, em armários forrados de papel e compraram utensílios de cozinha no tom abacate. Mamãe colocou papel de parede marrom e creme na cozinha e costurou cortinas azuis-claras de tecido muito resistente para a grande janela panorâmica da sala de estar. Jarros azuis, herdados da avó do papai, Carrie, decoraram mesas laterais. Discos foram reunidos ao lado da mesa giratória de papai. Minha mãe estava feliz por ter os pais tão perto e esperava ansiosamente pelos filhos que engatinhariam no piso de madeira.

Enquanto terminava a faculdade, meu pai aceitou o emprego vespertino na fábrica da *Coleman Company*. Ele pediu demissão depois de obter o diploma de tecnólogo em eletrônica no Butler College, no verão de 1972. Ele começou a trabalhar na *Cessna Aircraft Company* no início de 1973, no departamento de ferramentas e matrizes elétricas, cargo de que ele gostava e que se encaixava no seu crescente conjunto de habilidades. Mamãe continuou trabalhando na Administração de Veteranos como secretária, suas mãos ágeis voando na máquina de escrever e registrando em taquigrafias precisas as mensagens ditadas que exigiriam um especialista em códigos para decifrar.

Após o trabalho, o *Angelo's* se tornava o lugar favorito para dividir uma pizza, seguido por um filme no *Crest*. O primeiro e último filme de terror que mamãe viu com papai foi o *remake* do filme de 1967, Um *Clarão nas Trevas*. Posso imaginar minha mãe segurando o braço do meu pai com força, dizendo: "De agora em diante, eu escolho o filme".

Papai também aprendeu que ela não gostava de acampar. Foi depois de terem passado uma noite tentando resistir a tempestade no lago Wilson. Mamãe conta a história de como ficaram amontoados na barraca de lona verde-oliva que cheirava a "vira-lata sarnento", quando um guarda florestal apontou a lanterna para eles, avisando da aproximação do tornado. Ela ainda comenta daquela noite: "Eu disse a seu pai que estava decidido: dali em diante, ele que acampasse sozinho".

* * *

Eu cresci ouvindo essas histórias: como meus pais tinham se conhecido, se casado e passado uma vida feliz juntos. Essas histórias se tornaram cânones na minha vida — o terreno sólido onde eu ancoraria minhas crenças do mundo. Eu gostaria de poder continuar contando apenas essas histórias, até o fim. Era o que eu esperava; era com isso que eu contava.

Papai desejava seu "lado bom, sua vida moralmente digna", mas também queria seu "lado sombrio, sua vida escusa".[1] Ele faria um grande esforço nas três décadas seguintes para manter essas duas vidas lado a lado, mas escondendo sua segunda vivência de todos. Em dado momento, porém, sua outra vida alcançou a primeira e expôs assim suas próprias verdades terríveis.

Meu pai não decidiu de um dia para o outro cometer assassinatos. A decisão foi se formando dentro dele, crescendo ao longo de seus 29 anos de vida. Depois de ser preso, papai falou de comportamentos desviantes ocultos que datavam de tenra idade: espionagem, perseguição, invasão, roubo, tortura de animais. Falou de um imenso mundo de fantasia construído em torno da violência, *bondage* e sadismo. Ele lia sobre criminosos notórios e os idolatrava — acrescentando as ações narcisistas e assassinas dos outros aos seus próprios ideais malignos. Ele subverteu tudo dentro de sua cabeça: fato, ficção, meias verdades, mentiras inquestionáveis. E disso saiu seu "Fator X".[2]

Ele achava que poderia controlá-lo, pará-lo a qualquer momento. Porém, não poderia estar mais errado.

NOVEMBRO DE 1973

No outono de 1973, papai foi demitido da Cessna Aircraft Company. Ele gostava do trabalho, que pagava bem, e a perda do emprego iniciou uma espiral descendente dentro dele que o levaria a imensa devastação externa. Enfurecido, desocupado e bastante ansioso, ele foi se agravando, e acabou por invadir as casas da região e tentou sequestrar uma mulher no *Twin Lakes Mall*.[3]

Em janeiro de 1974, meu pai assassinou Joseph e Julie Otero e seus dois filhos mais novos, Josie, de 11 anos, e Joey, de 9. Os três filhos mais velhos dos Otero encontraram os corpos da família depois de voltarem da escola. Meu pai então se tornou um procurado, que viveu todos os dias dos 31 anos seguintes como uma traição — como mentira.

Depois do assassinato dos Otero, papai começou a estudar na *Wichita State University* (WSU), almejando o diploma de bacharel em administração de justiça. Estudando a aplicação da lei, meu pai manteve oculta sua própria pauta irônica e nefasta. Às vezes, frequentar a faculdade tornava-se a desculpa que lhe dava cobertura. Ele dizia à mamãe que ia para a biblioteca do campus estudar — quando, na verdade, estava procurando vítimas.

Em abril de 1974, meu pai assassinou Kathryn Bright, uma jovem de 21 anos que morava perto do campus da WSU, e lutou com o irmão dela, Kevin, de 19 anos; por fim, atirou nele e quase o matou. Naquele outono, buscando notoriedade, meu pai entrou em contato com o jornal local, o *Wichita Eagle*, e reivindicou a autoria pelo assassinato dos Otero, chamando a si mesmo de BTK, por amarrar, torturar e matar (*bind, torture, kill*). Ele também começou a trabalhar na ADT instalando sistemas de segurança, capitalizando o medo e a oportunidade que ele havia criado, o que lhe proporcionava acesso e cobertura, pois ninguém presta atenção em vans de serviço e uniformes profissionais. Trabalhando durante o dia e frequentando a faculdade à noite, meu pai ficava fora por longas horas e chegava tarde. Para que conseguisse terminar a faculdade, minha mãe muitas vezes datilografava os trabalhos dele e, às vezes, até mesmo o ajudava escrevendo-os.

Enquanto meu pai estudava justiça e trabalhava com segurança, roubou exatamente essas duas coisas das famílias Otero e Bright. Ele também se tornou superprotetor em relação à própria família. A insanidade distorcida autoinduzida do meu pai, focada em excesso de cautela e desconfiança, permearia minha casa pelas décadas seguintes. Nunca tivemos um sistema de segurança, mas tínhamos adesivos ADT nas portas e uma fita metálica fina delineando a janela da porta dos fundos — que papai me disse ser o suficiente para enganar os bandidos. Depois de sua prisão, ele comentou: "Fiquei excessivamente defensivo. Ficava vigiando a rua e tinha uma arma carregada pronta. Eu me certificava de que nossas janelas trancadas estivessem seguras, talvez como todo o restante da população de Wichita".[4]

Brian, meu irmão de olhos verdes e cabelos loiros, chegou em uma noite de julho de 1975. Depois de se esforçarem por três anos para engravidar, meus pais ficaram encantados por ganharem o primeiro filho. Minha mãe o chamou de Brian em homenagem ao jogador profissional de futebol americano Brian Piccolo, que lutou contra o de câncer na década de 1960, depois interpretado por James Caan no dramalhão *Glória e Derrota*, de 1971. Poucas semanas depois, meu irmão foi batizado na pia batismal de madeira situada no mesmo lugar onde meus pais haviam se casado, quatro anos antes. Meus pais passaram, então, a viver uma vida familiar quando mamãe deixou a Administração de Veteranos para ficar em casa com meu irmão.

Décadas depois, meu pai comentou a lacuna nos assassinatos iniciada após o nascimento do meu irmão: "Agora éramos uma família. Com emprego e o bebê, fiquei ocupado".⁵ Meu pai continuou a perseguir vítimas em potencial até que, em março de 1977, assassinou Shirley Vian Relford, mãe de três filhos pequenos. Em dezembro de 1977, quando minha mãe estava grávida de três meses, meu pai assassinou Nancy Fox, de 25 anos. Meu pai estava criando filhos, mas decidiu tirar aquela mãe dos filhos dela. Estava prestes a ter uma filha, mas roubou mais duas filhas de suas famílias.

Nasci de manhã cedo, em junho de 1978, e fui batizada pouco depois. Meu nome veio da avó do meu pai, Carrie, e eu ganhei o mesmo nome do meio dele: Lynn.

Meu pai continuou a fazer joguinhos com a polícia e com a mídia sob o pseudônimo de BTK— deixando minha cidade natal e minha mãe amedrontadas. Então, silenciou, interrompendo a comunicação no dia seguinte ao meu primeiro aniversário. Ele se formou na WSU e disse, depois de ter sido preso: "Fiquei ocupado sendo um homem de família, criando filhos".⁶

Mas seu "Fator X" nunca estava muito longe.

BOLETIM DE NOTÍCIAS

JUNHO DE 1979

Hoje, o homem que se autodenomina BTK — para *Bind, Torture, Kill* — deixou uma carta em uma agência do correio no centro de Wichita.

Às 4h, um homem abordou uma balconista que estava chegando para trabalhar. Ele lhe entregou a carta e pediu que a colocasse na caixa da KAKE, emissora de TV local. A balconista relatou que o homem tinha cerca de 30 anos, não usava barba e tinha o cabelo cortado curto acima das orelhas. Ele vestia roupa estranha para o verão: jaqueta jeans, calça jeans e luvas.[1]

BTK é procurado por sete assassinatos ocorridos em 1974.

Se você viu este homem, entre em contato com as autoridades imediatamente.

BTK: MEU PAI
TERROR NOTURNO
KERRI/RAWSON

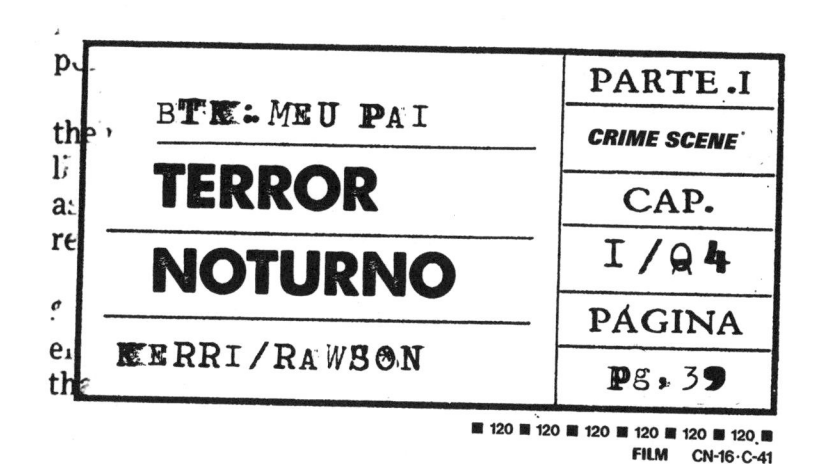

PARTE.I
CRIME SCENE
CAP.
I/Q4
PÁGINA
pg. 39

MAIO DE 1980

Patches, uma filhote de spaniel bretão, laranja e branca, chegou no Dia das Mães, quando eu tinha quase 2 anos. Ela seguia meu pai por todo o nosso quintal e eu ia logo atrás. Meu pai fazia de tudo para manter nós duas longe de problemas. Ele me levantava, tirava a terra dos meus joelhos e roçava meu rosto com o bigode escuro, o que me fazia gritar: "Papai, você está espetando".

Pelas manhãs, eu ficava no corredor, espiando o banheiro, vendo papai raspar a barba. Às vezes, em ocasiões que me pareciam abruptas, ele raspava o bigode ou deixava crescer a barba, e quando eu era bem pequena, ficava me perguntando para onde meu pai tinha ido.

Quando os olhos de papai estavam da cor da grama na primavera, era fácil me acomodar ao lado dele e ouvir suas respostas aos meus infinitos questionamentos. Mas, desde que me lembro, estar perto dele podia ser complicado. Quando seus olhos escureciam — tempestuosos como mar revolto —, era aconselhável manter distância.

Podia ser difícil saber *qual* dos dois voltaria para casa no final do dia, quem chegaria na van branca com as escadas vermelhas e as letras ADT na lateral. Quando meu pai ficava grosseiro e emburrado, era melhor sair de campo e cuidar da própria vida. Quando ele foi preso, minha mãe disse: "Perto do seu pai, muitas vezes parecia que pisávamos em ovos".

Ela sabia como se livrar de papai com delicadeza: "Vou arrumar a cozinha depois do jantar. Por que você não vai cuidar das tarefas externas? Talvez a Patches queira passear. O tempo parece bom neste fim de semana, por que não vai pescar?".

Aprendi muito cedo que, se pudéssemos levar meu pai para fora de casa, os ombros dele se endireitavam, a expressão assustada nos olhos desaparecia e ele voltava a ser simplesmente *papai* de novo.

Quando eu tinha cerca de 3 anos, meu quarto ficava no canto da casa. Meu pai, então, transformou ele temporariamente em estufa. No inverno, eu o ajudei a escolher as sementes no catálogo da loja de jardinagem Burpee e, na primavera, ele colocou bandejas verde-menta salpicadas com terra sob as luzes fluorescentes no meu quarto. Ele amarrou um cordão de luzes menores no galpão anexo, onde eu ficava na ponta dos pés na pequena escada de madeira, olhando para as bandejas, a fim de ver o que tinha brotado.

Enquanto a horta do meu pai continuava a se expandir no canto do quintal, ele desenhou a planta de uma casa na árvore para o lado oposto. Em cima de quatro postes de sequoia, pouco a pouco surgiu uma plataforma de madeira, e nós, crianças, colocávamos os pés para fora dela enquanto papai acrescentava paredes e janelas. Assim que a casa ficou alta o suficiente, até mesmo para papai ficar em pé lá dentro, ele a cobriu com um telhado inclinado de telhas *shingle*, apoiou uma escada alta de madeira na porta e a entregou para meu irmão e para mim.

Muitas vezes, nas manhãs de sábado, eu o acompanhava até a loja de material de construção *Payless Cashways*, e ficava vagando pelos corredores de ferramentas, traquitanas e madeira cheirosa. Papai escolhia o que precisava, colocava no banco de trás do carro e amarrava a bandeirinha vermelha de sinalização na ponta. Íamos para casa e nos púnhamos ao trabalho.

MAIO DE 1982

Quando eu tinha quase 4 anos, meus avós paternos — Bill e Dorothea — foram a nossa casa, com seu grande *Oldsmobile Cutlass Supreme* dourado e um pequeno trailer amarelo e branco a reboque. Carregamos o carro sob a fraca luz cinzenta do amanhecer e rumamos para o sul.

No Texas, paramos no *Goose Island State Park*, a reserva natural onde veríamos a *Big Tree*, um enorme carvalho cujos galhos apontam para o céu, e jogamos um pouco dos salgadinhos da vovó para as gaivotas.

Meu pai assassinou Marine Hedge, avó e viúva, no final de abril de 1985. Ela vivia na mesma rua que nós, e minha mãe e eu acenávamos para ela quando íamos até a casa dos meus avós.

Atravessamos Padre Island de balsa em Port Aransas e passamos os dias seguintes estacionados perto da praia. Papai desenhou um grande cartão de aniversário para minha mãe na areia e ajudou as crianças, nós, a construirmos castelos elaborados, encontrando as conchas perfeitas para decorar nossas fugazes residências. Gritei quando a maré subiu, desmanchou nossas criações e as levou de volta ao oceano.

Certa manhã, papai topou com uma caravela-portuguesa na arrebentação e voltou para o trailer pulando e gritando, com uma enorme marca roxa no pé. Seus gritos me fizeram dar risadinhas.

A praia se consolidou no meu coração naquela viagem mágica, mas eu era tão pequena que, ao longo dos anos, perguntei à minha mãe várias vezes: "A gente visitou mesmo a Big Tree, alimentou as gaivotas e ficou na praia por vários dias?".

Ela dizia: "Você não se lembra?".

Enquanto meu irmão estava na escola, eu acompanhava minha mãe à igreja, onde trabalhava meio período como secretária. Às vezes, encontrávamos o vovô Bill, que acenava ao pilotar o carrinho cortador de grama por um hectare e meio de terreno, que se projetava dos campos. Eu gostava de brincar nos fundos, perto do galpão branco; muitas vezes havia um cavalo para acariciar com cautela por cima da cerca de arame farpado e, ainda, uma velha pilha de tábuas sobre a qual podíamos nos meter em problemas.

Aos domingos, mamãe cantava no coro e papai recebia os fiéis na porta. Enquanto meus pais estavam ocupados durante o culto, meu irmão e eu nos sentávamos ao lado dos nossos avós no banco de madeira. Muitas vezes, eu me sentava entre minhas duas avós, me remexendo em vestidos de babados com anáguas de renda, arrastando minha boneca Mary Janes de couro preto envernizado no ladrilho. A oferta da vovó Dorothea de um chiclete *Juicy Fruit* embrulhado em papel amarelo e a oferta da vovó Eileen de lápis verde de grafite, usados nos jogos de golfe em Echo Hills, para rabiscar no quadro de avisos, quase sempre me mantinham ocupada. Vovô Palmer ajudava me fazendo rir, e o vovô Bill às vezes se oferecia para depois nos levar para tomar um *brunch* na lanchonete Furr.

Domingo após domingo, eu sonhava esperançosamente olhando pelos vitrais, desejando poder correr entre os pinheiros altíssimos que balançavam ao vento, mas se ficasse inquieta demais ou causasse alguma perturbação, papai me arrastava para fora e eu tinha de ficar no nosso Chevy caramelo de duas portas, com assentos de couro pegajosos e quente demais no verão. Papai afrouxava a gravata e, com as mangas arregaçadas, apoiava o braço no vão aberto da janela e lia a grossa edição de domingo de seu amado *Wichita Eagle*.

Se não estivesse muito zangado — se eu tivesse saído em seus braços de boa vontade, não chutando e gritando —, papai me passava os quadrinhos do jornal com um sorriso ou me deixava correr pelo terreno, ziguezagueando por entre os pinheiros, chutando espinhos de pinheiro, não importava o quanto arranhasse meus sapatos elegantes, rasgasse as meias ou sujasse meu lindo vestido. Mamãe balançava a cabeça e perguntava: "Será que você pode fingir que tem modos pelo menos aos domingos?".

Eu apenas respondia: "Não".

E papai dizia com orgulho: "Essa é minha moleca".

* * *

Meu pai assassinou mais três vezes depois que eu nasci. Mesmo agora, não é possível conciliar o homem e a vida que eu conhecia com o outro homem — e com sua outra vida.

Após a prisão, papai falou de sua capacidade de "compartimentalizar" seus dois lados.[1] Era sua maneira de separar as trevas da luz. Desde a prisão, lutei para me agarrar ao homem que conhecia e aos lugares que amávamos, mas a verdade é que ele continuou a infligir destruição por onde passava, a tirar vidas e a arruinar mais famílias, ao mesmo tempo em que vivia com a própria família e cuidava dela.

ABRIL DE 1985

Meu pai assassinou Marine Hedge, avó e viúva, no final de abril de 1985. Ela vivia na mesma rua que nós, e minha mãe e eu acenávamos para ela quando íamos até a casa dos meus avós.

A sra. Hedge desapareceu em noite de tempestade. Quando soube que a polícia estava procurando por ela, fiquei com medo. Eu tinha 6 anos e, naquela noite, só estávamos mamãe e eu em casa — como eu ia saber se estávamos seguras?

Alguns dias depois, um policial entrou no acesso da nossa garagem. Ele estava fazendo uma varredura na vizinhança e parou para interrogar minha mãe. Fiquei ainda mais assustada quando encontraram o corpo da sra. Hedge no campo, uma semana depois — ela havia sido estrangulada. Não sei como fiquei sabendo disso na minha tenra idade, talvez ouvindo no noticiário da TV ou meus pais conversando. Na época, papai me assegurou: "Não se preocupem, estamos seguros".

Algumas semanas depois de o corpo da sra. Hedge ter sido encontrado, eu estava subindo os enormes pinheiros da igreja quando mamãe gritou: "Desça já daí, antes que você quebre um braço!".

Minutos depois, correndo para dentro, eu caí — e quebrei o braço. Papai correu para junto de mim, fez uma tala e me colocou no banco de trás da nossa nova perua prateada Oldsmobile. Ele me levou até Wesley, onde fiz uma cirurgia para corrigir a fratura exposta no cotovelo. Os médicos uniram os ossos com parafusos e aplicaram uma tala gessada. Devido a complicações, fiquei cinco dias no hospital. Mamãe quase nunca saía de perto de mim.

Como minha lesão foi muito grave, não consegui terminar o primeiro ano na escola e, por isso, não pudemos ir de férias para Padre Island. Eu me senti péssima por ter perdido a praia e percebi que papai ficou decepcionado — ele andava muito ansioso para a nossa viagem.

Minha mente jovem ligou todos os eventos: o choque do meu braço quebrado, a culpa pelo cancelamento das nossas férias e o medo ao saber que nossa vizinha desaparecida tinha sido assassinada. Levaria trinta anos para eu poder enfrentar totalmente esses acontecimentos, tentar entender seu impacto traumático e começar a me recuperar.

O melhor que posso imaginar é que meus terrores noturnos começaram por volta dessa época. Quando mamãe me ouvia gritar e logo vinha para junto de mim, sentava-se na beira da cama e tentava me acalmar para eu voltar a dormir. Meio acordada, muitas vezes eu discutia com ela, às vezes de forma agressiva, dizendo: "Tem um homem mau na casa... no meu quarto".

Ela me tranquilizava com gentileza: "Não, você está sonhando, você está segura... volte a dormir".

Eu pegava de novo no sono porque minha mãe estava bem ali e meu pai estava do outro lado do corredor — e ele nunca, jamais deixaria ninguém nem nada nos fazer mal.

Naquele verão, como não pudemos ir à praia, minha mãe e sua irmã, a tia Sharon, levaram as crianças para o parque aquático *Fanta-Sea*, em Wichita. Minha prima Michelle tinha 9 anos, eu 7, e deveria ser divertido nos observar brincando. Ela havia saltado de um balanço e quebrado os dois pulsos na mesma época em que quebrei o braço. Com sacos plásticos em volta do gesso, ficamos embaixo da cachoeira naquele dia, nossos cabelos presos em rabos de cavalo, sorrindo enquanto observávamos nossos irmãos mais velhos de cabelos loiros enfrentarem os toboáguas. Mais tarde, a irmã mais velha de Michelle, Andrea, e eu balançamos a cabeça e rimos das tentativas de aventura das nossas mães.

Naquela tarde, minha mãe e eu estávamos na jangada em uma piscina de ondas, então um vagalhão nos derrubou na água. Enquanto eu afundava, em parte devido ao peso do gesso, mamãe agarrou meu braço bom com firmeza e me trouxe de volta à superfície. Um salva-vidas estava pronto para pular na água e me salvar, mas minha mãe deu conta do recado sozinha.

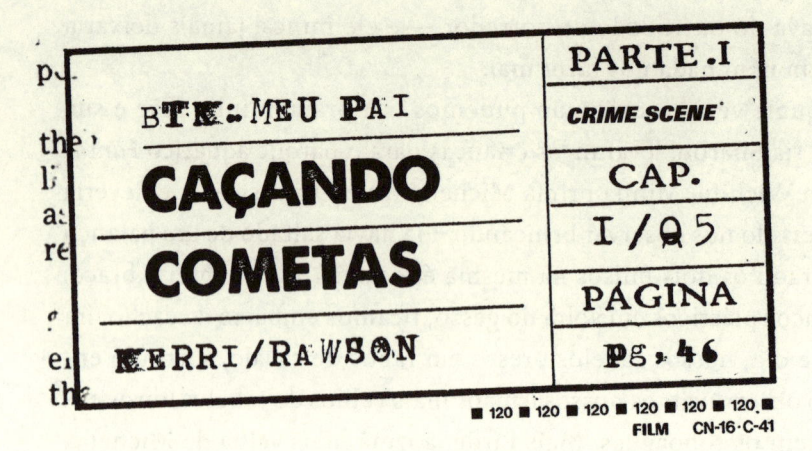

```
BTK: MEU PAI           PARTE .I
                       CRIME SCENE
CAÇANDO                CAP.
                       I / 05
COMETAS                PÁGINA
KERRI / RAWSON         pg. 46
              ■ 120 ■ 120 ■ 120 ■ 120 ■ 120 ■ 120 ■
                          FILM   CN-16·C-41
```

AGOSTO DE 1985

Em 1985, após 37 anos com a Kansas Gas & Electric, vovô Bill aposentou-se do emprego como operador de fábrica com pensão fixa e um relógio de ouro. Certa vez, ele levou os primos para uma visita à fábrica, e eu me lembro de ficar maravilhada com os enormes geradores com que ele havia trabalhado por décadas. Vovó Dorothea juntou-se a ele na aposentadoria após 25 anos de trabalho no Leeker's. Minha mãe trabalhara com vovô como contadora por alguns anos antes de arrumar emprego na loja de conveniência *Snacks*. Eu gostava de visitá-las no escritório com painéis de madeira, observar longas e finas tiras de papel branco ondularem enquanto seus dedos voavam nas calculadoras.

Depois que meus avós se aposentaram, meu irmão, eu e minhas primas, Lacey e sua irmã mais nova, Sarah, às vezes ficávamos vários dias com eles. Éramos conhecidas pelos estragos e, com frequência, éramos mandadas para o porão, onde ficava a sala de família revestida com painéis de madeira, ou para fora, para corrermos desenfreadamente. Gostávamos de brincar de esconde-esconde no porão;

a parte inacabada era um ótimo esconderijo. Lá fora, a gente podia se agachar atrás das ferramentas de jardinagem no velho galpão branco que cheirava a terra e óleo de máquina.

À noite, com a vovó, assistíamos a filmes antigos em preto e branco que mostravam heroínas bem-vestidas e tagarelas resolvendo mistérios. Também jogávamos Uno na mesa de jantar, enquanto íamos passando a bacia de pipoca e bebíamos refrigerante RC Cola. O vovô nos acusava de ter a carta "Comprar 4" na manga. A gente balançava os braços e dizia: "Não tem nada aqui, cara". Ele levantava uma sobrancelha e ria.

Nós, meninas, que tínhamos a mesma cor de cabelo e de olhos, às vezes dormíamos na cama *king-size* dos meus avós, no antigo quarto que meu pai dividia com o irmão. Havia fotos do meu pai e dos meus tios em uma prateleira branca acima da cama dos meus avós, e ríamos de como eles eram no passado. Eu adormecia ouvindo os sininhos dos ventos pendurados na varanda dos fundos, fazendo um leve som na brisa.

Em fevereiro de 1986, fiquei acordada a noite toda "caçando cometas", ao lado de vovô Bill, meu pai e Brian, dentro do carro estacionado na estrada de terra. Fomos sortudos e conseguimos ter um vislumbre do Cometa Halley na madrugada azul-acinzentada, gelada e enevoada. Ele passou tão rapidamente que eu nem tive muita certeza de tê-lo visto, mas todos os outros concordaram que o objeto arredondado tênue e veloz que tinha cruzado o céu era de fato o Cometa Halley. Depois que passou, como o sol começava a nascer, vovô disse: "Bem, foi algo e tanto. Tá, quem está com fome?". E ele nos levou para tomar café da manhã com pãezinhos e molho* no *Grandy's*.

---

* [NT] No original, *biscuits and gravy*, é um prato de café da manhã típico do sul dos Estados Unidos. Trata-se de um pãozinho salgado rígido por fora e macio por dentro, comido mergulhando-o em molho feito à base de farinha de milho, temperado com pimenta e bacon, ou com molho de carne.

AGOSTO 1986

Era uma diversão tremenda brincar com o papai, pulando como bomba em piscinas de hotel de beira de estrada, descendo por dunas de areia no meio de tempestades e gritando bem ao nosso lado na montanha-russa *Space Mountain*; mas, em agosto de 1986, no início da noite, enquanto estávamos de férias no sul da Califórnia, meu pai surtou.

Percebendo pegadas empoeiradas em cima de uma van estacionada debaixo da varanda do nosso hotel, ele se convenceu de que alguém havia subido na van e invadido nosso quarto enquanto estávamos fora. Eu nunca o tinha visto nervoso daquele jeito: olhos esbugalhados, suando, andando de um lado para o outro, resmungando como um lunático. Ele até fez nossa família usar uma senha para atender a porta, mesmo que ele fosse a única pessoa entrando e saindo com as malas do carro.

Aprendi com minha mãe a lidar com meu pai quando ele estava nesses momentos complicados. Era melhor entrar no jogo dele; logo ele se restabeleceria.

Apesar do comportamento irracional do meu pai naquela noite, tivemos férias inesquecíveis. Paramos em alguns locais ao longo da rota entre o Kansas e o Oceano Pacífico. Na Califórnia, fomos ao *Sea World* e ao Zoológico de San Diego, e passamos três dias mágicos na Disneylândia. Quando as aulas começaram, em agosto, levei fotos das férias, e minha professora do terceiro ano as pendurou no quadro de avisos. Posso contar tudo sobre nossa viagem e descrever minha sala de aula em detalhes. O que não posso dizer é a razão para, apenas um mês após nosso retorno, papai assassinar Vicki Wegerle, mãe de dois filhos. A sra. Wegerle morava perto da área de Sweetbriar, onde meu pai e meu irmão iam ao barbeiro, na esquina da biblioteca onde eu passava horas olhando os livros das estantes. Agora não consigo isolar por completo esse período de tempo na minha vida. Tenho minhas memórias e agora sei a verdade.

JULHO DE 1988

Minha família continuou a frequentar a igreja quase todas as semanas e, por volta dos 10 anos, fui coroinha. Na mesma época, às vezes papai participava como assistente do pastor, de túnica e veste colorida, fazendo seu melhor para entoar o cântico do Credo dos Apóstolos. Papai e eu sentávamos frente a frente quando participávamos do culto — de vez em quando olhando um nos olhos do outro e nos comunicando em silêncio, *eu culpo mamãe por isso — eu preferiria estar pescando.*

Quando foi demitido de seu emprego na ADT, em julho, ele voltou para casa abatido. Lembro-me dele abrindo a porta da cozinha com a folha de papel datilografado e pedindo à minha mãe para sair um pouquinho. Quando voltaram, minha mãe parecia preocupada. Papai tinha desenhado projetos para aumentar a casa, mas esses desenhos foram postos de lado naquele dia e nunca mais retomados.

Papai arranjou um emprego temporário no censo de 1990, que exigia longas viagens a trabalho. Ele ficava fora por dias a fio — viajando pelo Kansas, mas também por Missouri, Arkansas e Oklahoma. Eu sentia saudades e ficava feliz quando ele estava em casa. Fazíamos longas caminhadas com Patches, ficávamos acordados até tarde assistindo a filmes de terror depois que mamãe ia para a cama e trocávamos livros de bolso — de mistério, aqueles que minha mãe não necessariamente aprovava que eu lesse.

Mais tarde, papai ficou encarregado de supervisionar os trabalhadores de um grande andar de escritório no centro da cidade, em frente à sede da biblioteca — o lugar onde fazíamos um dos nossos passeios favoritos. Achei seu escritório temporário fascinante, com escrivaninhas portáteis de papelão e vista panorâmica importante. E eu me lembro dele fechando o escritório pela última vez, retirando caixas de materiais e dizendo que o censo havia acabado e que o governo não precisava mais daquilo.

Aquele inverno foi terrível para minha família. Minha mãe adoeceu em dezembro e passou doze dias no hospital com pneumonia. Meu pai deu o melhor para cuidar das crianças e da casa, embora tenha batido de ré o Oldsmobile no carro do vizinho quando estávamos a caminho do hospital St. Francis para ver mamãe.

Eu nunca o tinha visto nervoso daquele jeito: olhos esbugalhados, suando, andando de um lado para o outro, resmungando como um lunático. Ele até fez nossa família usar uma senha para atender a porta...

Acabei com nota vermelha em inglês, embora sempre tivesse sido boa aluna, mas nunca tinha visto minha mãe doente por mais de um ou dois dias. Às vezes, parecia que meu relacionamento com papai estava se desgastando. Parecia que estava me repelindo — ele andava preocupado e mal-humorado. A vida parecia instável e eu temia que nossa família desmoronasse com todo o estresse.

Em janeiro de 1991, papai assassinou Dolores Davis, mãe e avó que morava alguns quilômetros a leste de nós.

ABRIL DE 1991

Na primavera de 1991, papai começou o hobby de colecionar selos. Ele espalhava tudo na mesa da cozinha enquanto a mamãe estava no ensaio do coral. Eu já tinha aprendido que era melhor deixá-lo em paz. Se estava contente, causava menos sofrimento na casa, eu tinha menos castigos e devia menos ao pote de palavrões.

Em abril, papai enfim encontrou um novo emprego como agente de *compliance* de Park City. Seu escritório ficava no mesmo prédio da delegacia de polícia, no final do corredor. Ele tinha um uniforme marrom impecável, semelhante em aparência ao de xerife de condado, incluindo o distintivo de ouro sobre o coração. Plenamente à vontade na função, ele dirigia pelos bairros em caminhonete identificada e tinha uma desculpa para bisbilhotar os quintais alheios. Ele ficava mais feliz quando estava empregado e a vida em casa entrava nos eixos para todos.

* * *

Meu pai assassinou quatro membros da família Otero no inverno de 1974 e, dezessete anos depois, assassinou a sra. Davis. Ele estava desempregado nas duas vezes e afirmou, depois de ser preso, que estava em estados oprimidos semelhantes. Eu sabia, quando tinha 12 anos, que meu pai não era muito certo, mas nunca teria imaginado que ele seria capaz de cometer assassinato.

Muita gente perde o emprego, enfrenta períodos de doença dos entes queridos, passa por altos e baixos sazonais ou luta contra doenças mentais, mas nunca causa danos. Meu pai cuidou de Brian e de mim, fazendo ovos de aparência duvidosa no café da manhã quando minha mãe estava no hospital e, um mês depois, matou uma avó.

Então, é realmente insano o que meu pai fez — tirar dez vidas em dezessete anos e, depois, ainda viver os catorze anos seguintes como se não tivesse feito coisa alguma.

BTK: MEU PAI
A VIDA É FRÁGIL

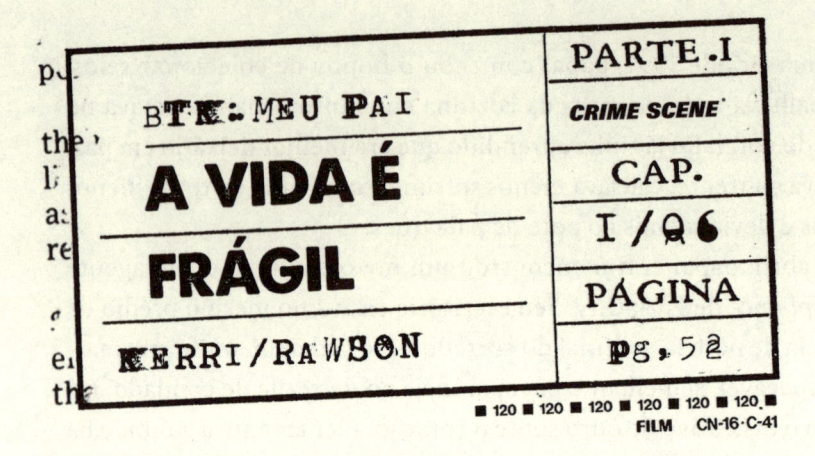

KERRI / RAWSON

PARTE I
CRIME SCENE
CAP. I / 06
PÁGINA pg. 52

AGOSTO DE 1991
COLORADO

Vovô Bill e vovó Dorothea levaram Brian, Lacey, Sarah e eu para Woodland Park, noroeste de Colorado Springs, em agosto de 1991. Rebocamos um longo trailer marrom e branco atrás do Suburban. Minha avó nos deu ordens rigorosas de que cada neto deveria levar, para usar durante a semana, apenas a quantidade de roupas que coubesse em uma única caixa de tomate, e que poderíamos lavá-las na lavanderia.

No Colorado, fomos pescar trutas em um lago azul brilhante no alto das Montanhas Rochosas. Eu sempre me divertia a valer vendo minha avó pescar e beber cerveja. Cavalgando pelas rochas vermelhas do Jardim dos Deuses, minha avó dizia que estava ficando velha para esse tipo de coisa, enquanto o vovô ria e cantava: "Whoopie ti-yi-yo, git along, little dogies", uma balada tradicional de caubóis.

Meus pais vieram nos buscar no fim de semana seguinte, e meus avós continuaram lá, felizes de verem paz e tranquilidade.

Três anos depois, o vovô Bill adoeceu em Colorado Springs com leucemia. Papai e tio Bill foram até as montanhas para ficar com meus avós e rebocar o trailer de volta.

Depois, tornou-se rotina visitar o vovô na ala oncológica do St. Francis. A princípio, fiquei nervosa com a ideia de ir ao hospital, mas o vovô levou tudo com calma, e sua aquiescência tranquila nos ajudou a enfrentar a situação. A caminho do hospital, nos oferecíamos para trazer algo decente para ele comer de um dos seus restaurantes favoritos, como o *Long John Silver's* ou o *Braum's*, mas ele quase sempre recusava. Mamãe buscava *shakes* de proteína e raspadinhas de gelo e sentava-se ao lado da cama dele enquanto papai e eu levávamos a vovó para jantar.

Vovô sempre tinha alguns livros na bandeja do hospital, muitas vezes de James A. Michener ou Louis L'Amour, e conversávamos sobre eles: vovô, papai e eu. Às vezes, meu pai passava a noite, mas sempre fazia questão de acompanhar nós, as garotas, até os carros antes de voltar para ficar com vovô.

MARÇO DE 1995
TEXAS

Em março de 1995, papai e eu partimos em uma tarde de sexta-feira com Brian e meu primo A. D., dois anos mais novo que eu, para o acampamento de uma semana na Margem Sul do Grand Canyon. Durante a viagem, os meninos apagaram no Suburban marrom-escuro que tínhamos emprestado do vovô Bill, mas eu fiquei acordada para fazer companhia ao meu pai enquanto seguíamos a Dalhart, Texas, para passar a noite. Atravessamos o Panhandle de carro, no norte da Flórida, comendo salgadinhos de queijo e maravilhados com as luzes de irrigação piscando nos campos; pareciam sobrenaturais. No dia seguinte, papai e eu conversamos por horas enquanto cruzávamos o Novo México, observando as mesas vermelhas e alaranjadas do relevo, elevando-se da beira de planícies ondulantes verdes e amarelas.

Eu tinha 16 anos, estava no segundo ano do ensino médio na Wichita Heights High School, onde alternava entre as classes avançadas a cada cinquenta minutos. Depois da escola, jogava golfe no outono e fazia corrida na primavera. Em alguns sábados, participava de uma competição acadêmica de perguntas e respostas em equipe e, aos domingos, trabalhava no turno da tarde, muitas vezes sozinha, na loja de conveniência Snacks.

Ao longo da rodovia I-40 naquela tarde, nós quatro ouvíamos o canal de rádio do cidadão* dos caminhoneiros, com o equipamento do vovô, e criávamos nossos próprios pseudônimos e dizíamos coisas como "Atenção, atenção". A rodovia corria paralela em alguns pontos à antiga Rota 66, e papai nos regalou com contos da viagem que escrevera para a Califórnia em meados da década de 1950, com seus pais e irmãos.

E então aconteceu um monte de coisa nas nossas vidas — o tipo de coisas difíceis e inesperadas. Naquela época, concluí, aqueles eram os piores dias da minha vida.

Depois de um longo dia, chegamos ao hotel de beira de estrada em Flagstaff, na segunda noite, ao lado do trilho da ferrovia. Não muito depois de adormecermos, um trem passou. Sentei na cama e gritei, o que acordou os rapazes, em sacos de dormir no chão. Olhei para o lado e vi os mapas do meu pai e a *National Geographic* do mês, dispostos na mesa perto da janela, iluminada por uma luz amarela nebulosa.

Embora fosse minha mãe quem quase sempre me acalmava à noite, papai foi capaz de me deixar à vontade, dizendo: "Kerri, está tudo bem. Foi apenas um trem, não é nada para se assustar. Vão passar a noite toda. Está ouvindo o tremor dos trilhos? É um som gostoso para dormir".

Na manhã seguinte, dirigimos até o cânion e montamos as barracas em um acampamento cercado por pinheiros altíssimos perto da Margem Sul. Os meninos e eu arremessávamos uma bola de futebol de um

---

* [NT] A "Rádio do cidadão" (*Citizens Band Radio*, ou CB) é um sistema de comunicações individual de curta distância via rádio, que utiliza uma banda de frequências altas. Tornou-se popular entre os caminhoneiros nos Estados Unidos nos anos 1970 e 1980, para bater papo, trocar informações ou comunicar incidentes nas estradas. Com o tempo, deu origem a um jargão e códigos de comunicação próprios.

para o outro sob as árvores fragrantes; eu esmagava os espinhos dos pinheiros sob os pés, conforme corria para pegar os arremessos. Havia uma boa árvore para escalar no nosso acampamento, e cada um a testou na semana.

Passamos os quatro dias seguintes explorando, cobrindo boa extensão da trilha na margem e descendo pelas trilhas Bright Angel e Kaibab. O cânion era um oásis diurno de calor e cor, mostrando sinais do verão que viria em breve. A margem era inundada pelo frescor do início da primavera, que ainda estava se apegando ao inverno que acabava. À noite, eu me enfiava no saco de dormir e me aconchegava encostada no meu pai, tentando me manter aquecida na nossa barraca verde-floresta para duas pessoas. Nossa respiração congelou à noite, cristalizando-se nos cobertores que tínhamos sobre nós.

Certa noite, o gelo formou bolinhas nos nossos ponchos quando papai e eu fomos até o telefone público para ligar e ver como minha mãe estava. Passávamos muito frio, congelando no deserto, mas mesmo com as condições mais adversas para acampar, tínhamos sido picados pelo bichinho do montanhismo. A última trilha que percorremos foi a Hermit. Enquanto almoçávamos na bacia Waldron, dois quilômetros e meio abaixo da margem, a vastidão do cânion nos chamava. Extensões majestosas, elevando-se bem alto, estavam fora do alcance naquela viagem de um só dia. Então, juramos um ao outro: nós voltaríamos.

Quando cheguei em casa, parei de correr. Eu estava sofrendo de canelite, e as trilhas íngremes no cânion a tinham agravado. Largar a corrida significava que poderia ir direto para casa depois da escola e poderia, também, dormir no sofá antes de fazer o dever de casa. Eu esperava levar um sermão por desistir, preocupada que meu pai ficasse decepcionado comigo, mas ele apenas deu de ombros e disse: "Tudo bem, filha. O estudo é mais importante".

Pouco depois de voltarmos, papai começou a planejar nossa viagem seguinte e a pesquisar acampamentos para passarmos a noite abaixo da margem. E então aconteceu um monte de coisa nas nossas vidas — o tipo de coisas difíceis e inesperadas. Naquela época, concluí, aqueles eram os piores dias da minha vida.

BTK: MEU PAI
PERMITA-SE VIVER O LUTO
KERRI / RAWSON

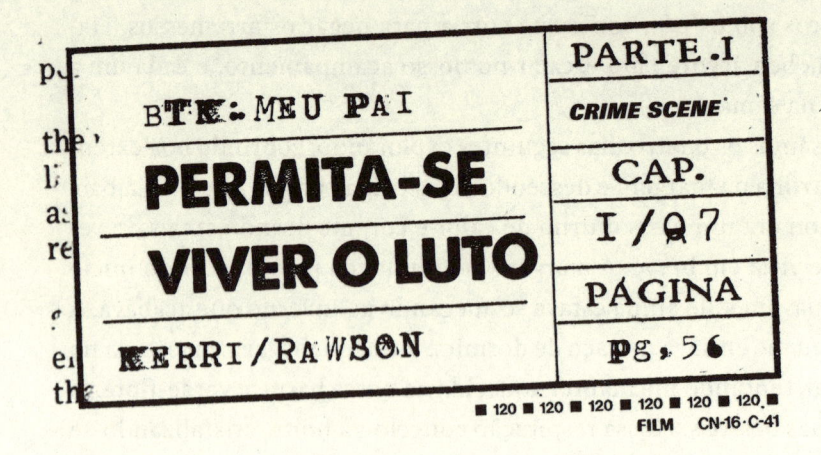

PARTE . I
CRIME SCENE
CAP. I / 07
PÁGINA pg. 56

AGOSTO DE 1996
WICHITA

Numa tarde de quarta-feira, em agosto de 1996, eu estava trabalhando, era um dos meus últimos dias na Snacks, quando senti uma pontada repentina e aguda no peito. Pressionando a mão sobre a dor, eu me virei para minha mãe, sentada a poucos metros, na sua salinha minúscula: "Mamãe, meu coração... tem alguma coisa errada".

O coração da vovó Eileen tinha passado por dor semelhante e, tarde naquela noite, ela ligou para nos contar que a família da tia Sharon havia se acidentado no Colorado, onde estavam de férias. Mamãe e eu, preocupadas, corremos a rua até a casa dos pais de tia Sharon, onde encontramos vovó Eileen e vovô Palmer na sala de jantar, esperando por um telefonema.

Vovó estava sentada com os dedos entrelaçados em torno da xícara de café. Seus turvos olhos azuis, escondidos atrás de óculos com armações castanho-claras, vasculhavam o espaço ao nosso redor e pousaram nos nossos rostos preocupados.

Vovô, ainda com muito cabelo, o que lhe dava aparência de garoto, embora prateados, estava sentado com as costas eretas, com camiseta regata de usar por baixo. Era difícil vê-lo quieto, angustiado; afinal, ele era cheio de vida.

Eu estava encolhida no chão junto da minha mãe, pressionando a cabeça ao lado do corpo dela, quando o telefone tocou.

Mamãe atendeu e falou com Andrea.

Percebi já na voz, que falhou, esganiçada: "O que foi, querida?".

Michelle havia morrido.

Eu desmoronei, gritando de dor.

Andrea, de 22 anos, nos contou que estavam no jipe quando uma estrada estreita e encharcada pela chuva cedeu debaixo do veículo, que rolou para uma ravina profunda. Andrea, ferida, saiu do carro e subiu a encosta até a estrada para buscar ajuda.

Estavam em local tão remoto que levou horas para as equipes de resgate chegarem. Tio Bob, também ferido, fez o que pôde por Michelle, de 20 anos, cujos ferimentos foram fatais, e por tia Sharon, que precisou ser transportada de helicóptero para um hospital próximo e que estava lutando pela vida.

Vovó ficou pálida, as mãos trêmulas quando agarrou o braço da minha mãe. Vovô curvou-se, com as mãos nos joelhos, angustiado pela perda da neta, temeroso pela vida da filha.

Quando meu pai entrou pela porta da frente, eu me levantei e virei pelo corredor. De pé na sala de estar dos meus avós, os olhos de papai estavam amortalhados em cinza, o rosto sombrio, o semblante em sofrimento. Corri para seus braços, tão triste que mal conseguia ficar de pé.

Eu nunca tinha visto os homens que amava ficarem daquele jeito e não sabia o que fazer. Meu coração despencou no peito.

A noite em que perdemos Michelle foi uma das piores da minha vida. Ela morreu no acidente, mas depois da prisão do meu pai, depois que soube de seus assassinatos, chorei as perdas repentinas e insubstituíveis pelas quais sete famílias tiveram que passar por causa dele.

Naquela noite, papai veio até a casa dos meus avós — bem ao lado da antiga casa da sra. Hedge. Ainda não é totalmente possível para mim lidar com esses dois lados do mesmo homem.

* * *

Em casa, encontrei a foto do último ano do ensino médio de Michelle, tirada havia dois anos. Ela sorria, os olhos azuis brilhantes cintilando, os longos cabelos castanho-claros com mechas de sol. Uma abundância de papoulas amarelas a rodeava debaixo de um céu azul penetrante típico do Kansas. Corri o polegar pela foto e coloquei-a em um pequeno porta-retratos azul-claro, e então na minha escrivaninha.

Procurei na gaveta um livrinho inspirador que eu ganhara de presente de formatura. Continha vários versículos da Bíblia e, ao folheá-los, encontrei neles o primeiro fragmento de consolo. Eu o coloquei ao lado da foto de Michelle, junto de um pequeno anjo de madeira com asas de metal retorcidas.

Mamãe entrou e sentou-se no pé da cama, afastando devagar o cabelo do rosto. Conversamos baixinho até tarde da noite, trocando histórias da garota que amávamos, até eu adormecer.

Na manhã seguinte, por alguns segundos, não me lembrei do que havia acontecido. Então a dor voltou com tudo ao meu peito e eu gritei.

Mamãe veio para o meu lado e me acariciou o cabelo outra vez enquanto as ondas de tristeza me atingiam. Ela me disse que os médicos tinham conseguido salvar a perna e o pé gravemente fraturados da minha tia em uma cirurgia complicada, e que agora ela estava se recuperando de vários ferimentos na UTI. Levaria algum tempo até que estivesse bem o suficiente para voltar a Wichita, então meus avós fizeram as malas para irem de carro ao Colorado e ajudar.

Mais tarde naquela manhã, fiquei sentada no sofá, com os joelhos dobrados debaixo de mim, enquanto a pastora Sally, da nossa igreja, tentava oferecer conforto. Eu vestia uma camiseta velha e calças largas com as quais tinha dormido e estava beliscando um muffin de limão com semente de papoula.

Senti minha raiva crescer. Eu não aceitava nada daquilo. Não queria clichês. Não queria ouvir sobre Deus. Michelle não estava mais entre nós.

Minha fé começou a diminuir em setembro de 1992, um mês após eu ter entrado no primeiro ano, quando dois meninos morreram depois que sua picape capotou a um quarteirão da nossa escola. Naquele outono, eu me sentei com a pastora Sally, com quem eu tinha feito as aulas da confirmação na igreja. Disse a ela que não conseguia conciliar o que havia acontecido na rua e Deus, que eu nem tinha certeza se Ele existia mesmo.

Meu coração estava endurecendo, mas mamãe ignorou, insistindo que eu usasse vestido branco e fizesse um juramento de confirmação. Em novembro de 1992, eu me levantei perante minha família e minha congregação, parecendo obediente, mas escondendo uma rebeldia crescente na minha alma. Ninguém pareceu perturbado pela minha escolha de versículo para ler: "'Hoje, se ouvirdes a sua voz, não endureçais o vosso coração, como foi na provocação'".[1]

Os olhos e o rosto de papai estavam em chamas, quase maníacos. Meu irmão, apavorado, ficou pálido. Gritando, mamãe e eu empurramos papai e os separamos.

Nem ao menos falar sobre a Bíblia era bem-visto na minha família. Um domingo, enquanto saíamos do estacionamento da igreja com o carro, comecei a falar do sermão, mas meu pai ficou impassível: "Não falamos sobre religião, sexo ou política".

Em abril de 1995, dois homens explodiram o edifício federal Alfred P. Murrah, em Oklahoma City, algumas horas ao sul de Wichita, e mataram 168 pessoas, incluindo dezenove crianças.* Nos dias seguintes, minha família e eu assistimos à cobertura nacional dos esforços de resgate. *Onde estava Deus naquele dia?*

---

* [NT] O Atentado de Oklahoma City ao edifício federal Alfred P. Murrah, de 19 de abril de 1995, é considerado o maior ato de terrorismo interno nos Estados Unidos, ao matar pelo menos 168 pessoas, ferir mais de 680, destruir um terço do edifício e danificar centenas de outros em um raio de dezesseis quadras. O local concentrava repartições públicas federais no estado de Oklahoma, incluindo uma creche.

Onde está Deus agora?

Depois que a pastora foi embora, o telefone continuou tocando. Ecoou da cozinha e do quarto dos meus pais, seguido pela voz da minha mãe falhando de emoção.

Eu disse: "Já chega", e fui para a casa da minha melhor amiga Rita. Tínhamos nos aproximado ao longo dos últimos anos, no ensino médio, sobrevivendo às aulas avançadas na semana e assistindo aos mais recentes sucessos de bilheteria no cinema nos fins de semana. Rita me cumprimentou na porta de casa com um grande abraço, seus olhos normalmente azul-claros escurecidos de preocupação.

Eu me escondi na casa dela pelo resto do dia, vendo filmes e falando sobre ir para a Universidade Estadual do Kansas em breve; íamos ser colegas de quarto. Eu estava fazendo um grande esforço para amortecer a tristeza presa na garganta; eu conseguia ficar algum tempo sem chorar — mas então a dor aguda voltava e eu desatava em prantos outra vez. Fiquei envergonhada por meus olhos e meu rosto vermelho e inchado no jantar daquela noite com a família dela, mas grata por ter sido incluída. Não queria deixar aquela atmosfera calorosa da mesa de jantar e retornar para minha casa tensa de tristeza.

Quatro dias depois do acidente, desdobrei a grossa edição de domingo do *Eagle* e vi um artigo do caso na primeira página. Era surreal ler sobre meus entes queridos em uma tragédia nas montanhas. Mais tarde, dobrei o jornal com cuidado e guardei-o de recordação.

Passei a semana seguinte fazendo as malas para a faculdade, mas tudo foi um borrão, até que, em uma manhã de sexta-feira, depois que papai e Brian carregaram o porta-malas do Suburban do meu avô, a família partiu para a viagem de duas horas a Manhattan, Kansas. Esperamos na fila do antigo ginásio estadual do Kansas para finalizar a matrícula, quando meu primeiro cheque de empréstimo estudantil me foi entregue.

Rita e eu morávamos no Boyd Hall, residência apenas feminina e lindamente construída em 1951 com pedra calcárea. O dormitório ficava em um canto de tamanho considerável, com teto alto. Tinha boa visão da *Quinlan Natural Area*, do outro lado de uma praça circular.

No domingo, na minha porta, minha mãe chorou ao se despedir. Ela e eu estávamos em certo conflito naquela manhã e agora íamos nos separar. Talvez eu estivesse dando trabalho porque era mais fácil afastá-la do que ficar triste por ela me deixar. Não me ocorreu até mais tarde como deve ter sido difícil para ela se separar de mim.

Eu havia selecionado um programa de estudos preparatório para a faculdade de veterinária, em que pretendia entrar dali a dois anos. Tentando me localizar entre os enormes edifícios de calcário no campus, reuni uma pilha de programas de disciplinas, e comecei a me perguntar como daria conta da carga de créditos de dezesseis horas. Parecia um número razoável de cursos quando havia me inscrito alguns meses antes, depois de me sentar com minha orientadora por alguns minutos. Ela dissera: "Você parece muito capaz", ao assinar o formulário, uma longa fila de alunos esperando atrás de mim.

A primeira semana de faculdade correu depressa, pois passei um tempo saindo com velhos amigos e fazendo novos. Na sexta-feira à tarde, carreguei uma cesta com roupa suja, livros, sapatos pretos e roupas sociais e voltei para o feriado prolongado do Dia do Trabalho em casa. Teríamos o memorial de Michelle na segunda-feira; sabia que precisava ir e queria estar junto da família, mas também sentia medo de enfrentá-los.

Para o jantar de sexta-feira à noite, mamãe fez *manicotti* de queijo, um dos pratos favoritos da família, um grande esforço para ela depois de ter trabalhado o dia todo. Fiquei feliz por estar em casa, mas quando nós quatro nos sentamos, as tensões das últimas semanas transbordaram, levando-nos a discutir. Alguém bateu em nossa velha e frágil mesa marrom, uma das pernas de metal quebrou e a mesa e todos os pratos foram ao chão.

Meu pai, com o rosto vermelho e tenso, saltou da cadeira, cheio de raiva. Parado no meio de pratos quebrados, molho de tomate e macarrão, se lançou contra o meu irmão. De frente para ele, colocando as mãos em volta do pescoço de Brian, papai o sufocou.

Os olhos e o rosto de papai estavam em chamas, quase maníacos. Meu irmão, apavorado, ficou pálido. Gritando, mamãe e eu empurramos papai e os separamos.

Meu pai deu um passo para trás e balançou a cabeça, e quando os olhos começaram a clarear, os ombros se curvaram. Com a cabeça baixa, disse: "Ah, diabos, vamos limpar essa bagunça".

Com um lampejo de raiva nos olhos e firmeza na voz, minha mãe disse: "Nós cuidamos disso. Você saia daqui".

Enquanto ajudava mamãe a pegar os pedaços quebrados de pratos e copos, olhei para ela com incerteza, meu rosto questionando o que tinha acontecido. Ela limpou o chão com lágrimas. Com cansaço na voz, disse: "Você não estava aqui na semana passada. Aconteceram coisas demais. Você estava fora".

O gênio do meu pai era imprevisível. Quando éramos crianças, ele já havia nos ameaçado, mas nunca nos machucado fisicamente, que dirá tentar estrangular um de nós.

Todas as famílias discutem, mas o que meu pai fez foi imperdoável. No entanto, na época, deixamos isso de lado. Tem sido assim desde que me lembro: *Seu pai anda muito estressado. Ele só perdeu o controle. Ele não fez por querer. Ele logo vai se desculpar.*

Por fora, nossa família parecia o sonho americano, e cresci acreditando nisso. Escondi essa explosão do meu pai nas profundezas do meu ser, sem contar a ninguém até que ele foi preso. O que teria acontecido se tivéssemos chamado a polícia naquela noite? Teriam feito alguma coisa? Eles o teriam questionado o suficiente para encontrar o terror de décadas que se ocultava por trás de sua raiva? Essas perguntas ainda me assombram.

BTK: MEU PAI
O SILÊNCIO DO CÉU
KERRI/RAWSON

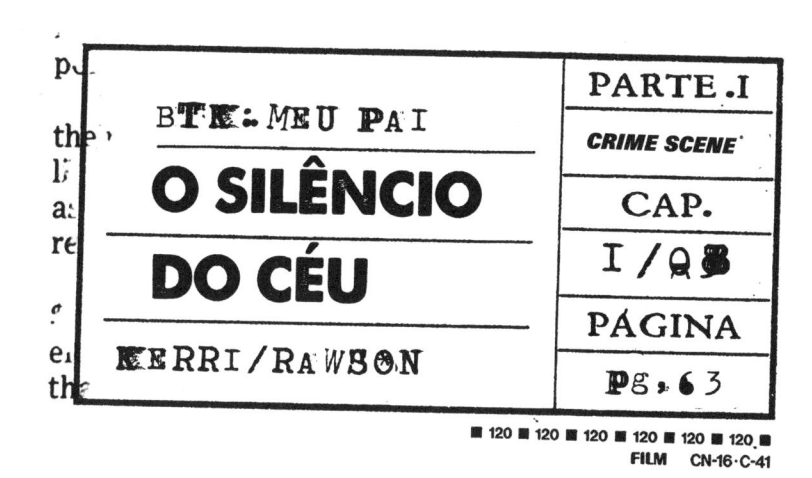

PARTE .I — CRIME SCENE

CAP. I/08

SETEMBRO DE 1996

Três dias depois, minha família se arrumou e manteve o silêncio no trajeto de carro até a cerimônia memorial de Michelle. Foi no centro da cidade, em Wichita Boathouse, onde Michelle ensinara crianças a remar no verão anterior, ao longo das margens do rio Arkansas.

Meu coração se alegrou quando vi meus avós chegarem à sala da família antes do culto. Eu me sentia feliz por estar perto da vovó Dorothea, seus olhos castanhos cálidos olhando para os meus com preocupação e suas mãos segurando as minhas. Foi bom dar um grande abraço no vovô Bill — mais alto do que qualquer um de nós, com mais de 1,80 metro —, ter sua presença gentil e tranquilizadora por perto.

A batalha do vovô contra a leucemia havia tirado seu cabelo, mas não sua força interior. Homem de fé amovível, nunca o ouvi reclamar uma única vez sobre o que estava enfrentando. Só por estar lá, ele nos dizia que conseguiríamos atravessar aquele momento.

Como poderíamos saber que minha festa de formatura do ensino médio, três meses antes, seria a última vez que estaríamos todos juntos? Estávamos com a casa cheia, todos reunidos em torno de mesas dobráveis colocadas na sala de estar, como sempre fazíamos. Havia um monte de comida, e a sobremesa era o bolo de chocolate da mamãe com sorvete caseiro feito pelo papai.

Nós, seis primos do lado da minha mãe, incluindo o irmão mais velho de A. D., Jason, tiramos uma foto no jardim da minha família naquele dia. Estávamos cheios de sorrisos, parados ombro a ombro em frente ao pinheiro alto e ao ondulante capim-dos-pampas.

A cerimônia memorial foi realizada em grande sala aberta, cheia de pessoas que conheciam a família. Vovô Palmer ficava dando tapinhas nos ombros dos netos, e vovó Eileen ficava segurando nossas mãos. O rosto de ambos estava encoberto pela tristeza.

Conforme a luz do sol entrava pelas janelas altas que nos cercavam, os presentes foram dando seus testemunhos sobre Michelle. Ela era cristã; havia aceitado Jesus como seu Salvador na faculdade, no ano anterior. Versículos de João foram lidos: "Na casa de meu Pai há muitas moradas. Se assim não fora, eu vo-lo teria dito. Pois vou preparar-vos lugar. E, quando eu for e vos preparar lugar, voltarei e vos receberei para mim mesmo, para que, onde eu estou, estejais vós também"[1].

Eu tinha ouvido falar de Deus e Jesus por dezoito anos na igreja, mas não os conhecia. Não do jeito que Michelle conhecia.

Três semanas antes do acidente, passei alguns dias com ela enquanto seus pais estavam viajando. Ela dormiu no andar de cima e me deu seu quarto no andar de baixo. Sua Bíblia e outros livros sobre fé estavam empilhados ao lado da cama, com anotações de oração e marcadores despontando das páginas.

Eu nem sabia onde minha Bíblia estava.

Tarde, em uma manhã de domingo, rastejei para fora da cama e entrei no recanto pessoal dela. Michelle estava sentada de pernas cruzadas no chão, vestida com pijama rosa, com a tigela de cereal e o cabelo preso em rabo de cavalo folgado. Os quadrinhos do jornal dominical estavam espalhados ao lado dela, seus dois schnauzers deitados por perto, e as Olimpíadas de Atlanta passando ao fundo. Ela parecia estar em harmonia com o mundo, e eu deveria ter perguntado sobre a pilha de livros e a Bíblia.

Mas não o fiz.

Em vez disso, eu me juntei a ela com minha própria tigela de cereal e assistimos ao remo, conversando sobre o que seria necessário para chegar às Olimpíadas de 2000.

Naquele fim de semana, eu a vi pela última vez.

Se soubesse, teria ficado mais alguns dias e lhe perguntado sobre Jesus.

Só que, depois de ser preso, papai falou extensamente de planos nefastos com celeiros e silos, aquele em particular. Ou seja, meu pai tinha mais de uma piada sem graça em andamento sobre aquele lugar todas as vezes que passávamos por ali.

Depois da cerimônia, abracei Andrea por um longo tempo, seus olhos verde-floresta cheios de dor no coração. Olhamos atentas o rosto uma da outra — tentando nos reassegurar de que ficaríamos bem. Tia Sharon, loira e pequena como Andrea, estava sentada na cadeira de rodas segurando uma cesta de flores no colo. Seu rosto estava cansado, mas os olhos verde-mar estavam determinados; ela ia fazer com que todos nós atravessássemos aquele momento. Tio Bob, magro, de altura próxima à minha, com cabelos castanhos e olhos azuis iguais aos de Michelle, estava parado em silêncio atrás da cadeira de rodas, segurando-a pelos pegadores. Ele respondia com firmeza: "Estamos aguentando firme, indo bem", enquanto as pessoas ofereciam condolências e abraços, tentando transmitir aos outros a segurança de que eles também ficariam bem.

Naquele último feriado de verão de céu claro, os cinco primos restantes caminharam até a ponte próxima e jogaram margaridas no rio abaixo. Em um dia frio de primavera do ano anterior, eu estava em uma ponte a alguns quilômetros ao norte de Riverside, torcendo pela garota que havia descido o rio com sua turma da faculdade. Correndo pela ponte enquanto remavam debaixo dela, eu conseguia gritar dos dois lados.

Agora que a garota não estava mais lá, eu observei as flores brancas flutuando devagar para o sul até que não fosse mais possível enxergá-las.

Naquela noite, Rita e eu voltamos para a faculdade com A. D. e a mãe de Jason, tia Donna. Enquanto seguia para o norte na Rota 77, uma rodovia de mão dupla que mergulha e se eleva acima dos limites ocidentais de Flint Hills, tentei ter um vislumbre das estrelas pela janela do lado do passageiro. George Strait cantava "Love Without End, Amen" no toca-fitas, enquanto eu ia com a cabeça encostada no vidro frio. *Será que a vida voltaria a doer tanto de novo?*

De volta ao dormitório, senti como se tivesse envelhecido uma década nos últimos quatro dias. Programei o alarme, me perguntando de quem tinha sido a brilhante ideia de ofertar uma aula às 7h (ou de se matricular nela).

Na manhã seguinte, o alarme berrou na beirada da cômoda. Eu me sentei, virei na cama e bati a mão no grande botão cinza em cima.

Vou apertar o botão de soneca só uma vez.

Oito minutos depois, com a cabeça anuviada, reiniciei o alarme para horas depois.

Já era. Vou matar essa aula, só hoje.

Nesse momento, você está fazendo a escolha de não se levantar. De estragar tudo.

Fui capaz de acalmar a vozinha persistente quando virei na cama e fiquei de frente para a parede, ao puxar meu edredom até o queixo e fechar os olhos com força. O sono aliviou todas as preocupações, todas as dores, todos os sofrimentos — acabou com tudo.

Em vez de começar a lidar com o buraco cavado em mim, eu me joguei na vida universitária. Os dias da semana eram ocupados com aulas, idas ao refeitório com um grupo cada vez maior de amigos e tentativas de estudar à noite. Nos sábados, quando o time de futebol americano jogava, eu ficava horas com Rita na seção de estudantes vestida de roxo, torcendo pelos nossos Wildcats. Domingos significavam dormir até mais tarde, jogar golfe Frisbee e, em algum momento, lidar com os livros didáticos.

No início do outono, fui com um grupo de amigos ao grêmio estudantil assistir ao filme *Fenômeno*, o último que vi com Michelle. Eu tinha ido a um cinema com a minha família no Quatro de Julho e, por um acaso peculiar, acabei na mesma sessão que Michelle e os pais dela. Depois, nossas famílias nos visitaram juntas, do lado de fora do concreto que cintilava prateado sob a tenda brilhante de néon rosa e verde.

Algumas semanas depois, eu estava com Michelle no nosso fim de semana prolongado, e ela comprou a trilha sonora do filme, cujo carro-chefe era "Change the World", de Eric Clapton. Naquele passeio para fazer compras, conversamos sobre o personagem principal, homem brilhante que deixa um legado de amor antes de morrer jovem demais.

Chorei durante o filme em julho, e então, sentada no grêmio estudantil, mal consegui conter a tristeza. Soluçando, limpando o nariz e rosto na manga da camisa, não conseguia entender o que havia de errado. Senti como se as paredes do auditório estivessem se fechando enquanto tentava dobrar o corpo, que não estava cooperando, até ficar o menor possível, na esperança de que ninguém me notasse.

Depois que a sessão acabou, caminhamos de volta para o dormitório, mas não consegui evitar as lágrimas ou o aperto no peito. Sem me explicar, saí correndo, abandonando o grupo e tentando fugir da dor perfurante e sombria que incendiava meu coração. *Por que ninguém entende o quanto dói?*

Ao longo das semanas anteriores, ao caminhar pelo campus, eu encontrava algo familiar em um jeito de andar, em um rabo de cavalo castanho-claro, ou em uma risada, e meu coração logo era aliviado. *Ali está a Michelle! Ela está bem ali!*

Então... *Ah, não pode ser ela. Ela se foi.*

Eu ficava percorrendo na mente o momento do dia em que tínhamos perdido Michelle, imaginando jipes deslizando por encostas de montanha, imaginando os detalhes do acidente e as horas terríveis que se seguiram. Conseguia visualizar, embora não estivesse lá. A cena tinha ficado emperrada, repetindo sem parar. Como poderia contar para alguém? Pensariam que eu estava ficando louca. Depois que voltei para o quarto, Rita ficou sentada comigo até tarde, ouvindo e oferecendo sua companhia calma. Ela me disse que havia orado por mim. Enquanto me arrastava para a cama, com o rosto vermelho e manchado de lágrimas, pensei em fazer mais orações. Parecia reconfortante, mas estava com muita raiva de Deus.

Onde estava naquela tarde? Por que não a tinha salvado?

Michelle acreditava em Deus. Se é que alguém ia para o céu, era Michelle. Tinha de ser. Eu não poderia enfrentar aquela situação se ela não estivesse em algum lugar. Se ela estava no céu, então deveria haver um céu. Se existia um céu, então deveria haver um Deus. Só que eu não acreditava mais que Deus existia, mas a Michelle...

Girando e girando, esse debate interno continuou dando voltas até eu pegar no sono.

BTK: MEU PAI
...ISSO TE FORTALECE
KERRI/RAWSON

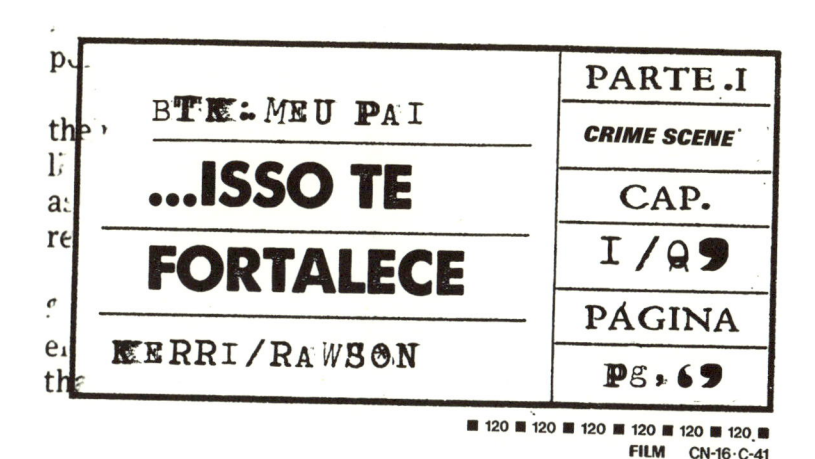

PARTE.I
CRIME SCENE
CAP. I/09
PÁGINA pg. 69

NOVEMBRO DE 1996
MANHATTAN, KANSAS

Na época do Dia de Ação de Graças, eu já estava lutando contra a saudade e fiquei feliz em ver meu pai, que veio me buscar para passar o feriado com eles. Ele faria outra vez a viagem de ida e volta, que durava quatro horas, dali a cinco dias. Tinha se tornado um ritual nosso, ir e voltar pela Rota 77, comprando pipoca em algum posto de gasolina de esquina ao longo do caminho.

 Conforme passávamos pelos campos e pradarias, cujas cores iam se transformando, avistávamos cervos, perus selvagens e falcões de cauda vermelha. Papai apontava silos e celeiros e fazia planos de aposentadoria; queria comprar uma velha propriedade perto do rio Cottonwood. Eu o lembrei de que teria que fazer o negócio sozinho porque mamãe jamais ia aceitar.

 Papai costumava mostrar a mim e a mamãe um velho celeiro perto de Florence. Tínhamos uma piada recorrente, chamando-a de "casa de repouso do papai". Ele sabia que minha mãe nunca moraria em um lugar degradado no meio do nada, e ela acreditava que papai estava brincando.

PROFILE
profile

Só que, depois de ser preso, papai falou extensamente de planos nefastos com celeiros e silos, aquele em particular. Ou seja, meu pai tinha mais de uma piada sem graça em andamento sobre aquele lugar todas as vezes que passávamos por ali. Agora ele passa sua aposentadoria na prisão de segurança máxima — mas está no campo.

* * *

No outono, vovô Bill e vovó Dorothea vieram em um sábado com meus pais para visitar o campus e almoçar no Applebee's, no centro. O vovô continuava a definhar, mas estava de bom humor naquele dia.

Quando se preparavam para sair, o vovô me abraçou com força, deu um passo para trás, colocou as mãos nos meus ombros e olhou nos meus olhos, para se certificar de que eu estivesse prestando atenção ao que ia dizer: "Estou orgulhoso de você, filha".

Em novembro, o vovô estava bem o suficiente para escapar da ala oncológica. Frágil e magro, ainda cumprimentou todos nós no Dia de Ação de Graças com um sorriso, encostado na grade de ferro fundido da varanda. Vovó insistiu em dar um jantar para uma multidão e nós, primos, montamos pratos enormes. Depois do jantar, jogamos uma partida de Wahoo, gritando em voz alta: "Vamos lá, seis!".

Naquele dia, tiramos as últimas fotos que teríamos com o vovô, em frente à lareira branca da casa dele. Meus avós se sentaram na nossa frente, as mãos da vovó entrelaçadas nas do vovô. Ele estava fraco demais para descer e se juntar a nós na partida de Wahoo no porão naquele dia; eu deveria ter percebido como nosso tempo com ele seria curto.

Quatro semanas depois, "Silent Night" foi a última música que cantamos na véspera de Natal, à luz de velas em um santuário escuro, a tradição sagrada na nossa velha igreja de madeira. Papai recebeu os fiéis na porta, vestido de terno cinza e gravata vermelha, e caminhou pelo corredor, acendendo a vela da primeira pessoa em cada banco. Essa pessoa se virava para a seguinte, que então inclinava a vela para a chama — chama que era multiplicada em cem à medida que o santuário se aquecia com luz ondulante.

De pé entre a vovó Eileen e a mamãe, dividindo com elas um hinário verde, uni minha voz à delas, como fazia há anos. A luz das velas tremeluzia nos vitrais; meu estômago estava embrulhado de tentar conter minha tristeza, e minha voz saía trêmula quando eu cantava. *Durma em paz celestial.*

Respirei fundo e me entreguei às lágrimas. No final da música, apagamos nossas velas com um sopro, e a igreja ficou em silêncio no escuro.

Quando as luzes foram acesas outra vez, um cheiro acre de queimado pairava no ar. Cutuquei minha avó para pedir lenço e, assim, enxuguei rapidamente o rosto. Mamãe e vovó também enxugaram os delas. As pessoas iam passando por nós no corredor, nos desejando Feliz Natal com olhares de solenidade incerta. Nossa congregação sabia que tínhamos perdido Michelle quatro meses antes e que logo perderíamos o vovô.

Aquele foi o primeiro ano que o vovô Bill e a vovó Dorothea não se sentaram com a gente na cerimônia da véspera de Natal e o primeiro ano em que não iríamos para a casa deles depois. Naquela noite, a casa deles ficou às escuras, pois a vovó estava na UTI sentada ao lado do vovô, que sucumbia à batalha, a pulseira de *Não Reanimar* no pulso.

Na semana anterior, vovô tinha alternado entre consciência e inconsciência, tentando lutar contra a infecção que estava derrotando seu corpo.

Os médicos já haviam nos dito: "É questão de dias, na melhor das hipóteses".

Lá no santuário vazio, abracei a vovó Eileen e o vovô Palmer com força. Eles me disseram que me veriam no dia seguinte, o dia de Natal. Meu avô, tentando me fazer sorrir, brincou: "É melhor ir para a cama cedo para o Papai Noel vir".

Na sala de congregação, acompanhei minha mãe, que ia conversando com algumas pessoas que, às vezes, me perguntavam da faculdade. Embora eu tivesse matado algumas aulas no outono e não estudado tanto quanto poderia, terminei o semestre com um 3.33 consistente[*]. Pela maioria dos padrões, tinha me saído bem, mas minha média não era

---

[*]   [NT] Equivalente a B+, ou em uma escala percentual, entre 87% e 89%.

alta o suficiente para permanecer no programa de honras. O Cs que eu recebera em duas matérias que eram pré-requisitos para o curso de veterinária também não eram bom presságio. Cada vez que pensava nas notas, sentia um aperto no estômago. *Eu poderia ter tentado mais — eu tinha feito a escolha de não dar o meu melhor.*

Dois dias depois do Natal, meus pais acharam melhor que Brian e eu permanecêssemos em casa enquanto iam acompanhar vovó no hospital. O coração de vovô ainda lutava, mas o corpo estava entregando os pontos; não se esperava que fosse durar até o fim daquele dia.

Sentada ao lado da árvore de Natal, passei a tarde chorando baixinho, aninhada na poltrona, sob a manta marrom e branca que vovó Dorothea tinha feito de crochê. Quando o telefone tocou, eu sabia quais eram as notícias antes de atender. A voz da minha mãe falhou: "Vovô se foi".

Ela encontrou conforto na campainha que disparou no hospital logo após a morte do vovô. Significava que um bebê havia nascido quase no mesmo momento em que meu avô falecera.

Minha mãe me disse mais tarde que papai chorou sobre o corpo do pai dele. Consumido pela dor, caminhou curvado pelo corredor do hospital: "Não acho que seu pai já tenha se sentado antes ao lado de alguém no leito de morte".

Quando ouvi essas palavras, fiquei muito triste, imaginando meu pai ao lado do corpo frágil do vovô. Ele ficou triste com a perda do pai — meu pai o amava muito. É impossível para mim conciliar ele com aquele homem que tirou a vida de dez inocentes.

* * *

Nossa família se reuniu alguns dias depois no cemitério. Encolhidos sob guarda-chuvas, enterramos vovô, aos 74 anos, em um dia chuvoso de inverno.

Sentada na casa da vovó Dorothea naquela tarde, eu me animei com as histórias que enchiam a sala de estar. Os três irmãos mais novos do vovô contaram uma história atrás da outra, para a grande alegria de todos.

JANEIRO DE 1997
MANHATTAN, KANSAS

Voltei para a faculdade em meados de janeiro — o campus trancado em temperaturas gélidas, as árvores nuas, a grama marrom e adormecida. Eu detestava o inverno, mas sentia alívio por estar de volta a Manhattan, pois não era Wichita, onde tínhamos que continuar fazendo funerais para as pessoas que eu amava.

Tinha sido doloroso ver meu avô definhar nos últimos dois anos; sabia que agora ele estava em paz, mas não conseguia entender por que precisava sofrer. *Por que Deus não o tinha ajudado?*

Eu estava sofrendo, descontando em Deus, para em seguida me sentir culpada pela raiva.

Deus era santo e eu deveria ser penitente.

Mas eu não estava sentindo remorso pela raiva. Eu estava furiosa.

Eu estava tentando me afastar de Deus e pensei que tinha conseguido, mas agora Ele persistia em lutar comigo.

Vovô acreditou Nele.

Se é que alguém ia para o céu, o vovô estaria lá — com Michelle.

Com voltas e voltas, perder o vovô logo depois de Michelle só aumentava a dor.

Achei que regressar para perto dos amigos e aulas novas me tiraram da melancolia cinzenta que volta e meia me dominava, mas minhas amizades começaram a mudar e pequenas cisões se formaram. Acima de tudo, tive a péssima ideia de pegar inclementes dezoito horas semanais, com três laboratórios de ciências.

O que não percebi na época foi que estava passando pelo meu primeiro surto de depressão, e sua companheira eventual, a ansiedade, também estava me perseguindo, e ambas se juntavam como dois brutamontes incompatíveis. Passaria mais dez anos antes de ouvir de alguém: "Você tem ansiedade e depressão".

No fim de fevereiro, alternando entre me entranhar, querer ficar sozinha, extravasar com ataques por me sentir abandonada por nosso grupo maior e cambiante de amigos, acabei espantando Rita. Achou que era melhor pisar em ovos comigo, então, se aprontava de manhã cedo, pegava seus livros e mochila e saía em silêncio. Não voltava até tarde da noite, então tirava os sapatos antes de andar no piso, com medo de me acordar — tentando encontrar paz para nós duas.

Eu tinha sido uma boa aluna no ensino médio, me destacando até nas aulas mais difíceis. Agora, no meio do semestre, estava me atrapalhando toda. Faltava às aulas, dormia até meio-dia, estudava até tarde da noite na véspera das provas e imprimia desesperadamente os trabalhos de conclusão de curso minutos antes do prazo. Estava destruindo minha média ponderada — arruinando a chance na escola de veterinária. Era bem provável que eu perdesse a bolsa de estudos que cobria o custo de livros e materiais a cada semestre.

Fiquei decepcionada comigo mesma, mas não sabia sair daquele ciclo.

Os universitários sorridentes que haviam visitado nossa classe de formandos com folhetos coloridos, no ano anterior, esqueceram de mencionar que ficar louco fazia parte do currículo de eletivas ofertadas.

Não era assim que a faculdade deveria ser. Não era como a vida deveria ser. Os dias terminavam em lágrimas, eu me revirando na cama, furiosa comigo mesma, gritando em silêncio para o teto, gritando com um Deus que com certeza não existia.

Numa noite de março, parada no meio do dormitório, cheguei a um nada vazio e cinzento dentro de mim.

Talvez eu pudesse acabar com isso. Eu poderia pular.

Caminhando com os ombros curvados, cheguei à janela do quarto andar em poucos passos. Pressionei a cabeça na vidraça fria presa com firmeza no lugar.

Não estava a uma altura suficiente. Era provável que quebrasse a perna ou caísse em um pinheiro próximo. Afastei-me da janela e caminhei devagar até a cadeira dura, sentindo a tristeza descer por todo o meu corpo quando me sentei e abaixei a cabeça.

Eu estava com problemas.

Falei com um amigo com quem trocava e-mails desde janeiro. Embora não tivesse dito que tinha pensado em pular, ele sabia que eu estava com dificuldades e sugeriu que visitasse o centro de saúde mental no campus.

Eu? Ir no psiquiatra? Não estou tão mal assim.

Odiava a ideia de dizer a um estranho que estava sofrendo, que não conseguia lidar com as coisas sozinha. Os Rader recolhiam seu próprio esterco na tradição rural do Kansas: cabeça baixa, se esforçando, fazendo aquilo que a vida fosse exigindo. Se lidasse com os problemas no seu próprio jeito e no próprio tempo, a gente acabava superando.

Ou não superava, mas outras pessoas não saberiam.

Só que eu não estava conseguindo.

Resignada, reuni coragem suficiente para atravessar o campus e pedir ajuda.

Sentada na sala de espera segurando uma prancheta, eu hesitei antes de marcar o quadradinho ao lado de "pensamentos suicidas". Minhas nádegas afundaram em um sofá dentro da salinha onde eu jogava lenço de papel encharcado atrás de lenço na lata de lixo da terapeuta, ao longo de várias sessões semanais.

Ela me fez lembrar o dia da morte de Michelle em detalhes, para me dessensibilizar. Disse que ficar repetindo um acidente na mente era reação comum ao trauma. Também era comum pensar que estávamos vendo entre os vivos os entes queridos perdidos.

Oito meses após o funeral de Michelle, eu enfim estava começando a enfrentar a perda. A terapeuta me fez olhar para o buraco que eu tinha cavado para mim, aquele em que eu queria rastejar e morrer — a admitir com honestidade que eu estava sofrendo. Ela não vacilou quando eu disse que estava com raiva de Deus.

Não havia vergonha na salinha com a ouvinte calorosa prestando ajuda.

Na terapia, trabalhamos na criação de estratégias para atravessar as semanas restantes de faculdade e conversamos de algo que eu estava esperando com muita ansiedade — minha próxima trilha pelo Grand Canyon.

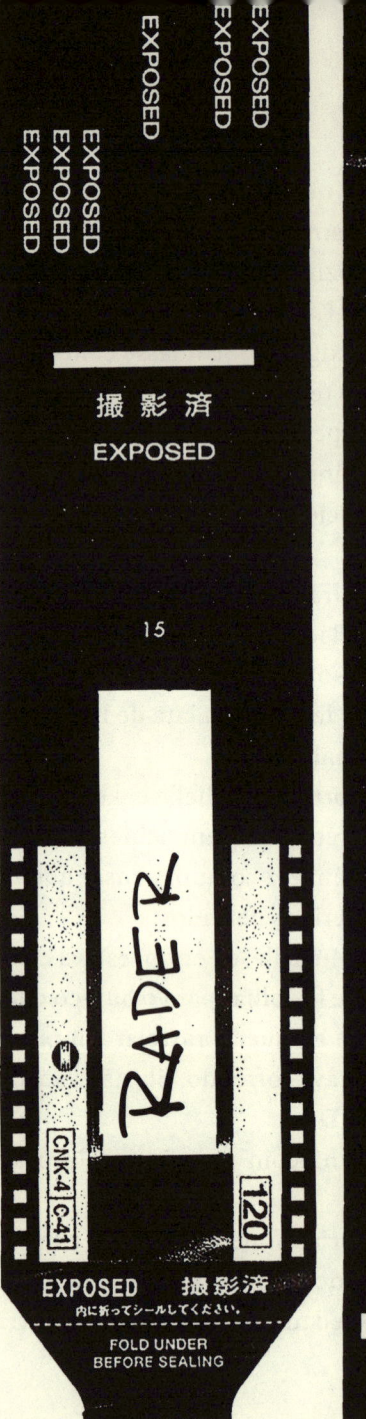

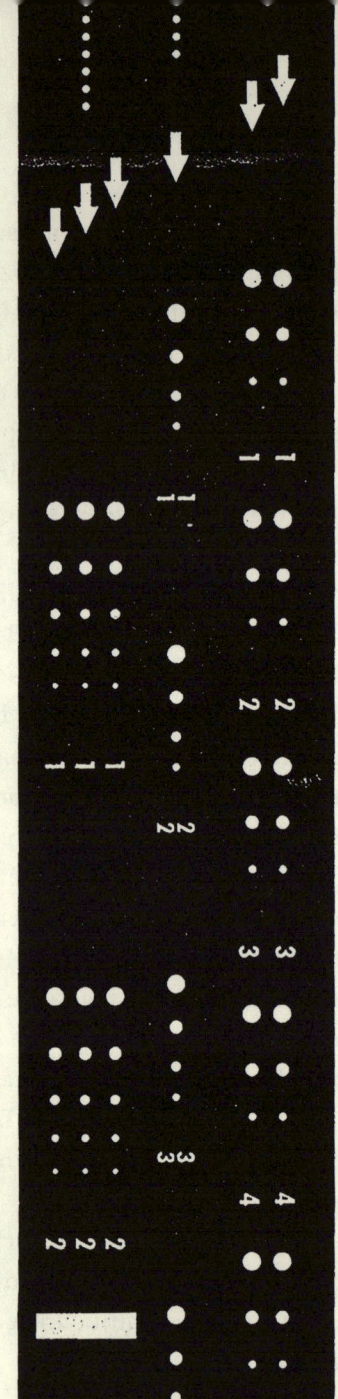

EXPOSED
EXPOSED
EXPOSED
EXPOSED
EXPOSED
EXPOSED

撮影済
EXPOSED

15

RADER

CNK-4 C-41   120

EXPOSED 撮影済
内に折ってシールしてください。
FOLD UNDER
BEFORE SEALING

BK
PARTE 2
TENTANDO ATRAVESSAR O DESERTO

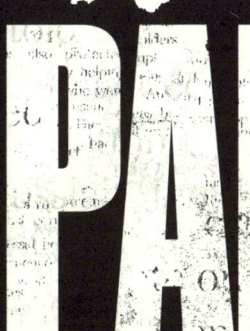

EIS QUE FAÇO COISA NOVA, QUE ESTÁ SAINDO À LUZ; PORVENTURA, NÃO O PERCEBEIS? EIS QUE POREI UM CAMINHO NO DESERTO E RIOS, NO ERMO.
— ISAÍAS 43:19

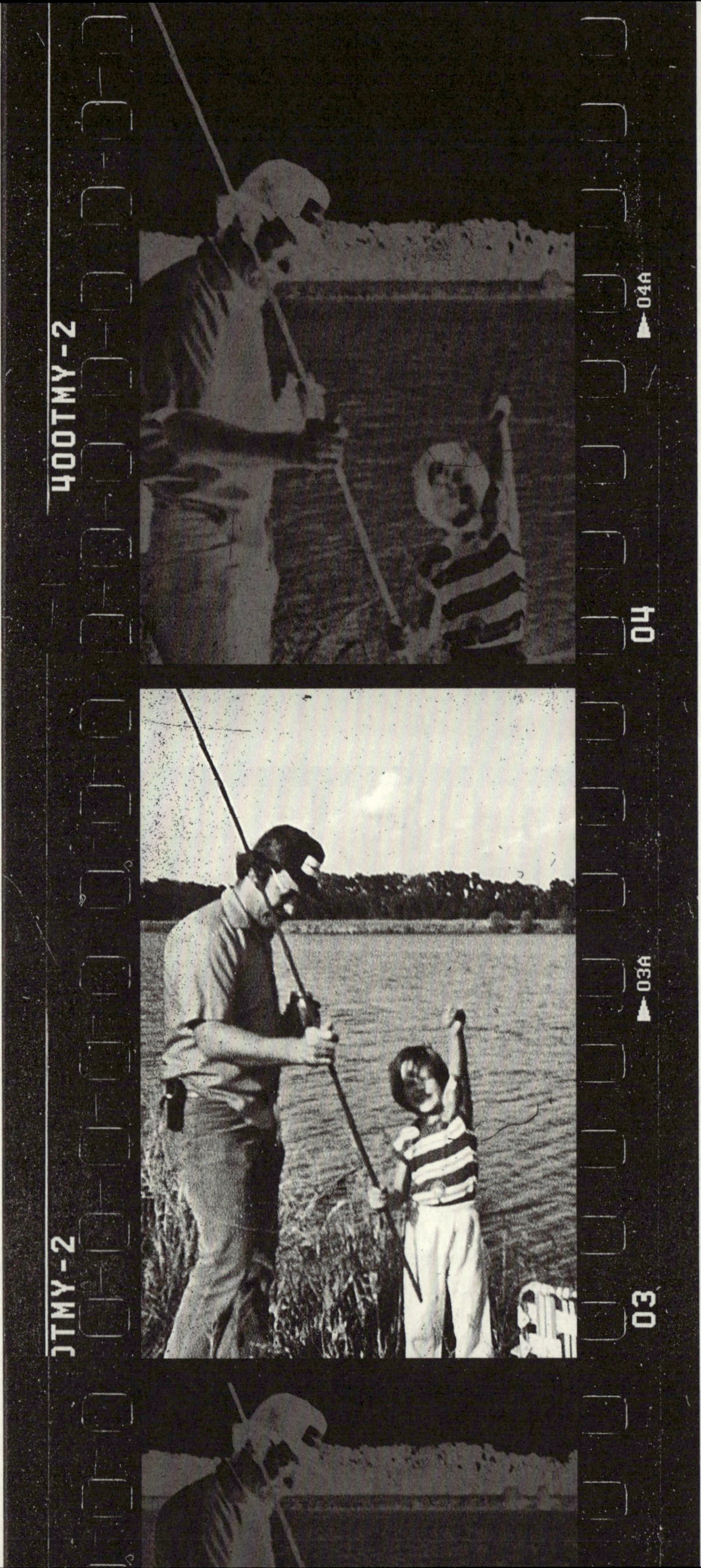

4OOTMY-2
04
04A
JTMY-2
03
03A

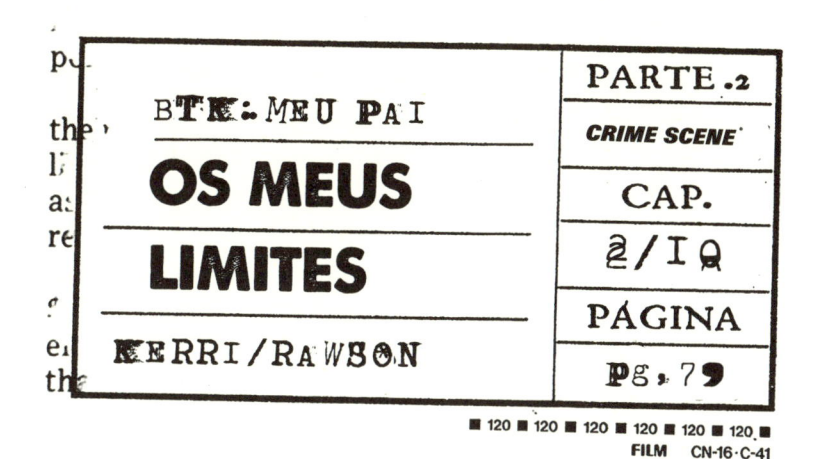

> BTK: MEU PAI
> **OS MEUS LIMITES**
> KERRI/RAWSON
>
> PARTE .2
> CRIME SCENE
> CAP. 2/10
> PÁGINA pg. 79

MAIO DE 1997
GRAND CANYON, ARIZONA

Meu pai achava que essa nossa trilha "seria incrível" e que sua filha estava "incrível!".

Ele não sabia que sua menina havia se estilhaçado por dentro nos últimos meses e ainda lutava às vezes para se controlar. Escondida atrás de uma fachada resistente, e tentando manter a aparência e atitude conforme o esperado, eu sentia como se tivesse fracassado miseravelmente com todos ao meu redor. *Fracassado comigo.*

Eu tinha passado de raspão com um monte de Cs no segundo semestre, e me esquivei das perguntas sobre as aulas durante a viagem ao Grand Canyon no fim de semana do Memorial Day, meu rosto vermelho e em chamas. Estava aliviada pelo fim do período letivo — feliz por estar livre por três meses, feliz por estar de volta ao seio da minha família e feliz por estar de volta àquele parque magnífico.

Estar na Margem Sul do Grand Canyon começava a me trazer a vida de volta. O cânion era exuberante em cores, incendiando o mundo em tons de vermelho-chama, laranja-queimado e marrons-ferrugem. Ele nos hipnotizava com vistas deslumbrantes, montes isolados e imponentes, desfiladeiros estreitos e penhascos íngremes. Eu adorava aquele lugar, ainda que questionasse nossa sanidade em mochilar abaixo da margem.

"Estamos mesmo indo lá?", perguntei, dando uma cotoveladinha no meu primo A. D. "De quem foi a ideia mesmo?" Com 1,75 metro, em geral eu era uma das mais altas do grupo, mas todos os rapazes tinham pelo menos alguns centímetros a mais que eu.

A. D. sorriu. "Foi dele", disse, apontando para o meu pai, cujo cabelo escuro, cortado curto em estilo militar, estava começando a ganhar fios grisalhos. O bigode também.

Estávamos lá "para viver a experiência", como papai dizia. Eu sabia que por trás das lentes escuras, os olhos de papai estavam brilhando naquele dia; ele estava muito animado por termos conseguido voltar ao Grand Canyon.

"Vai ser uma aventura para a vida toda, pessoal", disse meu pai, abrindo os braços para a vista diante de nós. "Estão vendo aquela linha fina e marrom... lá embaixo? Aquela é a trilha Tonto. Vamos atravessar essa trilha, dar a volta no Battleship, e seguir até Bright Angel daqui uma semana." Meu pai apontou para a enorme formação rochosa vermelha e laranja que se elevava do planalto lá embaixo.

"*Vamos* nada. Você e as crianças." Minha mãe estava ao lado de tia Donna. "Nós vamos fazer trilha no shopping com ar-condicionado e dormir na cama, não em pedras." Donna olhou da minha mãe para o meu pai e riu.

"As meninas", como meu pai as chamava, estavam passando a tarde com a gente, passeando antes de irem a Phoenix visitar a família. Gente sensata, elas definitivamente nem tinham considerado nada do que havíamos planejado como férias, mas eu estava feliz por papai nunca ter me considerado uma das *meninas*. Eu preferia mil vezes ir com os rapazes em vez de passar uma semana em shoppings, mesmo que acompanhar meu pai significasse dormir nas pedras.

Eu me senti mal por meu irmão que, na viagem de ida, vomitou na beira da estrada. Pálido e nauseado, Brian agora estava sentado com a cabeça baixa, de costas para a vista. Pegamos uma Sprite para ele e sanduíches para nós, e almoçamos olhando o desfiladeiro.

Os excursionistas que tinham vindo passar o dia estavam subindo a popular e bem mantida trilha Bright Angel. Com base nos chinelos que calçavam, eu imaginava que só tinham percorrido um curto caminho. Alguns montanhistas mais acostumados, cheios de equipamentos, vinham subindo a trilha também, parecendo exaustos e desgrenhados, cobertos de terra vermelha.

Será que ter visto vovô definhar nos últimos dois anos tinha levado meu pai a abraçar seu antigo sonho de fazer aquela trilha pelo cânion antes que não pudesse mais? Papai deixava a idade persegui-lo com frequência — como se estivesse atrelado a um relógio em contagem regressiva que o resto de nós não conseguia ver. Ele brincava que, quando chegasse sua hora de partir, deveríamos "apenas levá-lo para o pasto".

Eu não entendia — ele ainda parecia capaz de fazer tudo o que pretendia fazer. Às vezes, eu tinha dificuldade de acompanhá-lo, de tanta energia e entusiasmo que demonstrava ter.

Papai se dedicara ao planejamento da viagem, pesquisando guias, comprando os suprimentos certos. Sem falhar, seguia o código dos escoteiros: esteja preparado. Eu me sentia pronta, com equipamento confiável, *know-how* decente e meu pai junto. Eu o seguiria para qualquer lugar que ele quisesse. Ele disse que dávamos conta de uma trilha daquela magnitude e eu acreditava. Confiava nele com minha vida.

Naquela tarde, papai olhou para o cânion, e minha mãe se inclinou perto dele, apoiando o queixo nas suas costas. Ela parecia feliz, contente por estar exatamente onde estava, mas eu sabia que sentiria nossa falta. Percebi que ela também estava preocupada com o que papai decidira empreender, em particular por nos levar com ele.

Tia Donna tirou fotos de nós na borda do cânion naquele dia, um bando de gente ingênua e sorridente e um com a cara verde de enjoo, sem ideia do que estava esperando no caminho. Se alguém deveria saber, seria papai, mas era impossível ter certeza — naquele dia ou agora.

DIA UM
MARGEM SUL

Nosso plano era acordar de madrugada, como papai dissera na noite anterior, mas nenhum de nós havia dormido bem no quartinho de hotel de beira de estrada, perto da borda do cânion. Para mim, não era tanto devido a dormir no chão em saco de dormir; era mais meu irmão passando por cima de mim para vomitar no banheiro. Meu primo também passou por cima de mim e vomitou pelo menos uma vez — no banheiro, não em mim. Meu estômago também não estava muito bom, e eu pensei seriamente em fazer a mesma coisa — vomitar, não passar por cima de alguém.

Saímos do quarto e tomamos o café da manhã na lanchonete, refletindo sobre o que fazer com meu irmão, que não estava em condições de trilha nenhuma, depois de vomitar por 24 horas.

Ele ficou sentado em silêncio perto de nós enquanto eu mais brincava com a comida do que comia, empurrando ovos aguados no canto do prato. Eu não tinha certeza se meu estômago parecia ruim porque o café da manhã estava horrível, se era acometida pela mesma virose do meu irmão ou porque sofria de uma ansiedade nervosa crescente.

Não queríamos que Brian perdesse a viagem, mas também não queríamos deixar de ir. Nossa autorização para acampar no cânion era para noites e acampamentos específicos — usar ou perder. Fazia um ano que meu pai solicitara as licenças. Levaria muito tempo — se é que algum dia aconteceria — até voltarmos ali. Tenho certeza de que meu irmão se sentia mal por nos segurar, mas não era culpa dele estar doente.

Decidimos encontrar outro quarto no parque para meu irmão; ele ficaria lá até ter condições de se juntar a nós. Papai traçou um mapa para que Brian descesse para nos encontrar no final da semana; ele mostrou a rota e verificou se meu irmão tinha equipamento e comida. Papai lhe disse para pegar um ônibus até o início da trilha e se juntar a nós nas Granite Rapids no segundo ou terceiro dia, ou em Monument Creek, no quarto dia. Papai enfatizou que precisaria nos alcançar em um dia, caminhando até dezesseis quilômetros, porque estaríamos com o único filtro de água. Beber água não filtrada poderia causar não só vômito, mas diarreia.

Papai estava ficando mais tenso à medida que o relógio avançava, mas demorou para encontrar um quarto e colocar meu irmão lá. Também foi uma despesa inesperada. Dinheiro era algo que poderia estressar meu pai, mas ele e minha mãe sempre carregavam um cartão de crédito de emergência para situações assim.

Eu tentava manter meu pai no prumo, porque sem a mamãe junto, esse trabalho recaía sobre mim. Era eu também quem precisava garantir ao meu irmão que ele ia ficar bem. Meus nervos estavam à flor da pele, tentando ajudar meu irmão, lidando com meu pai e sabendo que precisávamos fazer uma trilha no cânion.

Pensando agora, não sei dizer por que não ligamos para mamãe e tia Donna e pedimos que voltassem de Phoenix para buscar Brian. Nunca deveríamos ter dito para descer por conta própria. Posso culpar meu pai aqui, mas não foi só ele. Meu irmão, um adulto — embora jovem — também podia decidir. E também sou culpada porque não me opus às ideias do meu pai.

10H30
CABECEIRA DA TRILHA HERMIT

Meu estômago continuou a revirar enquanto seguíamos a oeste, uma viagem direta de onze quilômetros até o início da trilha, distante da parte mais populosa do parque. Voltando para leste, faríamos um caminho sinuoso de quase cinquenta quilômetros ao longo dos seis dias seguintes: descendo a Hermit, atravessando a Tonto, subindo a Bright Angel.

Olhando pela janela da van, vislumbrando o desfiladeiro abaixo, eu me sentia intimidada pela tarefa assustadora que estava prestes a enfrentar. O medo — e a incerteza — ficavam continuamente tentando se infiltrar em mim. Eu queria aquela "experiência", mas agora estava em dúvida.

Será mesmo que temos condição de fazer isso? Seria loucura?
Na cabeceira da trilha, saí da van sobre o cascalho calcáreo e me agachei para apertar as botas de caminhada. Puxei os cadarços verde-militar, prendi-os em torno dos fechos de metal superiores e amarrei com nó duplo. Escondidas dentro das botas havia duas camadas de meias: uma fina como forro e outra grossa, feita de lã própria para o verão.

Eu vestia bermudas de *cotton* e camiseta de manga curta de cor creme. Meu cabelo estava preso com elástico e enfiado debaixo de um boné branco barato. Empurrei os óculos escuros de volta sobre o nariz e prendi a alça multicolorida ao redor do pescoço. Papai me entregou minha pochete com a garrafa de água.

Eu me virei para pegar a mochila, que papai tinha encostado na van, e a joguei nas costas com um *uumph* alto. Cambaleei, prestes a cair com o peso.

"Ei, cuidado aí", papai disse, ao estender a mão para me firmar. Ele me ajudou a segurar a mochila e perguntou: "Muito pesada?".

"Não, pode deixar." Eu me endireitei. "Ok, pode soltar."

As alças acolchoadas se acomodaram totalmente nos ombros. Amarrei correias pretas finas na frente do peito e as grossas em volta da cintura com estalos firmes e ressoantes. Deslocando o peso do corpo para a frente, apertei as correias e tentei voltar ao eixo a fim de compensar o volume que eu trazia nas costas. O peso do que estava sobre mim e do que me esperava na trilha se instalou nos meus ossos.

Eram quase 11h, um começo bem tardio para a caminhada de treze quilômetros. Papai ficava olhando toda hora no relógio, a boca tensa curvada para baixo. Eu percebia que estava ansioso para começar a jornada. Eu também estava preocupada, mas apenas dei de ombros e disse *"Hrmph"*, quando passamos por uma grande placa no topo da trilha, parafraseada da seguinte maneira:

AVISO: O CALOR MATA!

Não caminhe ao meio-dia no calor; o rio Colorado, no fundo do cânion, é a única fonte confiável de água. Esta é uma trilha remota e que não tem manutenção. Conheça e respeite suas limitações. Os pedidos de resgate para doentes e feridos são frequentes. Já houve mortes. Faça a trilha por sua conta e risco. O parque busca sua adesão voluntária às recomendações; no entanto, os indivíduos que criarem condições perigosas para si próprios ou para terceiros por meio de práticas inseguras estão sujeitos a citação e/ou prisão.[1]

Os primeiros dois quilômetros da trilha Hermit eram familiares; havíamos caminhado por aquele trecho dois anos antes. Descemos ziguezagues íngremes que cortavam arenito rosa-cremoso e passavam por fósseis e rastros de animais impressos na lama antiquíssima. Perto do topo da trilha, pedras desgastadas usadas para pavimentação ainda permaneciam ali. No início do século XX, as pedras tinham sido assentadas para promover o turismo por meio de burros.[2] Hoje em dia, os animais ficavam em Bright Angel, assim como a maioria dos turistas. Apenas os aventureiros, capazes ou possivelmente temerários, ainda estavam dispostos a atravessar as extensões remotas do Hermit para chegar ao cânion.

A. D. assumiu a liderança e atrás dele estava papai, cujo chapéu para o desfiladeiro era um *boonie* cáqui leve com barbicacho. Isso manteria o sol longe do rosto e da crescente careca. A grande mochila azul-marinho, carregada com qualquer coisa que pudéssemos precisar e até com o que não precisávamos, fazia seus ombros largos se curvarem para a frente.

Papai segurava um bastão de caminhada na mão direita com laço preto em volta do pulso. Ao lado de cada conjunto de pegadas que papai deixava na terra, havia uma pegada de animal feita com a base de borracha do bastão.

Lagartos pequenos e coloridos disparavam pela trilha com incrível velocidade bem na frente das minhas botas. De vez em quando, algum parava no meio do caminho, tentando defender seu território. Com apenas alguns centímetros de comprimento, ele estufava o corpo, balançava a cabeça verticalmente, reivindicando seu cantinho minúsculo de deserto. Bastava outro passo da bota para que ele corresse para baixo de pedras ou de cactos e provocasse nossa risada.

Eu nunca tinha caminhado com mochila tão pesada, e o peso extra afundava nas minhas botas — nos meus dedos do pé. Eu podia sentir as unhas pressionando na ponta das botas, embora as tivesse aparado na noite anterior. Pelas minhas contas, minha mochila pesava uns dezoito quilos. Estava sentindo cada pouquinho do peso no meu corpo de 54 quilos.

Já estava analisando o conteúdo da mochila. Eu deveria ter feito outra triagem, uma inteligente — realmente inteligente, não meu trabalho malfeito. Agora era carregar toda essa tralha nas costas ou jogá-la fora.

```
MEIO-DIA
TRILHA HERMIT
```

Eu tentava encontrar um equilíbrio entre prestar atenção no posicionamento dos pés na trilha estreita e rochosa e me lembrar de olhar para os arredores impressionantes e despojados de qualquer coisa.

Olhar para as ribanceiras fazia o estômago embrulhar; olhar para cima, na direção de onde tínhamos vindo, era mais fácil. Tentei acalmar o estômago, me aterrar de volta na trilha diante de mim. Estava tentando desviar a mente do peso nas minhas costas, do sol escaldante e do Gatorade que ia dançando no meu estômago.

Chamei papai e A. D., que iam na frente: "Ei, pessoal, tenho que parar um pouco. Não estou me sentindo bem".

"É muito cedo para parar. Só fizemos um trecho curto", disse meu pai, apontando para a trilha com o bastão de caminhada. "Vamos continuar. Podemos parar daqui a uns dois quilômetros, lá na bacia, onde tem sombra para almoçar."

Desafivelei a mochila e a deixei cair na trilha. Eu me joguei nas pedras ao lado. "Não, preciso comer agora. Estômago vazio." Remexendo no topo da mochila, procurando comida, eu não me importei de estar sentada debaixo do sol incandescente em calor escaldante e abafado sem nenhuma brisa.

"Tudo bem, vamos parar um pouco." Papai e A. D. colocaram as mochilas no chão e se juntaram a mim para a refeição improvisada no meio de um ziguezague de descida na encosta. Eles pareciam tão felizes quanto eu por fazer uma pausa.

Coloquei no chão meus saquinhos Ziploc grandes cheios de almoços e lanches portáteis, optando por um pacote com sanduíche quente de atum e biscoitos de trigo sem gosto que engoli com mais Gatorade.

Não queria comer muito. Não fazia ideia de quanta comida precisaria nos próximos dias, e, afinal, meu estômago não estava cooperando. Amassei as embalagens e as coloquei em outro Ziploc grande. *Tudo o que você traz, você leva.*

Comemos depressa e nos ajudamos a colocar as mochilas de volta nas costas.

Por que diabos estávamos carregando tanta tralha inútil?

Eu tinha medo de olhar o relógio para calcular nossa velocidade e a distância que ainda precisávamos percorrer. Descemos outro ziguezague — então meu almoço decidiu fazer uma viagem de volta. As coisas não estavam começando bem.

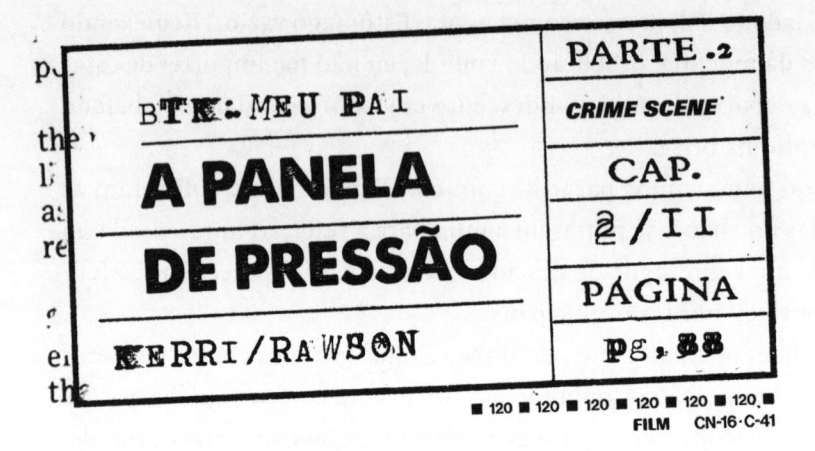

```
BTK: MEU PAI                PARTE .2
                            CRIME SCENE
A PANELA                    CAP.
DE PRESSÃO                  2/II
                            PÁGINA
KERRI/RAWSON                pg. 33
        ■ 120 ■ 120 ■ 120 ■ 120 ■ 120 ■ 120 ■
                    FILM    CN-16·C-41
```

13H
BACIA WALDRON

Eu me senti melhor depois de despejar o conteúdo do estômago na trilha. Tomei um gole de água, enxaguei a boca e cuspi: "Tá, podemos ir".

Ganhei uma sobrancelha levantada do meu primo e o olhar de preocupação do meu pai.

"Estou bem, sério, só nervosa. Não acho que seja a mesma coisa que o Brian tem. Vamos, esse calor é de matar... vamos procurar uma sombra."

Continuamos descendo, passamos por uma planta centenária com talo verde que se elevava três metros acima de nós. Ela logo desabrocharia em flores brancas ao longo de todo o caule.[1] Elas florescem uma vez, depois adormecem como uma plantinha verde por uma ou duas décadas antes de ficarem deslumbrantes novamente com toda a altura e cor.

Chegamos à bacia onde tínhamos almoçado dois anos antes; era um raro local sombreado com arbustos ressecados. Papai e A. D. pararam em um mirante para tirar fotos, mas eu encontrei um pinheiro nodoso para me esconder. Sentei como estava, com a mochila e tudo. Era um completo transtorno tirar a mochila e recolocá-la, e eu estava começando a ficar cansada. Aquilo não saía como o planejado.

"Vamos, filha, precisamos continuar." Papai estava descendo a trilha na minha direção, gesticulando. Ele parou e desdobrou um mapa topográfico. "Não muito longe daquela curva está a nascente Santa Maria, onde podemos encher as garrafas."

Respirei fundo, resignando-me com um suspiro. "Tudo bem, vamos." Eu estava tentando me convencer.

A trilha melhoria um pouco mais para baixo. Tinha sido apenas um começo difícil. Uma manhã ruim.

Quando comecei a me levantar das rochas em que estava sentada, meu estômago revirou outra vez. Fechei os olhos por um segundo e consegui acalmar minhas entranhas.

Calma. Calma agora.

A. D. estendeu a mão para me ajudar a levantar, e papai disse com um sorrisinho: "Essa é minha garota".

Arrumei de novo a mochila nas costas e apertei mais as alças. "Ok, vamos lá." As palavras que saíram da minha boca exalaram a confiança que, na verdade, eu não tinha.

15H
NASCENTE SANTA MARIA

Era o meio da tarde e eu estava prestes a desistir.

Eu nunca tinha visto o cânion daquele jeito. Não o observava abaixo ou do alto de trilhas bem cuidadas. Eu estava bem lá dentro, com tudo o que tinha direito — a trilha remota, sem manutenção, com risco de deslizamentos de pedras, deserta e árdua.

Não tínhamos visto mais ninguém nas últimas horas, desde que havíamos passado pela bacia, onde a maioria dos montanhistas que vinham só passar o dia davam meia-volta. Eu esperava ver mais gente e achava estranho estarmos sozinhos.

Continuamos passando por marcos — pilhas de pedras empilhadas que marcavam o trajeto. Eu encontrava neles um conforto crescente: questionávamos o caminho, ele desaparecia nos arredores e então avistávamos uma pilha de pedras que havia sido posta ali deliberadamente. *Lá está um marco — lá está a trilha!*

Tínhamos parado em uma nascente natural havia algum tempo, onde a água aflorava através da rocha e saía por uma calha onde cresciam algas verde-acastanhadas. Sifonamos a água com a nossa pequena bomba manual, equipada com microfiltro, e a direcionamos para as nossas garrafas. Ficamos contentes por ter água e pela sombra fornecida pela pequena cabana de pedra ao lado da nascente. Não era como a trilha de dois anos atrás; daquela vez, as altas temperaturas diurnas no cânion tinham sido bem-vindas em comparação ao frio na margem, mas agora, dois meses mais adentro na estação, parecia que tinha entrado em um forno aceso. O sol da tarde era implacável, pesando sobre nós e nos oprimindo.

O equipamento na mochila estava encharcado do meu suor, quase irrefreável mesmo com a bandana que eu torci no pescoço. Meu cabelo não parava de cair do elástico e desisti do boné, o que tornava tudo pior, mais quente. Eu arriscaria ficar queimada de sol. Pelo menos os óculos estavam mantendo meus olhos frescos.

Minha camiseta estava encharcada — e me perguntava se era possível ver o top esportivo por baixo, que também estava encharcado, assim como a calcinha por baixo da bermuda. Meus pés estavam se afogando nos dois pares de meias; eu tinha certeza de que os dedos estavam em chamas. As pernas nuas estavam cobertas de poeira vermelha, que eu ia chutando com as botas, conforme pisava na trilha. A poeira cobria arranhões vermelhos longos e finos onde cactos haviam pegado nas panturrilhas.

No que eu tinha me metido? Por que ser sensata, caminhar e acampar nas trilhas que recebiam manutenção, com multidões de pessoas, guardas florestais, banheiros e água saindo das torneiras, não é mesmo?

Contra a sanidade — às vezes meu pai era assim, e agora parecia que eu tinha me juntado a ele. Fazendo as coisas do jeito teimoso e burro e ainda levando meu primo junto.

Em defesa do meu pai, os locais de acampamento nas trilhas sensatas estavam cheios quando ele pediu a licença para pernoitar abaixo da borda. Ele tentou solicitar as rotas mais populares até o rio, aquelas por onde tínhamos caminhado há dois anos. A Hermit era a opção três, e a opção três foi a que nos deram.

Tínhamos achado a seção superior da Hermit razoável alguns anos atrás, então não havia motivo para pensarmos que não continuaria a ser assim pelo resto do trajeto. Papai lera sobre as trilhas — eu pensei que ele sabia no que estávamos nos metendo.

Na noite anterior, quando fizemos o check-in no posto de guarda florestal para comunicar ao serviço do parque o nosso destino, o guarda florestal falou da dificuldade do terreno na trilha após a bacia, a importância de começar a caminhada cedo e de carregar bastante água.

Subestimamos seriamente o que nos foi dito e o sinal de alerta que tínhamos passado horas atrás. Havíamos feito apenas seis quilômetros e meio, mas não conseguia imaginar pegar o caminho de volta e subir a trilha, derrotada — a única direção que eu estava disposta a seguir era para baixo.

17H
PIMA POINT

Cortávamos de um lado a outro, descíamos por trechos abruptos e curtos e fazíamos longas travessias que abraçavam paredões alaranjados e vermelhos gigantescos que se erguiam sobre penhascos íngremes. O caminho sob os nossos pés era acidentado, rochoso em alguns pontos e estreito; tinha largura suficiente apenas para uma pessoa de cada vez, e assim prosseguíamos com cautela, em fila única. Papai me fez pegar a dianteira deixando que a mais lenta ditasse o ritmo do grupo.

Marcos espalhavam-se pela trilha aqui e ali, mas poderiam estar marcando uma trilha completamente diferente, de tanto que eram inúteis.

Meu estômago ainda estava embrulhado — meus nervos totalmente intimidados.

Nunca tive medo de altura antes, mas não conseguia me livrar do pavor de cair. Nunca fui claustrofóbica, mas me sentia prestes a ficar louca, tomada pelo pânico. Claro, também nunca tinha sido pressionada antes contra um penhasco íngreme, que se estendia a milhares de metros para baixo de solo firme e para cima dele.

Continuamente, precisava dar a mim mesma um discurso motivador.

Não olhe para baixo. Não olhe para baixo.

Cuidado por onde anda. Uma bota de cada vez. Uma pedra de cada vez.

Olhos para a frente, muita calma nessa hora.

Você consegue.

Estendi a mão para o paredão vermelho contra o qual estava encostada. Calor irradiava dele. Minha cabeça girava. O lado de cima estava se tornando o lado de baixo; o de baixo estava se tornando o de cima.

Eu olhava para um abismo. Um buraco negro. Eu queria largar a trilha. Desistir. Queria acabar com aquilo. Com tudo.

Se eu me afastasse mais alguns metros da parede e me inclinasse sobre o declive perigoso, deslocando o peso extra equilibrado por pouco no meu corpo frágil, poderia cair. Aterrissar a trezentos metros lá para baixo sobre rochas pontiagudas.

Fechei os olhos. Podia sentir meu corpo começando a se inclinar... e logo o calor me envolveu. Uma presença forte pressionou-se contra mim, bem ao lado da borda. Era reconfortante. *Era paz.* Parecia algo que eu conhecia. Familiar. A mesma presença estava na minha frente também. Ficou ali apenas por um momento, mas foi o suficiente.

Bem dentro de mim, algo que sabia antes, mas tinha esquecido, despertou. Proferi uma oração na minha mente. *Me ajude. Eu não quero morrer.*

Então, despertei e restabeleci o peso do corpo de volta no meu eixo, plantando os pés com firmeza no lugar. Respirei fundo, balancei a cabeça, tentei clareá-la.

Olhei para as rochas abaixo, onde meu corpo quebrado poderia ter caído. Fechei os olhos com força.

Balancei a cabeça mais uma vez. *Não. Eu não faria isso.*

"Ei, cuidado agora, filha. Por que não fica mais perto do paredão enquanto seguimos por aqui?", veio a voz cálida e firme de papai, alguns metros atrás de mim.

Retornei para mais perto da parede de rocha e me afastei da queda; continuei caminhando, uma bota depois da outra. Meu estômago estava se contorcendo em nós doloridos, o corpo tenso, rígido — eu me sentia envergonhada. Abaixei a cabeça. Abatida, os ombros curvados, e não apenas por causa do peso físico neles.

Não posso contar a papai e a A. D.

Mas aquela presença... pareciam anjos. Vovô Bill? Michelle?

Pensei por um segundo que estavam andando bem ao meu lado. Vovô, caloroso, seguro, com os pés e o coração grandes, me segurando, me sustentando bem ao meu lado. Michelle na frente, uma luz branca brilhante, me guiando, me mostrando o caminho.

Mas é loucura, não é?

Um pouco de esperança animou minha alma. Meu semblante se animou pela primeira vez em horas.


```
19H
BREEZY POINT
```

Caminhamos mais de meio quilômetro pela trilha e, então, ela desapareceu. Pequenos rochedos e uma árvore tinham caído em algum ponto, uns sobre os outros, e bloqueado nosso caminho. *Sério?!*

Paramos ao nos aproximar do bloqueio, mas era muito perigoso e alto para atravessar. Decidimos tirar nossas mochilas e escalar.

A. D. foi primeiro, devagar, mão após mão, de costas para o penhasco. Depois que terminou, papai lhe passou uma mochila por vez. Papai me ajudou a subir nas pedras vermelhas e passei para o outro lado, tentando não olhar para baixo. A. D. me ajudou a descer. Papai veio por último. *Ufa.*

Cerrei os dentes ao colocar a mochila nas costas, os ombros quase destruídos. Um marco de pedras indicava que a trilha continuava do outro lado da barreira. Não tínhamos sido os primeiros a cruzar o desabamento das rochas.

O sol ia baixando e logo se esconderia atrás da parte oeste do cânion. Estávamos na trilha fazia oito horas, percorremos quase nove quilômetros e descemos uns seiscentos metros em relação ao nível da borda. Eu agora estava me equilibrando diante do vazio. No entanto, ainda faltavam mais quatro quilômetros até o acampamento.

Desorientada, atingi uma parede mental.

Ei, se vocês estão aí, estamos passando aperto aqui. Podem nos ajudar?

Não muito depois de ter lançado meu apelo, um afloramento rochoso surgiu diante da nossa vista, o primeiro em quilômetros que fosse grande e plano o suficiente para dormirmos. Tinha brisa fresca e vista deslumbrante. Joguei a mochila no chão e declarei: "Chega". Sentei, soltando meu corpo pesado no chão.

Papai já havia passado cerca de seis metros na minha frente pela trilha, iniciando a descida íngreme, tentando discernir por onde a trilha continuava com sua pequena lanterna Maglite.

Eu me levantei, as mãos nos quadris, os olhos brilhando, gritando para ele com toda a força que me restava: "Vou ficar aqui esta noite!".

Papai se virou e, com olhar interrogativo, voltou até mim. Seu rosto estava cansado, desgastado, acabado; os olhos reduzidos, disparavam de um lado para o outro.

Ele enfiou a mão no bolso e tirou um pedaço dobrado de papel branco datilografado, e passou-o para mim. Bateu nele com o dedo e falou com a voz firme: "Não temos permissão para acampar aqui. Apenas nos locais listados nesta licença".

"Não tem guardas florestais por perto, pai. Não tem ninguém por perto! Ninguém se importa!" Balancei os braços, apontando em todas as direções para enfatizar o argumento. "Logo vai ficar escuro como breu.

Alguém vai cair de um penhasco se a gente não parar." Eu plantei os pés, abaixei os braços ao lado do corpo e baixei a voz: "Minhas pernas estão mortas. Estou exausta. Podemos tentar de novo amanhã cedo."

Papai se virou para A. D.: "O que você acha?"

A. D. respondeu com um encolher de ombros: "Seria bom".

Com as lanternas, montamos uma barraca individual para mim, a que tinha carregado nas costas o dia todo, e uma dupla para A. D. e o meu pai dividirem. O solo era muito duro para fincar as estacas, então ancoramos as barracas com pedras. Eu me inclinei através da aba da barraca, desenrolei o colchão azul de espuma e o saco de dormir roxo.

Fizemos um balanço do suprimento cada vez menor de água e decidimos que não seria inteligente usar água para preparar a comida desidratada. Então, para o jantar, decidimos por um pedaço de carne seca com a consistência de sola de sapato e optamos pelo racionamento de um copo de água para cada, até de manhã.

Encerrei a noite na barraca. A barriga roncava de fome; os lábios estavam ressequidos e rachados; a garganta, sufocada de sede, eu ansiava pela água do rio lá embaixo.

Preocupada com meu irmão, queria que houvesse uma forma de enviar um recado: *Não desça, muito perigoso, muito longe, especialmente sozinho. Fique na margem!*

Aquele tinha sido um dos dias mais difíceis e longos da minha vida, e agora estava presa em uma saliência, encolhida contra as paredes de rocha. Eu culpava meu pai, suas ideias brilhantes e presunção exagerada. Eu também me culpava — a companheira de aventura disposta a ir na dele.

Com raiva de mim mesma, triste por estar disposta a cair daquele penhasco hoje cedo, certa de que nunca alcançaria um ponto tão confuso e vertiginoso na minha vida outra vez. Em frangalhos. Exausta. Terrivelmente sedenta. Ia dormir no meio de um deserto rochoso.

* * *

Eu confiava em papai — ele tinha dito que poderíamos dar conta dessa viagem. Mas ele arriscara a vida de todos nós. Algo em mim cresceu quando o enfrentei. Papai podia ser assustador quando a gente recuava, mas ele sabia que não poderia argumentar comigo. Eu sabia que ele ia esfriar a cabeça em breve e ficaria aliviado por colocar a mochila no chão e descansar. Depois da prisão, ele disse que é como uma panela de pressão: vai aquecendo devagar, até que chega uma hora que a tampa vai pelos ares. A chave para sobreviver à vida com o papai? Vigiar a panela com atenção, abaixar o fogo e saber quando sair da frente antes da explosão.

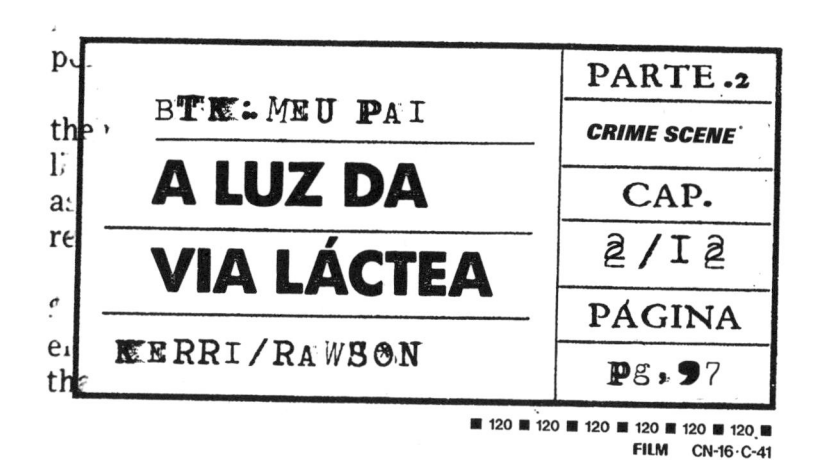

> BTK: MEU PAI
> # A LUZ DA VIA LÁCTEA
> KERRI/RAWSON
>
> PARTE .2
> CRIME SCENE
> CAP. 2/I2
> PÁGINA pg. 97

DIA DOIS

Com as esperanças renovadas, a luz aqueceu a barraca e me trouxe de volta à vida. Coloquei a cabeça para fora e fui recebida por um alvorecer deslumbrante, o brilho laranja atingindo extensões de rosa. O ar estava calmo; o cânion, em paz. Todo o difícil dia anterior estava perdoado.

Aconchegada junto de rochas a trezentos metros de altura, encontrei o melhor sono que já tive. Descansada, estava pronta para enfrentar as *Cathedral Stairs*.

Enquanto fazíamos o desjejum de granola com pedaços de chocolate derretido e goles de água, contemplamos o preço que nossos pés pagavam. Dividimos um cortador de unhas, aparando-as para deixá-las mais curtas, na esperança de minimizar a dor sofrida no dia anterior, nas descidas íngremes.

"Estão com algum incômodo pelo atrito no pé, crianças?", meu pai perguntou enquanto inspecionava seus próprios pés com cuidado. "Cuidem disso agora. Vocês não vão querer ter bolhas."

Levantei um pé, depois o outro, e analisei com atenção em volta dos dedos e nas laterais para ver se sentia algum ponto mais sensível. Com uma tesoura minúscula do meu pequeno canivete suíço rosa, cortei quadradinhos de curativo protetor que meu pai insistiu que trouxesse. Tirei a parte de trás e colei os adesivos na pele vermelha e infeliz. Meus pés protestaram quando calcei meias limpas. Coloquei os pés pouco a pouco nas botas com um leve gemido.

Pés tratados, botas firmes, acampamento embalado e já nas nossas costas, partimos, descendo a escadaria com a mente lúcida e pisando com mais confiança do que no dia anterior. Olhando para o imenso mundo de paredões vermelhos ao redor, me senti mais desperta do que em muito tempo. Eu podia ouvir as batidas no peito; podia sentir o ar enchendo os pulmões — eu estava viva.

Descendo trezentos metros, a dois quilômetros do acampamento improvisado da noite passada, chegamos à junção das trilhas Hermit e Tonto, por volta do meio da manhã. Minha cabeça e ombros estavam eretos, não curvados. Eu estava avançando. Havia conquistado algo — havia caminhado por quilômetros descendo um cânion. Parecia loucura, mas era exatamente o que eu estava fazendo. A sensação era ótima depois dos fracassos e perdas do ano anterior.

"Bem, não foi tão ruim assim, né, pessoal?", meu pai perguntou com leve risada, sacudindo a cabeça. "Bom, mas ainda bem que a gente não tem que voltar por ali, hein?"

Com cautela, olhei para trás, de onde tínhamos vindo, mordi o lábio inferior e murmurei: "Sim, ainda bem".

A. D. encolheu os ombros. "Ah, não foi tão ruim assim." Ele apontou para um grande monte de pedras e a placa de madeira que marcava a bifurcação nas trilhas. Havia uma sandália perdida e solitária pendurada na placa. "Agora, para que lado vamos?"

"Devemos seguir para o rio Colorado?", perguntei ao beber a água restante na minha última garrafa. Eu desejava água fria e interminável, uma praia e meus chinelos.

Olhando o mapa, papai assumiu o comando. "A leste fica o rio e as Granite Rapids, onde vamos acampar hoje, mas fica a 6 quilômetros e meio de distância." Ele olhou para cima, na direção oposta. "A oeste fica Hermit Creek, onde deveríamos ter acampado ontem. Tem a água do riacho e deve ter sombra. Fica a apenas um quilômetro e meio. Precisamos ir para lá antes de ficarmos sem água. Antes de o cânion esquentar mais."

"Então, um quilômetro e meio para a água e oito para o acampamento?", perguntei.

"Sim. Não podemos fazer os 6 quilômetros e meio sem reabastecer o suprimento de água. Não temos escolha." O rosto firme, ele virou para oeste em direção a Hermit Creek. "Venham, vamos."

A trilha até o riacho curvava-se suavemente para cima e depois descia para a trilha Tonto, com desnível de menos de cem metros ao longo de quase dois quilômetros. Era uma boa pausa após os longos quilômetros no paredão de pedra no dia anterior e da descida íngreme naquela manhã.

Mas papai estava certo — o planalto aberto estava esquentando rápido. Meu estômago doía de novo, mas continuei esperando, a cada descida da crista de uma colina, que chegássemos ao riacho.

Por fim alcançamos o nosso destino, e colocamos as mochilas ao lado de um bom riacho de água corrente. Quase 24 horas tinham se passado desde que havíamos parado na nascente lá em cima. Eu me agachei ávida ao lado de papai, esperando-o sifonar cuidadosamente a água do riacho para as garrafas.

Água! Bebi de uma vez o equivalente a meia garrafa de Gatorade. Até os últimos dois dias, eu nunca soubera como era ficar sem essa necessidade básica. Agradecer pela simples água de um riacho. E, definitivamente, sem me importar que tivesse um leve gosto de ferro e bebida isotônica de frutas.

Almoçamos descalços, tentados a ficar e descansar, mas decidimos seguir. Com os recipientes de água cheios, nos sentimos seguros de que conseguiríamos fazer os oito quilômetros até o segundo acampamento antes do anoitecer. Se Brian viesse naquele dia, ele iria nos encontrar no rio.

Refizemos os passos de volta ao cruzamento das trilhas.

Um pouco mais de um quilômetro depois, eu me senti oprimida outra vez pelo sol implacável do meio-dia. Estava bem a pino, pequeno, brilhante, intenso. O calor subia do chão, envolvendo-nos, formando miragens.

Fiquei zonza. Não havia mais qualquer pensamento claro na cabeça. Olhei de volta para o meu pai, que estava pálido e quieto. O peso na mochila parecia o estar afetando.

Devíamos ter ficado no riacho pelo resto do dia.

Parei na trilha, inclinada para a frente, segurando a barriga. "Ei, pessoal, a gente não deveria dar meia-volta? Voltar e tentar de novo pela manhã?"

A. D. falou: "Lá na frente tem um rochedo enorme. Aposto que tem sombra".

Não muito depois do jantar, papai e eu entramos em nossos sacos de dormir. Falamos baixinho apontando as constelações um para o outro e, às vezes, uma estrela cadente. Alguns dos melhores momentos da minha vida tinham sido passados com ele, ao ar livre, um a companhia silenciosa do outro, debaixo das estrelas.

"Pai? O que você acha?", perguntei, querendo poder parar de me mexer.

"Acho bom", respondeu resignado. Era difícil vê-lo perder a coragem. Não estava acostumada a vê-lo assim, fisicamente cansado. Era um dos sujeitos mais fortes que eu conhecia.

"Vamos, pessoal, vamos sair desse sol", falei apontando para a trilha estreita e gasta que levava ao rochedo.

Apoiamos as mochilas contra ele, tiramos as botas, enfiamos as meias dentro delas e deitamos, lado a lado, sob a proteção sombreada do grande rochedo.

17H

Fomos acordados no final da tarde com o som de vozes descendo a trilha, as primeiras pessoas que víamos desde a hora do almoço do dia anterior. Um homem e uma mulher mais velhos, em boa forma, esbeltos pela prática de montanhismo, com mochilas leves, um quarto do tamanho das nossas. Pararam e perguntaram como estávamos, preocupados, três lagartos adormecidos sob a rocha. Tentaram nos convencer a voltar para Hermit Creek, mas teimosamente queríamos continuar. Desejamos boa caminhada para eles, nos arrumamos e retomamos o caminho para o leste.

Desde que tínhamos deixado o local de cochilo havia duas horas, caminhamos sem parar, mas só havíamos percorrido um quilômetro e meio. Depois de passar pela bifurcação, chegamos a uma crista na rocha e, além, a plataforma Tonto, abrindo-se adiante. O Cope Butte pairava sobre nós enquanto rumávamos para o leste, esmagando os fragmentos de rocha marrom-avermelhados debaixo das nossas botas, cercados por vegetação esparsa.

O rio Colorado, azul-esverdeado, estava agora a cerca de 250 metros tentadores abaixo de nós, mas ainda precisávamos percorrer quilômetros até chegar a ele. Podia sentir o gosto dele na brisa leve que soprava da garganta interna que estávamos caminhando. Não conseguíamos distinguir a queda acentuada para Monument Creek, que teríamos que atravessar para virar em direção ao rio. Depois da queda, seriam mais quase dois quilômetros até as Granite Rapids.

Deus? Alguma ideia?

Depois de subir uma crista escura sem fim que me fez questionar minha sanidade, parei para recuperar o fôlego. Pronta para encerrar o dia, disse: "O sol está se pondo de novo, pessoal. Temos bastante água. Podemos acampar de novo?".

Não muito depois de perguntar se poderíamos parar, chegamos a uma grande área plana e saliente em um platô. Estacionamos e jantamos olhando a vista. Papai fez o balanço da água e decidiu que tínhamos o suficiente para cozinhar — medindo o que era necessário, com cuidado para não deixar derramar nada. Ele a colocou na panela de metal leve e misturou o pacote marrom-avermelhado de carne escura de churrasco desidratada.

Papai prendeu um pequeno cilindro vermelho com gás de cozinha em um fogareiro portátil, que ganhou vida com um assobio e uma chama quente azul-esbranquiçada. A panela foi ao fogareiro e, depois de algum tempo, mexendo um pouco, jantamos — churrasco dentro de pão sírio. Ainda hoje é uma das melhores refeições que já comi, em um dos melhores locais que se pode encontrar.

A. D. se tornou o destaque da noite, tirando de sua mochila um saco gigantesco de sementes de girassol, latas de suco de uva Welch e Sprite.

"Sério? Onde estava isso ontem à noite?" Ri até cair. Agora a vida estava ficando boa.

Eu me sentia tão feliz por estar ali que gritei: "Danem-se as barracas. Esta noite eu vou dormir ao ar livre!". Coloquei a lona no chão, rolei o colchonete por cima e joguei o saco de dormir no terreno.

"Você teve uma ideia de primeira, filha", disse meu pai, ao estender sua cama ao lado da minha.

Não muito depois do jantar, papai e eu entramos em nossos sacos de dormir. Falamos baixinho apontando as constelações um para o outro e, às vezes, uma estrela cadente. Alguns dos melhores momentos da minha vida tinham sido passados com ele, ao ar livre, um a companhia silenciosa do outro, debaixo das estrelas. Eu podia ouvir sua respiração superficial e uniforme, e em pouco tempo, ele estava roncando suavemente.

Fiquei acordada mais um pouco. Nunca tinha visto a Via Láctea daquele jeito — estendida assim no céu. Não havia nenhum lugar do mundo onde eu preferiria estar.

Brian?

Será que estava bem acima de nós? Descendo a Hermit? Talvez ele esperasse por nós na margem. Meu estômago apertou e enviei um apelo silencioso para o cânion — *por favor, não desça; fique onde está. Deus? O Senhor pode me ouvir?*

À deriva, meus pensamentos desapareceram para dentro do desfiladeiro — em extensões desérticas.

DIA TRÊS

Papai acordou A. D. e eu enquanto a luz ainda estava baixa e escura, querendo começar a andar antes de o sol esquentar demais. Eu estava pronta para continuar, porque sabia que teríamos um suprimento infinito de água fresca, com sorte, antes do meio-dia.

Dei uma olhada nos meus pés; o adesivo protetor tinha funcionado. Calcei meias limpas, amarrei as botas e arrumei o equipamento, surpresa em ver como estava me adaptando.

Partimos na trilha Tonto, para o leste, contornando montes isolados e subindo em mirantes deslumbrantes sobre penhascos escuros que desciam vertiginosamente para o rio. Perto de Monument Creek, descemos ao longo de trilha íngreme e estreita, e entramos em um ziguezague no desfiladeiro interior abaixo. *Não é um lugar onde você gostaria de andar aos tropeções no escuro*, pensei.

O Monument Spire se erguia acima, nos recebendo na bifurcação onde viramos para o norte. Saímos do nosso último ziguezague e nos encontramos em um leito seco. Uma rocha lisa, preto-avermelhada, assomava-se sobre nós de ambos os lados.

Enquanto cobríamos o último quilômetro sinuoso, nossas botas diminuíram a velocidade em um grande cascalho arredondado. Não havia trilha, apenas marcos. Eles indicavam as trilhas até o fim — uma fonte de consolo. Naquele dia, eu me abaixei no leito do riacho e construí o meu próprio marco. Empilhar rocha sobre rocha no topo de um rochedo era uma afirmação de vida. *Era esperançoso*.

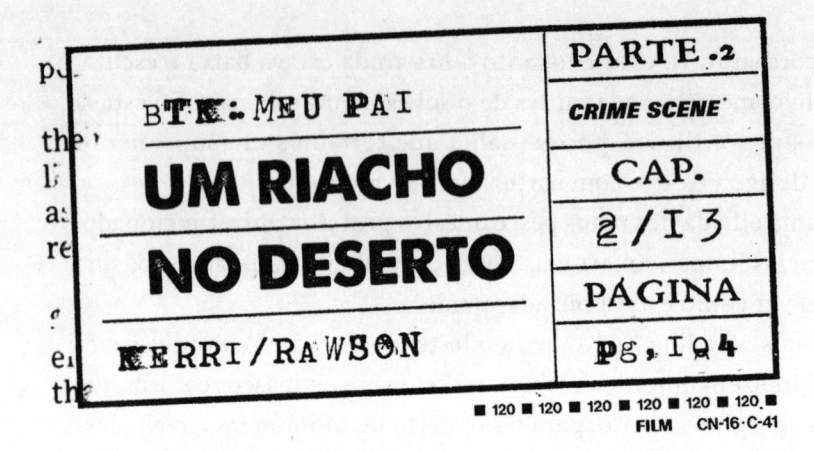

> BTE: MEU PAI
> **UM RIACHO NO DESERTO**
> KERRI / RAWSON
>
> PARTE .2
> CRIME SCENE
> CAP. 2/13
> PÁGINA pg. 104

DIA TRÊS
MEIO-DIA
GRANITE RAPIDS

Euforia pode ser a palavra para descrever o que sentimos ao enfim alcançar o poderoso azul-esverdeado, extraordinário, estrondoso, mais-gelado-impossível rio Colorado.

Água! Toda a água que você vai desejar na vida. Eu queria beber, filtrada ou não, mas meu pai disse para esperar enquanto ele pegava a bomba. Em poucos minutos, tínhamos água fria e fresca nas garrafas. Eu bebi metade da minha e pedi mais.

"Calma, você vai ter dor de barriga."

Quarenta e oito horas antes, eu estava curvada debaixo da minha mochila enorme, tomada de nervosismo e com as pernas trêmulas. Tão infeliz que até havia cogitado me atirar de uma plataforma de rocha. Agora, depois da descida de 1300 metros ao longo de vinte quilômetros, eu posava para foto a um passo de distância da margem do rio, diante de corredeiras perversas de água esbranquiçada: ereta, com as pernas firmes, sorrindo de orelha a orelha. Minha mochila, jogada a metros atrás de mim, esquecida.

Depois de saciar a sede, voltei e peguei a mochila. Em seguida, passei por cima de grandes rochedos de rio para chegar ao nosso local empoeirado de acampamento, onde tinha grandes planos de estabelecer minha retaguarda pelo resto do dia. Passamos por algumas barracas e logo fomos recebidos por um punhado de montanhistas.

Um homem, de uns vinte e poucos anos, disse: "Você deve ser quem ouvimos falar, o que estava fazendo trilha com dois garotos e as mochilas de inverno enormes!".

Como tinham ouvido falar da gente? Era como se a nossa lenda (de estupidez) nos precedesse.

Tirei os óculos escuros e olhei o cara nos olhos. "Sou uma garota", corrigi com sorrisinho brincalhão.

"Ah, e não é que é mesmo?! Muito prazer!"

"O que quer dizer com 'mochila de inverno'?", perguntei, embora achasse já saber a resposta.

O grupo de montanhistas experientes explicou. Nos meses quentes, fazendo trilha no cânion, a gente passa bem com roupas leves e itens de necessidade básicos — é melhor carregar a mochila o mais leve possível para conseguir levar mais água.

Repassei a lista mental dos itens desnecessários que vinha carregando por dois dias e ainda não tinha usado, incluindo jeans, a jaqueta roxa da KSU e a grande caneca de plástico também da KSU, mas não água o suficiente — nem perto água de suficiente.

Meu pai ainda estava conversando com o grupo, mas segui em frente e coloquei a mochila encostada em um tamarisco, cedro pequeno situado em um conjunto longo e estreito de vegetação rasteira ao longo do rio. Joguei o tapete na areia e tirei as botas e as meias. A. D. e papai se juntaram a mim; A. D. puxou o boné do Chicago Bulls sobre os olhos e pegou logo no sono, e papai não demorou muito para adormecer também. Peguei o livro vermelho e preto que tinha jogado na mochila de última hora, aquele lotado de crimes, mas também adormeci.

Algumas horas depois, fomos acordados por um grupo de umas dez pessoas, homens e mulheres felizes e barulhentos em três botes infláveis de *rafting*. Conduziram os botes de borracha até a margem arenosa, e os guias logo pulavam deles com agilidade, agarrando cordas, amarrando os barcos às árvores. Fiquei bastante impressionada com aqueles espécimes estranhos de gente, de colete salva-vidas de cor vibrante, alguns com capacetes rígidos, a maioria com pouquíssima roupa.

Os guias perguntaram como estávamos, então, contamos sobre os últimos dois dias exaustivos. Depois de olharem para o meu pai, mencionaram que ele parecia pálido e lhe ofereceram um comprimido de sal para ajudar a evitar a desidratação crescente, depois nos ofereceram suco gelado de abacaxi em lata e *tacos* de peixe que tinham preparado para o jantar. Aceitamos com prazer.

Papai sempre fazia um grande esforço para estar no controle — não apenas de suas emoções ou de seu comportamento, mas de todo o seu corpo. Era cuidadoso sobre quem tinha permissão para ver qual lado dele.

Enquanto o sol se punha pela terceira noite, com a luz remanescente banhando os enormes paredões marrons e vermelhos que nos cercavam, eu me deitei na areia, feliz, com a barriga cheia de água e comida, grata por aquele dia.

Minha fé tinha sido construída sobre um alicerce firme por meus pais e avós quando eu era criança, na igreja, domingo após domingo. Minha fé havia sofrido terríveis ataques nos últimos cinco anos, mas agora estava começando a me mostrar alguma esperança.

Eu tinha certeza de que Deus havia me abandonado. No entanto, meus apelos naquele cânion — por água, por abrigo, por segurança — tinham sido todos atendidos.

Será que Deus *não* tinha me abandonado, então? Será que estava ouvindo minhas orações? Que tinha ficado comigo esse tempo todo?

Talvez, apenas talvez, houvesse algo em toda essa história de Deus.

Com muitas coisas vivas correndo de forma sorrateira ao nosso redor devido à abundância de água, decidi que dormir dentro da barraca seria o melhor para aquela noite. Montei-a rapidamente sob árvores baixas e acionei um bastão de néon para conseguir um pouco de luz para leitura.

Grande erro.

Um zilhão de insetos atingiu minha barraca em um piscar de olhos. Ouvi papai rindo alto do lado de fora e gritei com ele pela aba de tecido que eu me recusava a abrir. "O que é tão engraçado?"

"Sua barraca. Está brilhando como um vaga-lume gigante. E todos os insetos em um raio de quilômetros gostam muito de você."

Ah, droga. Terminei de usar a luz às pressas, enfiei-a na bota e fiquei lá, com raiva do homem que estava belo e folgado deitado na areia ao ar fresco, olhando as estrelas.

DIA QUATRO

Na manhã seguinte, papai me disse que dormir na areia vendo os morcegos voando no alto e capturando insetos tinha resultado em uma das noites mais mágicas de sua vida. No entanto, eu tinha dormido à prestação, sentindo a barraca quente demais, mas não queria dormir ao relento entre as muitas criaturas do rio.

Depois do café da manhã, caminhamos até a praia cheia de rochedos para observar o pessoal do rafting disparar pelas corredeiras. Assim que entravam no rio, eles remavam nos botes com força, e eu prendia a respiração quando cada barco atingia as águas revoltas e se erguia com um bom número de "Irra!" das pessoas neles. Cada bote fez isso com razoável facilidade, depois foi rapidamente enviado rio abaixo e logo sumiu de vista. Meu pai e eu decidimos naquele momento que faríamos uma viagem de rafting pelas corredeiras antes que ele ficasse velho demais para isso.

Papai queria chegar ao Monument Creek antes de o dia esquentar, preocupado com o calor excessivo no leito do riacho. A. D. e eu queríamos passar o dia no rio e subir para o acampamento ao anoitecer. No entanto, papai nos lembrou de que, se Brian descesse, ele esperaria nos encontrar lá no quarto dia.

Não parecia valer a pena discutir com meu pai — nem enfrentar as prováveis consequências —, então, arrumamos as coisas e caminhamos os mais de dois quilômetros de volta pelo mesmo leito de riacho, por onde tínhamos vindo no dia anterior.

Ali do acampamento, dava para ver os contornos da borda do desfiladeiro — centenas de metros acima de nós, bem ao longe. Talvez houvesse pessoas lá em cima agora, visitando o topo do Abismo.

Estava quente na plataforma e logo comecei a procurar uma sombra. Papai me disse, antes de eu sair para vasculhar os arredores, que eu precisava deixar minha mochila em segurança, pois tínhamos visto esquilos de solo no rio e ali também. Ele me ajudou a jogar uma corda por um galho de árvore e içar minha mochila no alto.

Papai estava pálido, tenso e irritado; parecia querer passar o resto do dia no banheiro externo do acampamento, um lugar terrivelmente quente e fedorento. Eu tinha pisado nele uma vez, mas dei meia-volta e continuei a usar o deserto, com os lagartos.

Tentando evitar conflitos com meu pai, que estava cada vez mais irritado, A. D. e eu encontramos refúgio em um desfiladeiro estreito e escorregadio. Eu pretendia passar horas lendo e cochilando, com os pés em um riacho frio e as costas apoiadas na rocha lisa. Eu ia aproveitar meu dia, quer papai quisesse ou não.

Quando voltei ao acampamento no final da tarde, encontrei um buraco de cinco centímetros na lateral da minha mochila, e os restos da minha granola de viagem, espalhada pelo chão. Malditos roedores.

No jantar, A. D. e eu estávamos tentando ajudar quando eu, sem querer, derramei uma pequena quantidade de combustível de cozinha. Papai explodiu: "Olha só o que vocês fizeram!".

"Desculpa, foi sem querer. Não caiu tanto assim..."

"Você precisa ter mais cuidado!", interrompeu meu pai, ignorando minha justificativa, e nos disse como o combustível era inestimável. Era comum que tivesse mudanças bruscas de humor direcionadas a mim ou ao meu irmão, mas nunca o tinha visto explodir com nenhum dos meus primos antes.

Papai sempre fazia um grande esforço para estar no controle — não apenas de suas emoções ou de seu comportamento, mas de todo o seu corpo. Era cuidadoso sobre quem tinha permissão para ver qual lado dele. Quase sempre apresentava um comportamento excelente para qualquer um que não fosse a mamãe, Brian ou eu, mas agora estava perdendo algo daquele controle e explodindo de repente.

* * *

De alguma forma, conseguimos providenciar o jantar em condições difíceis e sob um céu já escuro. Não muito depois, papai e eu esticamos o plástico para dormirmos; estava quente demais para a barraca, mesmo com roedores por perto. A. D. montou seu lugar próximo a alguns montanhistas jovens que haviam chegado ao acampamento naquela tarde — acho que tinha se cansado do meu pai e, provavelmente, de mim também.

Não muito depois de me deitar, vi uma lanterna oscilando ao longe, acima das curvas íngremes que levavam ao Monument Creek.

Meu coração foi parar na garganta — *Brian!*

Eu me sentei e cutuquei papai, indicando aquele ponto de luz. "Olha lá em cima! Acha que pode ser Brian? Podemos ir ver? Ajudar quem quer que seja?"

Papai olhou para longe, mas com rosto e voz firmes, respondeu: "Não. Não é seguro. É mais longe do que parece. Seria suicídio subir lá no escuro. Fique aqui".

Peguei minha pequena lanterna Maglite azul-elétrico, levantei e sinalizei SOS da melhor maneira que pude: três flashes curtos, três longos, três curtos, girar para ligar, desligar, ligar e desligar. Eu não sabia como sinalizar mais nada, e pensei que poderia chamar a atenção de quem estivesse segurando a luz. Achei que talvez estivessem sinalizando de volta, mas papai disse que só era a pessoa movendo a lanterna.

Era Brian. Eu sabia. Todo o meu corpo sabia.

Discuti com meu pai, quase em pânico.

Ele nem se mexeu. Era como se chocar contra uma parede de pedra. E eu o odiei. Ele não precisava ser tão cauteloso, uma droga de superproteção daquele jeito. Aquela pessoa poderia estar precisando de ajuda. Mas eu sabia que era Brian.

A luz se apagou, e papai pensou que talvez a pessoa tivesse descido para o rio.

Deitei e me rolei de costas para ele, bufando. As lágrimas vieram e eu chorei da forma mais silenciosa possível.

Deus? O Brian precisa da Sua ajuda. Por favor, mantenha-o em segurança, por favor, traga-o para nós!

Com lágrimas escorrendo, orei por meu irmão ou por seja lá quem fosse o dono daquela luz. Arrasada por dentro, meu duro e teimoso coração quebrado em dois, minha alma se partindo ao meio. Rolei de novo e olhei para a Via Láctea disposta no céu com tanta perfeição, ainda melhor do que parecia duas noites antes.

Tudo está calmo. Tudo está brilhando.

Deus? Foi o Senhor, não foi? Tudo isso — as estrelas, as rochas, o rio — eles pertencem ao Senhor, não pertencem? E eu acho que são tão antigos quanto as pessoas dizem. Porque penso que o Senhor é infinito — assim como este lugar imenso, mas muito, muito além.

No funeral de Michelle, falou-se das muitas moradas e sobre Jesus preparar um lugar para nós e voltar para nos levar para junto Dele. Onde nos céus ficava a morada de Deus? Ainda havia espaço para mim? Será que Michelle e o vovô, que acreditavam Nele, que amavam o filho Dele, estavam em casa agora?

Eles conheciam a Deus como pai deles.

Deus havia prometido nunca me deixar nem me abandonar. E Ele não me abandonara: eu é que havia abandonado Ele. Aquilo me perfurou e provocou um grande buraco de agonia no fundo do meu ser.

Será que Deus ia querer falar comigo depois de eu ter me afastado? Será que Deus ia querer alguma coisa comigo depois da maneira como eu O havia tratado?

Deus, por favor, me perdoe por minhas dúvidas e por todos os meus passos errados nos últimos anos.

Olhei para as estrelas no céu e fiz um acordo com Deus: se Ele pudesse nos tirar daquela confusão sem fim em que meu pai havia nos metido, eu recuperaria a fé perdida e aceitaria Seu filho, Jesus Cristo, como meu Salvador. Eu O amava — eu amava a Deus. Eu consertaria as coisas.

Deus, por favor, nos ajude a sair daqui. Eu vou voltar. Eu vou fazer o que for preciso. Apenas nos tire daqui.

Uma paz como nunca tinha conhecido antes tomou conta de mim.

Limpei meu rosto molhado no saco de dormir e fechei os olhos. A esperança — estava começando a brotar no meu ser.

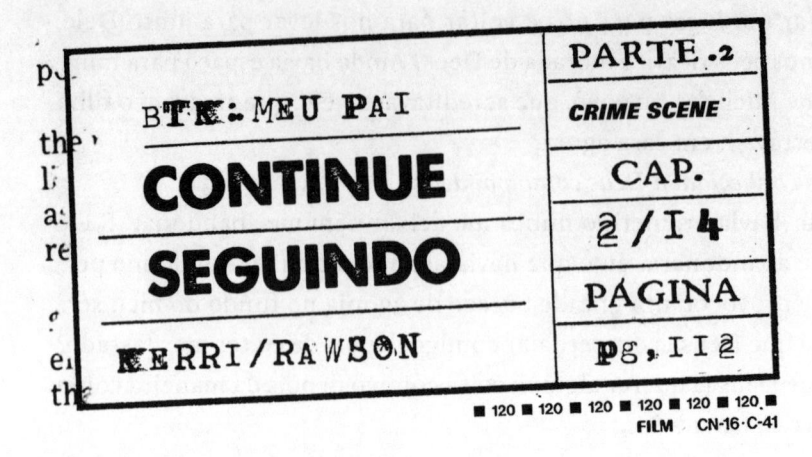

BTK: MEU PAI	PARTE .2
	CRIME SCENE
CONTINUE	CAP.
	2/14
SEGUINDO	PÁGINA
KERRI/RAWSON	pg. 112

■ 120 ■ 120 ■ 120 ■ 120 ■ 120 ■ 120 ■
FILM   CN-16·C-41

```
DIA CINCO
MONUMENT CREEK
```

"Quanto mais você acha que devemos esperar?", perguntei ao meu pai, que estava mexendo no nosso acampamento da noite anterior.

"Não sei. Acho melhor irmos andando. Temos a caminhada mais longa da viagem ainda para fazer", respondeu.

Estávamos protelando, ambos esperando que Brian fosse a pessoa por trás da lanterna naquela noite, ambos esperando que chegasse na trilha para o acampamento a qualquer minuto. Quaisquer conflitos que tivesse havido entre mim e meu pai na noite anterior, agora estavam perdoados com uma boa noite de descanso e a preocupação crescente com meu irmão.

Talvez Brian nos encontrasse de volta na margem do cânion no dia seguinte.

A. D. havia saído um tempo antes, depois de perguntar se estaria tudo bem se ele continuasse a trilha com o grupinho que conhecera no dia anterior. Papai concordou e disse que o encontraríamos em Horn Creek, nosso acampamento para aquela noite, treze quilômetros a leste. Por fim, papai e eu decidimos que não poderíamos mais esperar por causa do calor, que logo ia começar a ficar forte demais. Assim, saímos depois de encher as garrafas. Precisávamos ter cuidado com o suprimento de água naquele dia, pois não havia água confiável até Indian Garden, aonde chegaríamos no dia seguinte. O guia de trilha do meu pai dissera para não contarmos com água em Cedar Spring e não beber em Salt Creek devido à mineralização, e nem em Horn Creek devido à radiação da antiga mina acima do riacho. *Fantástico!*

Os ziguezagues na encosta que conduziam para longe de Monument Creek eram íngremes e exigiam muito, mas a trilha logo se estabilizou e se tornou mais plana. Naquele dia, faríamos um contorno amplo ao redor dos três canais íngremes de drenagem; outras vezes, nos afugentaríamos contra ribanceiras de 300 metros de profundidade.

A trilha cortava entre o rio e as gigantescas colinas vermelhas chapadas que se erguiam na distante margem sul, e ia serpenteando por entre densos arbustos de artemísia marrom e um mar de cactos. Era como se tivéssemos caído de paraquedas em um filme de *western* e agora tudo de que precisávamos eram chapéus adequados e um par de cavalos malhados. *Eu até me contentaria com um burro teimoso*, pensei.

Minha mochila não era mais um fardo; ficara muito mais leve graças a um roedor gordinho e ao meu próprio consumo. Eu me sentia diferente daquela que havia começado a viagem, cinco dias antes. As pernas estavam firmes e eu não tinha mais medo de mim mesma. Por outro lado, ficava cada vez mais preocupada com Brian — se estivesse vindo atrás de nós, teria uma distância imensa a percorrer. *Nunca deveríamos ter dito a ele para vir nos encontrar sozinho.*

Não havia sombra e o sol já batia forte no meio da manhã. A distância que precisávamos percorrer naquele calor seria a batalha do dia. Papai apontou para um grande grupo de abutres planando nas correntes de vento quente e voando em círculos no lado norte, e brincou que talvez um montanhista houvesse morrido ali.

Não achei engraçado.

Pouco mais de um quilômetro na trilha, papai disse que precisava de uma pausa para ir ao banheiro e sumiu detrás de um afloramento rochoso. Ficou lá pelo que pareceu a eternidade, e eu ali ansiosa, presa no meio de lugar nenhum, um local esquecido por Deus, esperando-o terminar algo que poderia ter feito no acampamento com sombra.

Quando meu pai enfim retornou, se sentou, pálido e desanimado, com o rosto voltado para baixo. "Só me deixe aqui para morrer."

Eu nunca tinha visto meu pai tão perdido.

Papai nunca, nunca mostrou fraqueza. Ele era a pessoa mais forte e resistente que eu conhecia, por isso me assustava vê-lo afundar tanto.

"Você precisa beber mais água. Vamos. Não podemos parar aqui — vamos fritar. Precisamos encontrar sombra. Cedar Spring? Consegue chegar?"

Resignado, ele se levantou com cautela, me olhou nos olhos com mais clareza e disse: "Sim, consigo".

Eu o ajudei a colocar a mochila, mas me senti mal por pedir para ele continuar.

Partimos. Ainda faltavam uns quinhentos metros para chegar a um ponto de parada. Nós prosseguíamos em silêncio; parecia que uma imensa mudança havia acontecido entre nós. Ele havia me dado motivação nos primeiros dias, me mantido em movimento, me mantido viva.

Agora eu também estava fazendo isso por ele.

Papai nunca, nunca mostrou fraqueza. Ele era a pessoa mais forte e resistente que eu conhecia, por isso me assustava vê-lo afundar tanto.

11H
CEDAR SPRING

Descemos por um canal de drenagem estreito e calcáreo, na esperança de encontrar água para encher a garrafa, mas tudo o que encontramos foi um pocinho com girinos pretos nadando. Achei que, se a vida podia prosperar naquela água, não poderia ser *tão* ruim assim. Assim, nos pusemos a filtrar parte da água que estava sustentando a desova.

O que não te mata... te fortalece?

Papai estava exausto e, de súbito, também me senti cansada, estranhamente oprimida, como se alguém tivesse colocado um cobertor quente e pesado sobre mim. Decidimos nos esconder ali por algumas horas, colocando plástico e nossos colchonetes embaixo de pequenos nichos de pedra. Tiramos as botas e eu me acomodei para descansar, com um pacote de lanchinhos e meu livro por perto.

Por volta das 13h, papai me acordou para dizer, com uma risada, que um corvo havia roubado meu saco de salgadinhos, espalhado comida por todo o leito do riacho e agora estava lá todo feliz mastigando.

Descalça, fui atrás do pássaro. Ele bateu asas, saiu voando baixo sobre um penhasco íngreme e pousou longe do meu alcance. Parecia orgulhoso. Consegui resgatar alguns itens embrulhados que o ladrão deixou — não ia desperdiçar nada que pudesse recuperar.

Papai achou que deveríamos fazer as malas e seguir, mas algo em mim me dizia para esperar. "Não deveríamos ficar aqui no pior do calor e continuar mais perto do anoitecer?"

"Se fizermos isso, ficaremos presos sem acampamento e vai ficar muito longe para viajar amanhã."

"Eu acho mesmo que devemos ficar mais algumas horas, pelo menos. Está muito quente na trilha."

Papai decidiu que poderíamos ficar e voltamos a relaxar, conversando sem parar, nossas vozes ecoando no leito do riacho.

"Socorro! Socorro!", uma voz masculina gritou acima.

Eu me sentei e calcei as botas apressada, sem amarrar os cadarços. "Onde você está? Está machucado?", gritei.

"Não, traga água!"

Eu conhecia aquela voz! "Brian?"

"Kerri? Pai?", ecoou a voz dele. Não sabia de que lado do leito do riacho ele estava.

"Somos nós! Onde você está? Estou indo — papai e eu estamos indo, continue falando. Fala onde está!" Fui tomada por medo e adrenalina; eu percebia pela voz de Brian que ele não estava bem. *Assustado*.

Peguei meu kit de primeiros socorros e garrafas de água e corri, o mais rápido que pude, passando por papai, ainda concentrado nas botas.

"Calma aí! Não precisamos que você se machuque."

Brian provavelmente estava no caminho por onde havíamos descido e corri encosta acima para localizá-lo. Encontrei-o logo; estava sentado com a mochila nas costas, plantado na mesma direção que nós, mas no terreno acima. Estava curvado como se tivesse chegado ao fim de todas as suas capacidades.

Obrigada, Deus! Ah! Obrigada, obrigada!

Estava exausto, desidratado, queimado de sol — mas, fora isso, parecia bem.

Eu o abracei e estava lhe dando minha água quando papai surgiu bem atrás de mim.

Papai o abraçou com força, segurando-o assim um pouco, e nós três choramos, muito felizes por estarmos reunidos.

"Precisamos colocar você na sombra. Consegue descer pela trilha? Temos água, comida e um lugar para descansar." Eu estava falando tudo às pressas.

"Sim, consigo descer, mas tem alguma coisa errada com os meus olhos. Não estou conseguindo enxergar direito", disse Brian.

Tiramos a mochila do meu irmão e papai ajudou a levantá-lo.

Papai estendeu o braço e segurou o cinto de Brian por trás enquanto Brian dava alguns passos para a frente. Peguei sua mochila verde e quase a arremessei de tão leve.

"Cadê suas coisas?"

"Joguei fora, quase tudo. Muito pesado, não conseguia avançar mais. Joguei a barraca, o saco de dormir e as roupas, lá atrás. Agora só tenho um pouco de comida e água, mas está contaminada. Eu não queria beber. Tive medo de ficar doente.

"Está tudo bem! Temos o suficiente!"

Papai e eu fomos dando apoio para ele pelo resto da trilha e o deitamos no tapete de papai. Sentei perto de Brian, para ter certeza de que estava bebendo água, e molhamos uma bandana para colocar na sua cabeça. Também lavamos seus olhos com água. Ele não tinha óculos escuros e parecia ter queimado os olhos no sol, o que significava que deviam estar doloridos e, além disso, pareciam estar cheios de areia. Papai pegou as garrafas de Brian com a água contaminada de Monument Creek e filtrou em garrafas limpas. Não era a maneira mais higiênica de fazer, mas agora precisávamos de água para três.

Brian nos contou que descansou por dois dias e caminhou ao longo da trilha da borda no terceiro dia para ganhar força. Ele havia pegado um ônibus até a cabeceira da Hermit na manhã do dia anterior e caminhado o dia todo, sabendo que no quarto dia estaria no Monument Creek. Ele nos contou como a Hermit foi difícil e como estava preocupado com a gente. Quando encontrou a sandália na sinalização de bifurcação, pensou que fosse minha e ficou assustado, com medo de que algo tivesse acontecido.

Brian nos disse: "Continuei seguindo, o máximo que deu".

Quase quinze quilômetros. Ele caminhou em um dia o que tinha nos custado dois dias e meio — parando para dormir e comendo comida decente.

Ele havia parado na noite anterior acima do declive para o Monument Creek. Então havia apontado a lanterna por alguns minutos, mas não conseguiu identificar a trilha.

Meu coração parou no peito. "Nós vimos uma luz", disse com a cabeça baixa, envergonhada por não termos ido ajudar.

"Decidi ficar onde estava. Eu me apoiei na rocha e dormi assim. Teve uma hora em que uma pequena cascavel veio na minha direção. Eu a matei com uma pedra. E, por precaução, cortei-a em duas com a faca. Fiquei apavorado a noite toda."

Uma pontada aguda estava tomando conta das minhas entranhas — Brian sozinho, a noite toda, lá em cima. Apavorado. E não tínhamos feito nada.

"Quando cheguei ao Monument hoje de manhã, fiquei muito feliz de ver água, mas não tinha certeza se deveria beber. Peguei o caminho errado, segui para o sul por um tempo, em direção à borda, subi por um canal seco. Não consegui achar a trilha. Perdi a trilha, fiquei desorientado. Tudo parecia igual. Por fim, encontrei o caminho para sair e disse a mim mesmo que deveria continuar. Cheguei aqui. Ouvi vozes. Então, gritei."

"Estamos muito felizes por você estar bem." E contamos a ele dos nossos últimos quatro dias.

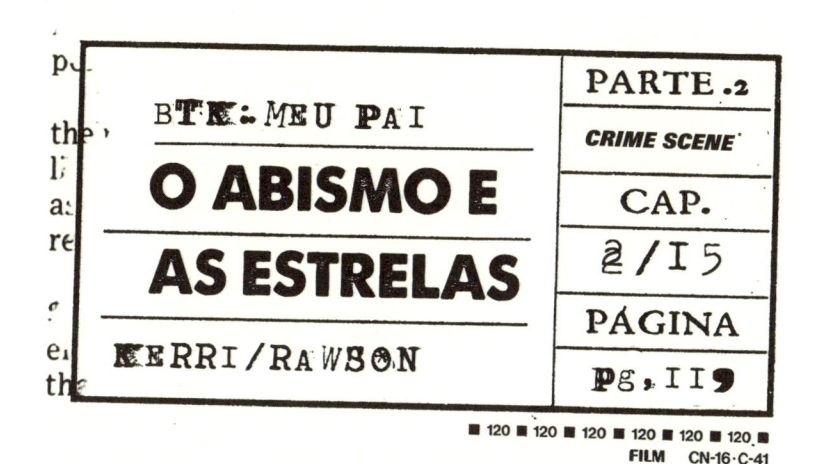

> BTK: MEU PAI
> # O ABISMO E AS ESTRELAS
> KERRI / RAWSON
>
> PARTE .2
> CRIME SCENE
> CAP. 2/15
> PÁGINA pg. 119

```
18H
SALT CREEK
```

Quando a tarde já ia avançada, decidimos seguir depois de deixar Brian descansar por algumas horas. Fiquei surpresa por ele ser capaz de continuar, mas parecia mais forte do que pensávamos de início. Por volta das 18h, estávamos descendo ao longo das cristas raiadas de rosa e branco de Salt Creek depois de passar pelo Alligator e pelo Inferno, nomes para colinas chapadas que se erguiam abaixo da borda. Tínhamos caminhado três quilômetros desde a saída de Cedar Spring e estávamos fazendo um bom tempo, considerando o estado atual do nosso grupo.

    Ter Brian de volta levantou meu ânimo; eu não notava mais o calor ou a distância. Vinha aprendendo a dar passos maiores e com a cabeça erguida, a perceber o que havia à minha frente, em vez de me preocupar com a posição dos pés. Eu estava aprendendo a confiar em mim mesma e no caminho desgastado debaixo das botas. Mesmo que não parecesse possível seguir, a trilha sempre conduzia ao redor dos descampados — permanecia estável, constante. A trilha nunca lutava contra o terreno, mas ia com ele, ao lado dele, no mesmo compasso.

```
PROFILE
profile
```

Quando nossas luzes começaram a ficar mais fracas, Brian nos disse de novo que não estava conseguindo enxergar muito bem. Ficamos o mais perto que podíamos dele, papai narrando o que vinha a seguir, enquanto eu caminhava atrás de Brian para ajudar com a luz. Caminhamos por horas usando nossas lanternas Maglite, perguntando a todo momento se estava tudo bem um com o outro, nos encorajando mutuamente a continuar.

Bota a bota, pé a pé, cruzamos mais oito quilômetros da vasta plataforma depois de deixarmos o Salt. Com força de vontade obstinada e constante, chegamos ao acampamento.

O que teria acontecido se papai e eu não tivéssemos parado em Cedar? Brian conseguiria descer para a sombra? Teria sido capaz de percorrer essa distância sozinho?

Brian poderia ter morrido se não tivesse chegado até nós.

Mais cedo naquele dia, em Cedar Spring, não estava apenas cansada; era como se sentisse um peso que me impelia a ficar um pouco mais de tempo ali — uma intuição para ficar onde estava. *Foi o Senhor, Deus?*

```
22H
HORN CREEK
```

Pela graça de Deus, conseguimos chegar ao acampamento em Horn Creek, em meio à escuridão, por volta das 22h, nossas luzes oscilando pelo acampamento estéril — sem barracas, sem A. D. Esperávamos que isso significasse que havia continuado para o Indian Garden.

Embora o acampamento estivesse vazio, papai procurou nosso local designado, marcado com letra e número em uma placa de madeira.

Brian precisava de abrigo, então preparei a barraca individual para ele, e papai preparou um dos pacotes de comida. Brian comeu com as pernas cruzadas, dentro da barraca. Logo depois, apagou. Papai e eu estendemos nosso plástico de solo de novo, agora coberto com fina poeira vermelha, e pela última noite dormimos ao relento sob as estrelas.

DIA SEIS

Partimos cedo do Horn Creek, enfrentando doze quilômetros ao longo do aclive de mil metros de altitude, na esperança de alcançar a borda do cânion ao anoitecer.

Enquanto serpenteávamos para o leste, a luz da manhã atingia as extensões rosadas do Battleship. Papai tinha dito que sairíamos do desfiladeiro nesse dia e, caramba! — aqui estávamos. A sensação de ter chegado tão longe era boa.

Quando contornamos uma saliência, minha bota surrada prendeu-se em uma pedra.

"Ah... que droga! Meu tornozelo já era."

Sentei, tirei a bota com hesitação, fazendo careta, e papai deu uma olhada no meu pé. Decidimos que o melhor era envolver o tornozelo com uma faixa e seguir em frente.

Calcei a bota, amarrei o cadarço e me levantei devagar. O tornozelo aguentou.

11H
INDIAN GARDEN — BRIGHT ANGEL TRAIL

Chegamos ao Indian Garden no meio da manhã. Meu tornozelo estava dolorido, mas conseguia andar mancando um pouco.

Uma cena surreal nos saudou após a semana no grande vazio — água, barracas, árvores e pessoas. Muitas pessoas, a maioria parecendo muito mais limpa e organizada do que nós, e agora algumas delas estavam nos encarando.

Olhei para mim. Minhas pernas estavam cobertas de terra vermelha e arenosa e, pela expressão das pessoas, eu poderia estar coberta de terra até a cabeça.

Fomos até a bomba d'água e algumas pessoas saíram do nosso caminho, permitindo que passássemos na frente.

Será que nossa aparência está tão ruim assim?

Depois de enchermos as garrafas e engolir boa quantidade de água fresca e fria, partimos para encontrar sombra.

Um guarda florestal nos viu, perguntou como estávamos e quis saber de onde estávamos vindo. Papai pegou a licença, mas o guarda-florestal não queria vê-la.

Eu queria contar para esse cara um pouco do que estava pensando naquele momento: deslizamentos de pedras, penhascos, trilhas sem água. Mas nós fomos educados — aquela coisa sobre falar com alguém de uniforme e chapéu de autoridade.

Meu pai se acomodou debaixo das árvores, decidido a preparar um pouco de macarrão para o almoço. Mas ainda tínhamos oito quilômetros de trilha e mil metros de altitude pela frente. Eu não queria parar.

"Já que tem tanta gente aqui, e a trilha Bright Angel parece uma rodovia — com gente descendo e subindo —, será que o Brian e eu poderíamos seguir? Encontrar você no topo?"

Papai disse que tudo bem, e meu irmão e eu partimos, sabendo que, mesmo com meu tornozelo dolorido e com a exaustão de Brian, poderíamos seguir mais rápido do que papai, que ainda estava sobrecarregado com uma mochila lotada. *O que você traz, você leva de volta.*

Do Indian Garden, dava para ver a borda, mas não dava para ver a trilha toda. Apesar disso, eu sabia que a trilha estava lá. Oito quilômetros de percurso e mil metros de altitude para conseguirmos um banho morno e comida decente.

A gente consegue. Sem problemas.

16H
MILE AND A HALF REST HOUSE

Depois de cerca de cinco horas no trajeto de subida e com boa parada na casa de descanso, tínhamos superado 600 metros da altitude por meio de ziguezagues sinuosos. Mesmo que estivéssemos subindo o tempo todo, a vermelha e lisa trilha Bright Angel era um sonho depois da pedregosa e assustadora Hermit e da desgastante Tonto. Era larga, o que era bom porque as pessoas frequentemente passavam por nós, descendo, à medida que subíamos. Ficava surpresa de ver que estávamos já no fim do dia e que gente vinha descendo para voltar ainda no mesmo dia, carregando tão pouco. Eu duvidava que eles entendessem quanto tempo levaria o trajeto de volta.

A visão de Brian havia melhorado, e mesmo com meu tornozelo ruim, foi um bom dia, tranquilo, lado a lado com ele, conversando e motivando um ao outro. De vez em quando, um ficava para trás e o outro parava e gritava: "Vamos, são só mais vinte passos até aqui!".

Cada trecho não era muito longo e, curva após curva, quase tínhamos conseguido. Faltando um quilômetro e meio para terminar, começamos a pensar em todas as comidas que poderíamos comer no mundo normal. Taco Bell, McDonald's, Arby's: íamos conversando sobre os menus enquanto subíamos.

Cada vez mais, passávamos por sinais de civilização: cones de sorvete, calçada plana, encanamento interno. Uma grade de metal resistente para evitar que você ultrapassasse a borda. *Onde isso estava quando eu precisava, seis dias atrás?*

Minha bota direita esfarrapada atingiu o primeiro passo abençoado de uma passarela feita pelo ser humano.

Uma batida me atingiu na cabeça, vinda diretamente do céu, e antes que minha robusta bota esquerda encontrasse o chão, Deus disse: *Ei, tínhamos um acordo. Eu cumpri a minha parte. Agora é a Sua vez!*

Com os pés no chão, parei de repente. *Sério? Neste exato momento? O Senhor vai fazer isso agora?*

Vou.

Resignada, aceitei meu destino: *Tá, tudo bem, tudo bem. Estou aqui.*

18H
MARGEM SUL — 48 QUILÔMETROS DE TRILHA PERCORRIDA

Conseguimos sair das entranhas do monstro e topamos com A. D., esperando nas proximidades. Ele exibia um grande sorriso, roupas limpas e parecia muito melhor do que nós. Ele havia saído do Horn Creek na noite anterior, depois de perceber que era um lugar estéril e que a água não era segura, para passar a noite no Indian Garden. Havia retomado a trilha mais cedo hoje, descido de ônibus até a van e se registrado no nosso quarto, que não ficava distante.

A. D. disse que esperaria por papai; Brian e eu deveríamos ir para o hotel.

Dentro do quarto, liguei para minha mãe em Phoenix e contei uma bela história, contornando o pior. Então, fui para o chuveiro. Nunca vou me esquecer de ver a terra vermelha e a areia escorrerem pelas pernas e se amontoarem perto do ralo enquanto estava debaixo da água.

Depois de vestir roupas limpas, voltei para a margem e, por volta das 19h30, pude ver papai percorrendo o último trecho do caminho. Estava cansado, mas feliz em nos ver e ao avistar o fim da trilha.

Acabamos jantando tarde naquela noite, em um restaurante chique com vista para a margem. Enquanto esperávamos pela mesa, o barman nos serviu suco de abacaxi em copos gelados e todos os engolimos como se estivéssemos bebendo o melhor licor do mundo. Quando chegamos à nossa mesa, o garçom perguntou o que ele poderia fazer por nós. Respondemos para não deixar faltar água.

Sentamos à mesa naquela noite com sorrisos enormes, enchendo a barriga. Papai nem olhou para a conta, apenas entregou ao garçom o cartão de crédito.

Naquela noite, adormeci no chão, enfiada no saco de dormir, maravilhada com o carpete e com o ar-condicionado, já sentindo falta da Via Láctea.

BK

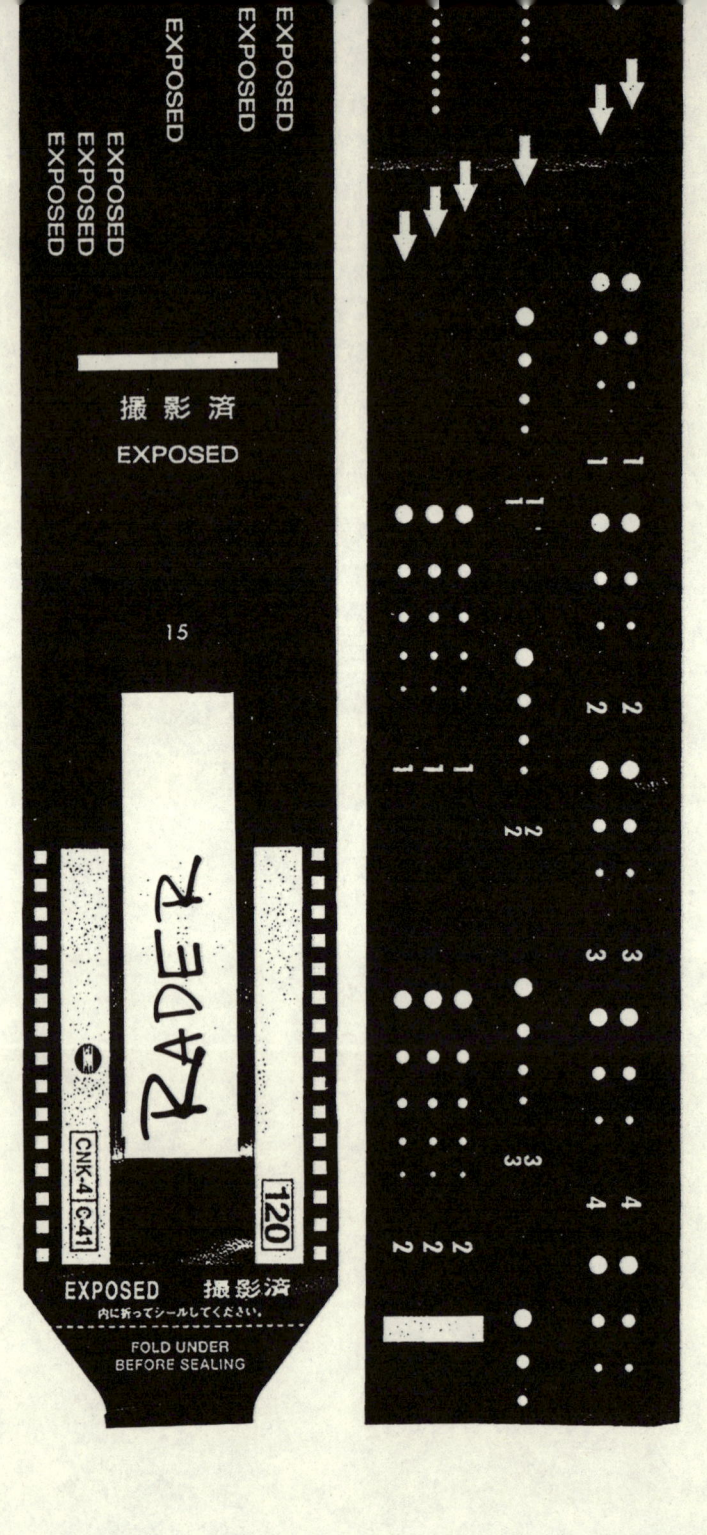

EXPOSED
EXPOSED
EXPOSED
EXPOSED
EXPOSED
EXPOSED

撮影済
EXPOSED

15

RADER

CNK-4 C-41   120

EXPOSED 撮影済
内に折ってシールしてください。
FOLD UNDER
BEFORE SEALING

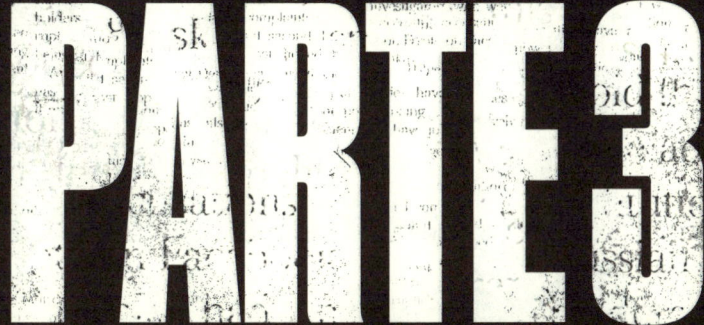

BK
PARTE 3
O AMOR NUNCA FALHA

O AMOR É PACIENTE, É BENIGNO; O AMOR NÃO ARDE EM CIÚMES, NÃO SE UFANA, NÃO SE ENSOBERBECE, NÃO SE CONDUZ INCONVENIENTEMENTE, NÃO PROCURA OS SEUS INTERESSES, NÃO SE EXASPERA, NÃO SE RESSENTE DO MAL; NÃO SE ALEGRA COM A INJUSTIÇA, MAS REGOZIJA-SE COM A VERDADE; TUDO SOFRE, TUDO CRÊ, TUDO ESPERA, TUDO SUPORTA.
— 1 CORÍNTIOS 13:4-7

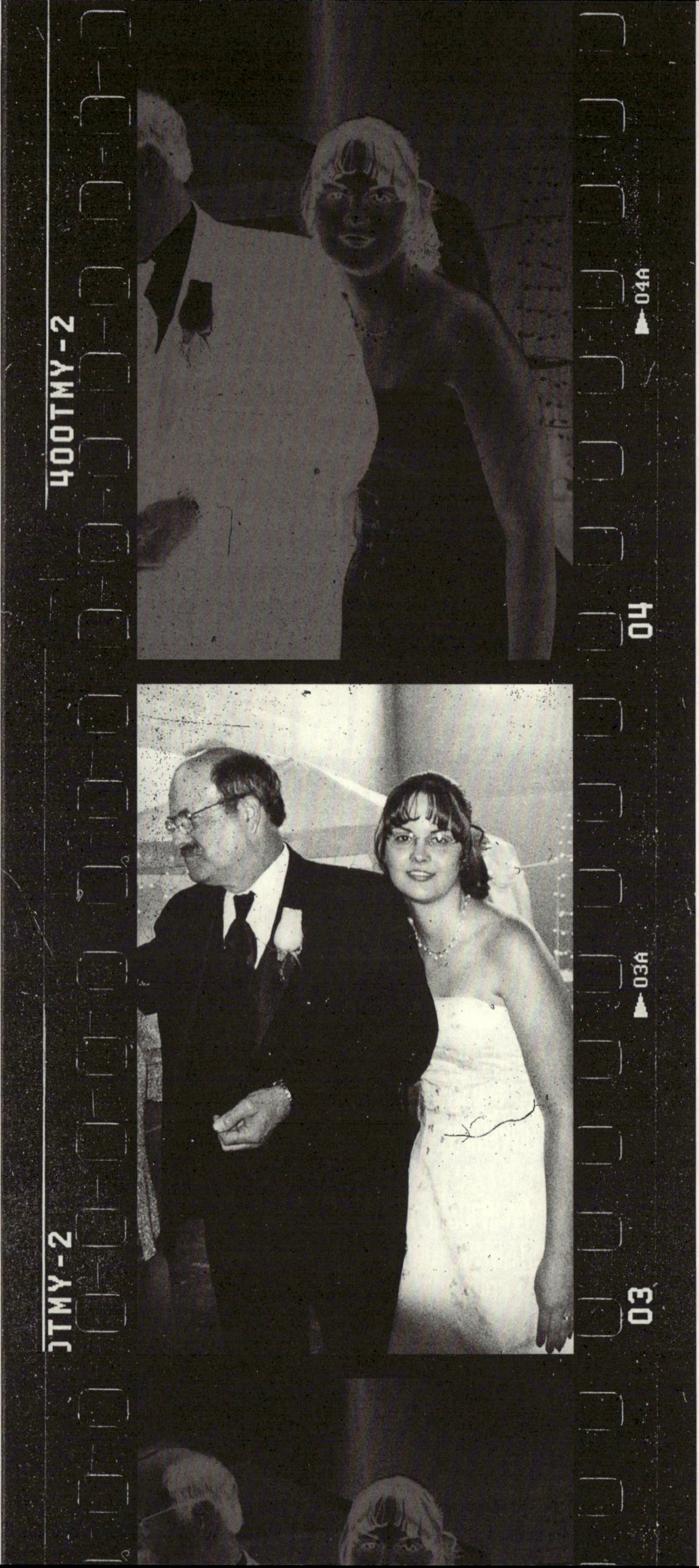
400TMY-2
04
04A
TMY-2
03
03A

BTK: MEU PAI
FUTURA ESPERANÇA
KERRI / RAWSON

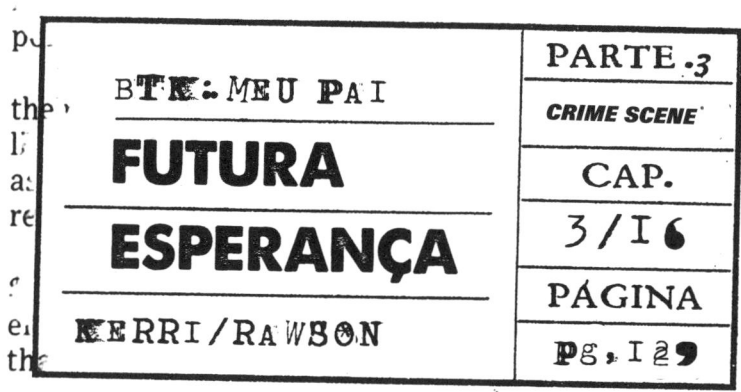

PARTE .3
CRIME SCENE
CAP. 3/16
PÁGINA Pg. 129

JUNHO DE 1997
WICHITA

Um mês depois de termos saído do cânion, eu estava em casa, sentada na cama em Wichita, quando senti a inspiração de Deus — uma fisgada no espírito.

Nós tínhamos um acordo. Vá encontrar sua Bíblia.

Muitas vezes, eu respondia a Deus com um suspiro, resignação, às vezes com beligerância direta: *não quero.*

Bíblia.

Tá.

Olhei em volta pelas estantes de madeira do quarto e não a localizei. Depois da busca que incluiu rastejar debaixo da cama, encontrei minha Bíblia de couro vermelho, um presente de confirmação, com meu nome em dourado na capa. Tirei o pó e abri uma página a esmo; caí em Jó: *apesar de tudo e de todos que ele perdeu, ele permaneceu fiel.*

Em meados de agosto, voltei para Boyd — dessa vez, para o quarto individual no terceiro andar. Ao longo dos quatro anos seguintes, faríamos mudança de um lado para o outro com o carro carregado, sempre para o mesmo quartinho minúsculo e pacífico, com vista para os pinheiros altos e um parque do outro lado da rotatória.

Na minha primeira noite de domingo de volta à faculdade, duas meninas bateram na porta. "Oi, somos da Cruzada Estudantil para Cristo. Quer ir a um piquenique com a gente?" Podia sentir o cheiro do churrasco da janela e estava com fome. Enquanto descia as escadas, meu espírito me deu um alerta — identificando nelas algo que eu conhecia. *Deus? Isso é coisa Sua?*

Certo jogo, depois de um touchdown, papai e Brian me levantaram e me passaram no alto para a multidão atrás de nós — fui surfando por cima das mãos.

Elas me convidaram para um estudo bíblico naquele outono e responderam com paciência às minhas perguntas, do Gênesis ao Apocalipse. Aquelas mulheres faziam "momentos de silêncio" com Deus e, obedientemente, tentei fazer isso com a Bíblia, diário e cartões para memorização das escrituras. Só que eu logo quis me rebelar contra as disciplinas cristãs de ficar em silêncio, imóvel e de acordar cedo.

Eu também estava dividida entre essas novas pessoas que iam entrando na minha vida, ao mesmo tempo em que tentava manter meu antigo grupo de amigos. Depois de algum conflito, eu por fim coloquei meu difícil ano anterior sobre a mesa — *aqui, Deus, pegue. Não consigo suportar mais.* Liguei para meus pais, implorando para abandonar a faculdade e voltar para casa. Eles me disseram que eu tinha que ficar até o fim da semana e que papai viria de carro na sexta-feira.

Ele chegou e me levou para casa, mas, alguns dias depois, me trouxe de volta para a faculdade, um pouco mais capaz de enfrentar o resto do semestre de outono.

Meus pais e irmão começaram a visitar Manhattan regularmente. Eles apareciam várias vezes durante o outono, vestidos de roxo para os churrascos de porta-malas antes dos jogos de futebol americano. Papai nos chamava de fiéis da K-State e entrava totalmente no espírito dos jogos, gritando "k! s! u!" e tentando fazer a dancinha para "The Wabash Cannonball", nosso hino nos jogos universitários da ksu.

Certo jogo, depois de um *touchdown*, papai e Brian me levantaram e me passaram no alto para a multidão atrás de nós — fui surfando por cima das mãos. Os sábados eram mágicos, ficar em pé por horas ao lado dos rapazes, gritando até ficar rouca.

Conheci Darian em 8 de agosto. Darian diz que se lembra de ter me visto pela primeira vez vestida com a camiseta roxa da ksu, de cabelo longo e ondulado, a caminho do refeitório. *Eu* por outro lado, lembro de conhecê-lo na porta de seu dormitório, e deveria ter percebido naquele momento que eu ia ter problemas — quando notei os olhos castanhos suaves escondidos atrás de armações de arame, o sorriso gentil e a maneira como usava o cabelo castanho-claro curto.

Ou talvez Darian fosse se tornar um problema quando eu percebesse sua jaqueta de couro pendurada no canto do beliche com nicho embaixo. Estava curiosa sobre esse calouro de 18 anos que tinha materiais de arte espalhados na mesa, tacos de hóquei apoiados no canto do quarto e uma guitarra preta e branca conectada ao amplificador com adesivos de punk rock que declaravam a quem serviam.

Porém, meu coração ia vagando para outras direções, e meus sentimentos sobre Darian ao longo dos primeiros quinze meses oscilavam entre a irritação e a agradável surpresa. Eu até passava um bom tempo convencendo amigas de que ele era chato e que não deveriam sair com ele. Elas não saíam.

Também não namorei mais ninguém. Tendia a gostar de garotos que tinham apenas um vago interesse por mim, e então jogavam comigo a carta "Gosto de você como uma irmã em Cristo".

Eu li, mais de uma vez, *Passion and Purity* (Paixão e Pureza) de Elisabeth Elliot, definitivamente precisando das duas coisas, e emprestava meu exemplar gasto para amigas que vinham ao meu dormitório chorosas e preocupadas. Havia sido encorajada a orar pelo meu futuro marido, mas descobri que minha mente vagava durante essas tentativas fracas, ia para longe de qualquer coisa que parecesse oração ou paciência.

Eu estava tentando seguir no caminho certo, mas às vezes caía de cara no chão. Achava que Deus tinha ficado com a pior parte do nosso acordo no cânion, mas também tinha certeza de que não havia como voltar atrás. Eu era filha Dele, querendo ou não.

Darian e eu fazíamos parte de um grupo barulhento de amigos que viviam em dormitórios próximos; até juntávamos várias mesas para as refeições. Eu perdia o jantar nas noites em que estava encarregada da louça — tinha começado a trabalhar no refeitório em troca de um salário miserável. Eu quase sempre limpava os restos de comida dos pratos, que vinham girando em torno de um carrossel, em três camadas. Darian e alguns outros garotos achavam engraçado deixar recadinhos para mim nas sobras dos pratos — eu podia ouvir as explosões de gargalhadas quando os pratos chegavam. Não era a melhor maneira de chamar a atenção de uma garota.

Eu não trabalhava nas noites de quinta-feira, então podia andar com esse grupo para as reuniões da Cruzada Estudantil nas proximidades, onde praticávamos louvor e adoração e conversávamos sobre a fé. Nos fins de semana, podíamos construir fogueiras no lago Pottawatomie, assar marshmallows e cantar canções de louvor. Encerrávamos as noites de sábado com um café no Village Inn, tarde da noite, ou no início da madrugada, e tentávamos, com muito esforço, acordar a tempo da igreja, algumas horas mais tarde. Alguns de nós levantavam melhor nas manhãs de domingo do que outros.

Terminando o terceiro ano, eu ainda estava com dificuldade em algumas aulas — nem sempre dedicando o esforço e o tempo necessários, caindo em maus hábitos. Eu passava raspando, semestre após semestre. Estava sobrevivendo, mas fazia muito tempo que havia perdido a bolsa de estudos e qualquer chance de estudar veterinária. Apesar disso, foi só no segundo semestre do meu penúltimo ano — na primavera de 1999 — que enfim criei coragem para contar a novidade aos meus pais durante o jantar.

Eu sentia que Deus estava me redirecionando — transformando meu coração.

Contei a eles que havia mudado meu foco de estudos para ciências da vida e educação, com a intenção de me tornar professora. Tinha medo de que a notícia fosse deixar meu pai arrasado; ele dividiu comigo o sonho de eu me tornar veterinária. Quando contei, vi a decepção no seu rosto, mas ele se recuperou: "Tudo bem. Eu sei como a faculdade é difícil; você está fazendo o melhor que pode".

Foi a coisa mais difícil que já precisei dizer a ele. Porque eu não estava fazendo o melhor que podia — nem sequer tentando.

BTK: MEU PAI
PELO MENOS UMA VEZ
KERRI / RAWSON

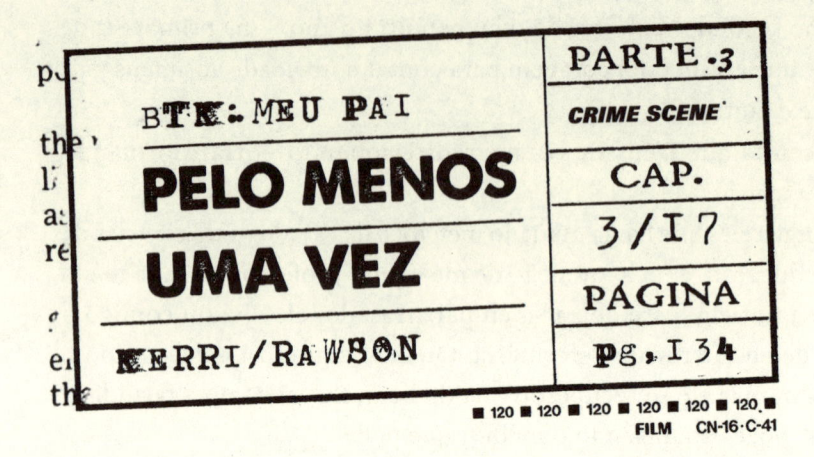

PARTE 3
CRIME SCENE
CAP. 3/17
PÁGINA pg. 134

NOVEMBRO DE 1999
KANSAS

"Por que deu essa guinada?", Darian questionou minha habilidade de dirigir, enquanto viajávamos para Wichita no meu Dodge Aries marrom, para passarmos o Dia de Ação de Graças. Meus pais haviam comprado o carro velho dos meus avós para mim, para que eu pudesse ir e voltar da escola primária em Manhattan, onde, na época, eu fazia meu primeiro estágio em educação da faculdade. Eu estava mais feliz agora que tinha mudado de área.

Seguíamos para o sul na Rota 77, em meio à chuva de granizos avantajados. Os pingos estavam quicando no para-brisa e ficando presos nos limpadores.

"Por que deu essa guinada?", o garoto com os olhos bondosos perguntou de novo.

"Eu estava tentando evitar aquela panela."

"Uma o quê?"

"Poço. Você sabe, uma cratera na estrada."

"Você quer dizer um buraco?"

"É."

Ele riu incontrolavelmente: "Você é *tão* do Kansas."

"Sou? Você também é."

"Não. Meu pai é de Long Island, minha mãe é de Denver, e eu nunca, nunca, ouvi alguém chamar um buraco na estrada de panela."

"Bom, é assim que meu pai chama."

Darian, que em breve completaria 20 anos, precisava de carona para casa, e minha versão de 21 anos tinha se oferecido voluntariamente — ou sido obrigada a se oferecer voluntariamente, não me lembro ao certo qual dos dois. Darian ia tentando me animar enquanto enfrentávamos o mau tempo e as estradas em condições questionáveis, e percebi que... eu estava gostando disso. Era a primeira chance de conversas longas, e o caminho estava voando.

"Como você chama isso, garota do Kansas?" Darian apontava para fora da janela do carro para uma antena enorme no cruzamento das Rotas 77 e 50, perto de Florence.

"Ain-tena." Isso foi dito com entonação interiorana bem característica do Kansas.

Ele riu de novo. Muito.

Ao dobrar na saída para a Rota 50, olhei para Darian e soube que estava caidinha por ele. Quando chegamos a sua casa no oeste de Wichita, perguntei se gostaria de uma carona de volta no domingo.

Sério, Deus? Depois de lutar por tanto tempo e tentar seguir todos os outros caminhos, é com ele que eu deveria ficar? Esse cara? Sério?

Um mês depois, nas férias de Natal, Darian me buscou para irmos a um restaurante Sonic e a um jogo de hóquei do Thunder, no Kansas Coliseum. Tivemos a chance de patinar no gelo após o jogo. Eu era tímida no gelo, mas ele segurou minhas mãos, me puxando rápido enquanto patinava de costas. Minha alma e meu coração estavam voando. Eu não queria parar, queria me sentir daquele jeito pelo resto dos meus dias.

Deus? Esse cara.

Algumas semanas depois, no início de janeiro de 2000, Darian e eu íamos de carro para Denver, Colorado, para uma conferência da Cruzada Estudantil. Amigas nossas iam à nossa frente quando, em um viaduto íngreme e congelado em Salina, Kansas, elas rodaram na pista. O carro delas bateu no nosso quando passamos e nos jogou contra a mureta do lado direito na descida. Eu estava no volante e fiquei bem abalada, mas parecia que todos ficaríamos bem — até que olhei pelo espelho retrovisor e vi o minúsculo carro das minhas amigas ser atingido na traseira por uma jamanta.

Papai demorava a se ajustar a alguém novo. O fato de eu levar um namorado para um acampamento de vários dias provavelmente representava um desafio para ele, mas meu pai passou a gostar de Darian naquela semana.

Darian estava sentado no banco do passageiro quando comecei a gritar, orar e praguejar: meu celular barato e ruim não tinha sinal ali na estrada para eu chamar a emergência.

Nosso grupo encostou em uma parada de caminhoneiros enquanto os primeiros socorristas que chegaram ao acidente atendiam nossas amigas. Fizemos dois dos telefonemas mais difíceis da minha vida a fim de notificar os pais de que suas filhas haviam sofrido um acidente. Darian e eu, junto de três outros garotos que estavam em outro carro, passamos a maior parte do dia na emergência do hospital, conversando com a patrulha rodoviária e juntos de nossos amigos, esperando as famílias. Uma das meninas estava inconsciente e foi levada para cirurgia. No fim daquela tarde de inverno, finalmente rumamos para Denver, nos revezando na direção. Quando chegou a minha vez de pegar o volante, Darian fez um desenho engraçado em um post-it e o colou embaixo do retrovisor para que eu não enxergasse sem parar o acidente no espelho. Não chegamos ao hotel antes da meia-noite, com viagem na neve e no gelo irregular da I-70, muitas vezes passando por carros que tinham rodado e outros nas valas. Naquele dia terrível houve muita oração, muito questionamento da razão de continuarmos seguindo viagem e muitas paradas em telefones públicos para dar informações a nossos pais preocupados.

Meus sentimentos confusos e meu coração pareciam uma rocha. A ideia inicial era Darian estar no banco de trás daquele carro pequeno de duas portas, viajando com outro garoto. Enquanto eu estava arrasada pelas minhas amigas feridas, também fiquei aliviada por Darian e o outro garoto não estarem no carro. Darian me disse que tinha sido um erro olhar para o carro acidentado quando foi buscar a mala na delegacia; não havia mais do que centímetros da parte onde ele deveria estar.

Percebendo o que eu poderia ter perdido, meu coração continuou a mudar. Certo fim de tarde, encolhidos em poltronas de hotel com o estofado cheio demais, não decidimos simplesmente namorar — decidimos casar. Darian disse: "Eu me apaixonei quando te vi pela primeira vez, e tenho orado desde então para que seja a minha esposa".

Eu não tinha certeza se deveria bater em Darian por ter virado de cabeça para baixo o último ano e meio da minha vida com as orações ou apenas embarcar na dele. Decidi embarcar, não era todo dia que se ouvia "Tenho orado para que você seja a minha esposa".

Acho que no quesito oração ele era um pouco mais focado do que eu.

Na noite seguinte, caminhávamos pelo centro de Denver quando ele pegou minha mão, e eu soube. Era *isso*. Logo nos tornamos inseparáveis e, até hoje, não faço ideia de como demorei tanto tempo para me dar conta.

MARÇO DE 2000
OKLAHOMA

"Seu pai é sempre assim?" Darian estava acampando com papai, Brian e eu pela primeira vez. Era o recesso de primavera e estávamos em Algum Lugar no Meio do Nada, Oklahoma. Seria seu primeiro e último acampamento com a gente, porque meu "pai *sui generis*" — como Darian diria depois — estava deixando maluco meu namorado sensato.

"Papai pode ter o jeito dele, gosta das coisas de certa maneira. É melhor apenas entrar na dele. Caso contrário, ele vai ficar de ovo virado e estragar nossa semana inteira." Comentei isso enquanto estava deitada com a cabeça no peito de Darian. Estávamos em sua barraca, muito mais espaçosa do que a minha minúscula e individual. "Se entrar na dele, ele não vai se importar de eu passar uma quantidade excessiva de tempo na sua barraca durante o dia."

"Ah, tá. Entrar na do seu pai. Entendi." Darian passou um braço ao redor de mim e riu. Darian era um escoteiro *Eagle Scout*, o nível mais elevado e, portanto, mais do que capaz de dar conta de um acampamento. Ele havia feito trilha ao longo de quilômetros acidentados durante dias no Philmont Scout Ranch, Novo México, alguns anos antes, e teve um pouco mais de sucesso nessa empreitada do que a gente no Grand Canyon.

Mas papai, de acordo com Darian, "havia tirado toda a diversão de acampar" ao fazer tudo sozinho. Eu não me importava — estava acostumada com ele no comando e mexendo para lá e para cá no acampamento, o que me deixava mais tempo livre para pescar, ler, ser preguiçosa ou dar uns amassos com meu namorado.

Meu pai não tinha chegado a Eagle, mas quando era jovem, fez trilha pelo Philmont, como Darian. E foi líder do grupo do meu irmão por anos, o que ajudou Brian a chegar a Eagle Scout em 1993. Achei que Darian e meu pai iam ficar amigos e, com isso, eu ia ganhar outro companheiro de pesca. Porém, Darian não gostava de pescar, porque era uma atividade muito lenta, e parecia irritar meu pai. Papai, por sua vez, me disse semanas antes que achava Darian um pouco duvidoso, com sua corrente de carteira e jaqueta de couro, e não deveria namorar um aspirante a artista que não seria capaz de me sustentar.

Meu pai tinha usado jaqueta de couro semelhante quando era jovem — ainda estava pendurada no armário de casacos — e, ao me dizer que eu não deveria namorar Darian, me empurrou ainda mais para ele.

Sobrevivemos à semana juntos, com caminhadas curtas e palhaçadas no equipamento do *playground* do parque, papai junto. Era muito cedo no ano para conseguirmos pesca decente, mas o clima de março era um pouquinho mais quente em Oklahoma do que no Kansas, e eu considerei aquela uma boa semana. Algum tempo depois, Darian começou a questionar as esquisitices do meu pai, que ficou confortável o suficiente com Darian para nunca mais confrontar ou questioná-lo outra vez.

Eu diria que a maioria dos pais, senão todos, causam algum sofrimento aos namorados das filhas. Acho até que a maioria dos namorados, pelo menos discretamente, acaba nutrindo alguma opinião a respeito dos pais de suas namoradas.

Papai demorava a se ajustar a alguém novo. O fato de eu levar um namorado para um acampamento de vários dias provavelmente representava um desafio para ele, mas meu pai passou a gostar de Darian naquela semana. E, na época, Darian, um cara descontraído, apenas estava apontando que meu pai tinha um jeito excêntrico e podia ter lá suas particularidades — querer as coisas de certa maneira. Seriam mais cinco anos até que o retrospecto passasse uma rasteira em todos nós.

BTK: MEU PAI
UM LUGAR SÓ SEU
KERRI / RAWSON

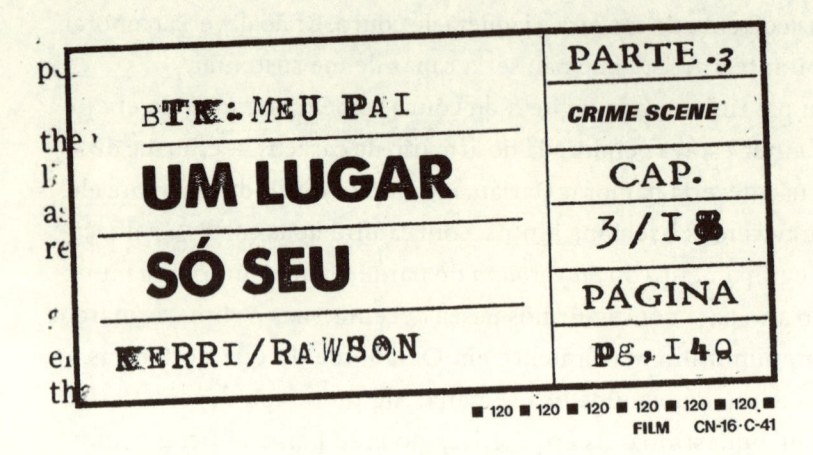

PARTE 3
CAP. 3/18
PÁGINA pg. 140

MAIO DE 2001
MANHATTAN

Levei cinco anos, uma baciada de notas ruins e uma boa dose de preocupação, mas consegui atravessar o palco do Coliseu Bramlage com capelo e beca pretos para pegar meu diploma de bacharelado em ciências da vida. No entanto, fiquei na faculdade mais dois anos. Eu estava no plano de sete anos para preguiçosos que gostavam de acumular empréstimos estudantis e não queriam ficar longe de caras legais com olhos gentis pelos quais estavam se apaixonando. Eu queria ser professora primária.

Como não queria ser a pessoa mais velha do mundo nos dormitórios, eu me mudei para um pequeno apartamento a alguns quilômetros a oeste do campus. Comecei as aulas de verão e consegui emprego em uma loja da faculdade. Darian também ficou em Manhattan no verão, trabalhando no campus e morando com alguns rapazes em uma casa velha e decrépita.

Darian e eu passávamos tanto tempo juntos quanto dávamos conta, levando em consideração trabalho e aulas. Nos fins de semana, íamos caminhar pelas trilhas de Konza Prairie ou Tuttle Creek. Eu tentava fazer o jantar para ele, e nos enrolávamos no meu sofá para ver filmes.

Eu não estava muito certa se deveria mesmo alugar aquele apartamento, pois ficava no primeiro andar e a porta de vidro deslizante era minha única entrada e saída. Mesmo assim, liguei para o meu pai e perguntei se achava que seria seguro, e conversamos da localização, iluminação e um plano de fuga. Ele me disse que parecia bom o suficiente; ficava em uma esquina movimentada e bem iluminada e, se fosse preciso, poderia sair pela janela do quarto e pular para o térreo. Quando papai me ajudou a desocupar o dormitório da faculdade, arrumou um cabo de vassoura que eu poderia prender no trilho de metal da porta quando estivesse em casa.

Quando eu estava na sétima série, fiquei uma vez na casa de uma amiga, e a mãe dela nos contou que, não muito longe dali, alguém tinha jogado um bloco de concreto na porta de vidro deslizante da casa de uma senhora. A tal mulher tinha desaparecido e mais tarde, sido encontrada morta. Lembro de olhar a porta da minha amiga com cautela. Dali em diante, eu tinha receio de portas de vidro.

Dez anos depois, liguei para o meu pai e perguntei o que ele achava do pequeno apartamento que eu queria alugar. Mas então, dali a quatro anos, descobri que era ele quem tinha jogado o bloco de concreto naquela porta de vidro de que tinham me falado na sétima série, a porta que pertencia à sra. Davis.

* * *

Morar sozinha, mesmo assim, mexeu comigo. Quando eu chegava em casa à noite, verificava os armários da sala e do quarto, além do espaço atrás das portas abertas, e até puxava a cortina do chuveiro para trás, a fim de me certificar de que o apartamento não estivesse coalhado de bandidos. Os terrores noturnos que tinha desde que era pequena se transformaram em uma completa assombração.

Normalmente, menos de uma hora depois de adormecer, eu me levantava sobressaltada, pulava, chutava e às vezes gritava. Ainda não muito desperta, era tomada pelo terror, mal ciente de mim mesma ou do que havia ao meu redor. Sentada na cama, olhava ao redor no escuro, convencida de que algo ou alguém estava parado no vão da porta, perto da cama ou, na pior das hipóteses, na própria cama.

Meu corpo passava do sono da morte para aquele estado de paralisar, lutar ou fugir.

Talvez, se lutar com todas as forças, eu sobreviva.

Talvez, se ficar aqui deitada sem me mexer, ele vá embora.

Sentindo o coração sair pela boca, eu me levantava bruscamente, encharcada de suor — convencida de que era isso, era o fim. Parecia que estava perdendo anos de vida.

Dormia com a porta do quarto trancada e precisava me convencer de que não havia problema em sair para ir ao banheiro. Às vezes, quando acordava assustada, em vez de paralisar, vagava pelo apartamento minúsculo, pensando ou murmurando: "O SENHOR é a minha luz e a minha salvação; a quem temerei? O SENHOR é a força da minha vida; de quem me recearei?".[1]

Andava com minha gigantesca Maglite preta, que tinha um duplo propósito de lanterna e arma, verificando compulsivamente a fechadura da porta e o cabo de vassoura.

Ainda no lugar.

Eu verificava até os menores espaços ao redor dos móveis e utensílios de cozinha — era humanamente impossível para alguém estar ali, mas eu olhava mesmo assim.

Algo continuava me assustando e eu tentava descobrir o que era.

Subia no sofá que meus pais tinham me dado e olhava no vão escuro entre ele e a parede. Olhava atrás da geladeira e no pequeno espaço atrás do fogão.

Tudo certo. Voltar para a cama.

Meus pais sabiam que eu às vezes surtava à noite, mas não contava o quanto as coisas tinham ficado ruins. Eu nunca contava aos médicos com quem me consultava no centro de saúde do campus, seja por causa de uma dor de garganta ocasional seja por um machucado desajeitado. Eu sabia que meu comportamento estava atingindo níveis extremos, mas não contava a ninguém o quanto podia ficar agitada às vezes — nem mesmo a Darian.

Eu também enfrentava tempestades, mas pelo menos essas ameaças tinham um potencial real de causar dano. Algumas vezes, na escuridão da madrugada, com alertas estridentes sobre tornados, ficava ouvindo o radinho a pilha, pressionada contra a secadora no canto da lavanderia comunitária. Ficava no térreo, com paredes internas robustas. (Entre centenas de residentes, era a única que fazia isso.)

Em agosto de 2001, voltei ao meu emprego de semana no refeitório, trabalhei na loja da universidade e vendi toneladas de produtos nos tons roxos da KSU na barraca perto do estádio durante os jogos de futebol americano. Aos domingos, trabalhava em uma loja de bordados, tentando equilibrar o orçamento.

Em setembro, estava no campus quando o World Trade Center foi atacado. Meu professor de metodologia científica nos avisou no Bluemont Hall e, quando cheguei à aula de métodos musicais no McCain Auditorium, ouvi que o Pentágono tinha sido atingido e que as torres haviam caído.

Com a aula cancelada, eu me arrastei até Putnam Hall em estado de choque, em lágrimas. Encontrei Darian no porão, junto de muitos outros, assistindo à cobertura. Quando soube do acidente do voo 93 na Pensilvânia, tentando compreender ao que estava assistindo, agarrei a mão de Darian. Voltei para o apartamento mais tarde naquele dia, ouvindo as notícias no rádio, sem saber o que fazer com um céu sem aviões.

Viajei para casa três dias depois, e papai me abraçou apertado, os olhos molhados de lágrimas quando ele me entregou uma pilha de primeiras páginas do *Wichita Eagle*, que eu li e depois guardei.

Despenquei em um buraco de tristeza, medo e incerteza depois do Onze de Setembro. Deprimida, estressada, desgastada por causa do trabalho e dos estudos, adoeci. Depois de passar por maus bocados por várias semanas e de um médico me dizer que estava próxima de uma pneumonia, parei de trabalhar e abandonei várias aulas, o que resultou no atraso de mais um semestre. Meus pais me ajudavam, com caixas de comida para completar a despensa e garantindo que eu desse conta de pagar o aluguel.

Na primavera de 2002, retomei as aulas que abandonara no outono. Agora, eu só precisava finalizar mais um semestre antes de começar o estágio de professora em tempo integral. No verão, Darian foi para Orlando fazer estágio na Cruzada Estudantil e entrei em crise. Perdi o emprego na loja do campus por excesso de atrasos. Para me consolar, pintei o cabelo, mas espalhei tinta vermelho-acobreada por todo o banheiro de ladrilhos brancos.

Quebrada e sem conseguir outro emprego, acabei indo passar parte do verão com os meus pais. A fim de pagar minha estadia e continuar a cobrir o aluguel do apartamento em Manhattan, eu me ofereci para ajudar na reforma da casa. Transformei o antigo quarto de Brian em quarto de hóspedes, pintando as paredes azul-escuras de lilás alegre, pintei o banheiro de amarelo e ajudei minha mãe a colocar papel de parede na cozinha.

Para me ajudar a passar por aquele verão péssimo, Darian fazia telefonemas interurbanos e me surpreendeu com uma remessa de rosas de caule longo em tons suaves de rosa, branco e roxo.

No outono de 2002, Darian e eu estávamos voltando do casamento de um amigo próximo, quando fiquei irritada. Enquanto ele reabastecia o carro, perguntei — gritando —: "Quando *você* vai *me* pedir em casamento?".

Ele respondeu: "Estou trabalhando exatamente nisso — tentando economizar para comprar uma aliança".

Ah.

Compramos o anel de noivado pouco depois em uma joalheria de família em Poyntz Avenue, perto do shopping em Manhattan. Ele me pediu em casamento em novembro, ajoelhado no meu apartamento depois do jantar no nosso restaurante tailandês favorito.

Eu me senti extasiada por estar em casa com um solitário de lapidação princesa para me exibir no Dia de Ação de Graças. Nas férias de inverno, mamãe e eu fomos aproveitar as liquidações pós-Natal no Hobby Lobby para comprar decorações nas cores do meu casamento, prata e vinho. Também fomos comprar vestido de noiva, e ficamos com o segundo que provei: corte evasê, tomara que caia, com borboletas bordadas por todo o corpete e saia.

Passei o último semestre da faculdade fora do campus, como professora estagiária lecionando para a quarta série em Riley, pequena cidade a noroeste de Manhattan. Quando meu carro enfim morreu em fevereiro de 2003, Darian me emprestou seu Chevy Corsica até que meus pais pudessem trazer o Ford Tempo. Era um sacrifício deles abrir mão de um carro, mas foi muito apreciado por sua filha de 24 anos, que só precisava atravessar o resto de sua longa estadia na faculdade.

Um mês antes de eu me formar, papai foi até Manhattan me buscar para um fim de semana em Glen Elder. Meu irmão também nos encontrou no lago. Não me lembro de ter tido muita sorte pescando naquela viagem, mas era bom estar debaixo do céu azul. Papai me levou de volta em uma tarde quente de domingo e paramos em um Sonic antes de voltar para minha casa.

Ele me viu entrar, me deu um abraço de despedida e, com as mãos nos meus ombros, me encorajou a "ter força na reta final". Ele me disse que me amava e que me veria em breve. Fiquei no deque de madeira em frente à porta de vidro deslizante e acenei para ele, observando-o ir embora até que não conseguisse mais enxergá-lo ao longe.

BTK: MEU PAI
CÂNONE EM RÉ MAIOR
KERRI / RAWSON

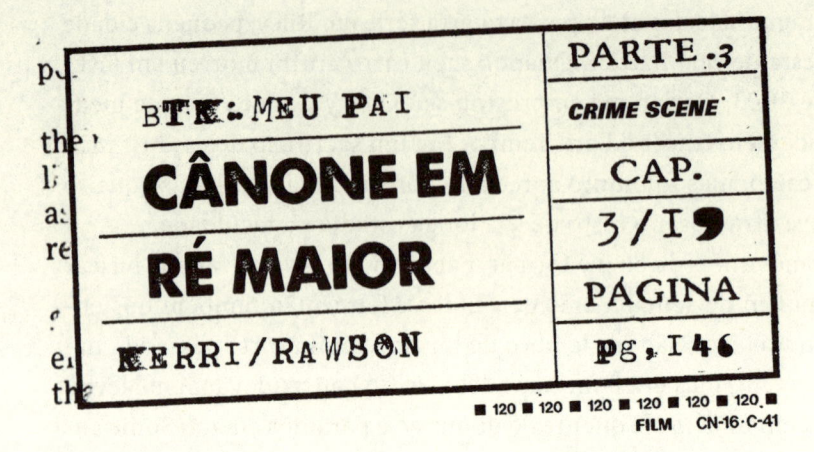

PARTE ·3
CRIME SCENE
CAP. 3/19
PÁGINA pg. 146

JULHO DE 2003
WICHITA

"Ah, cara. Meus óculos quebraram."

Era a noite de véspera do casamento, próximo ao fim de julho de 2003. Passava da meia-noite e estava sentada à mesa da cozinha na casa dos meus pais, surtando.

"Deixa eu dar uma olhada." Papai se sentou ao meu lado. Entreguei-lhe as duas metades. "Hmm, não vamos conseguir consertar. A peça do nariz quebrou ao meio."

"Droga. Eu também ainda preciso fazer as malas."

"Bem, filha, é melhor você fazer as malas então, e depois vemos como conseguir um par de óculos novos de manhã, antes do casamento." Papai parecia seguro, embora seus olhos o tivessem denunciado no último mês; sua filha ia se casar e se mudar para um lugar a dezesseis horas de distância. Não sei se ele tinha ideia do que fazer.

Em junho, Darian tinha me ligado para dizer: "Vamos nos mudar para Detroit".

Não era uma pergunta; ele não queria saber se eu desejava me mudar para Detroit. Era uma afirmação.

Precisávamos de empregos, quaisquer empregos, em qualquer lugar do país, e teria que ser Detroit. Darian tinha recebido uma oferta de trabalho como designer gráfico, ele aceitou, e concordou em começar uma semana após o nosso casamento.

Desliguei o telefone. "Então, mãe, vamos nos mudar para Detroit!" Ela quase derrubou na pia o espaguete que estava escorrendo.

Eu havia me formado (de novo) em maio de 2003 e voltado a morar com meus pais alguns meses antes do casamento. Agora, eu tinha dois diplomas e nenhum emprego.

Em junho, Darian pegou um voo para Detroit a fim de conhecer a nova empresa e encontrar um apartamento para nós nos subúrbios a oeste da região metropolitana. Ele ligou: "Encontrei um de 55 metros quadrados e dois dormitórios. Tem uma janelona panorâmica que dá para um pequeno parque verde. Escolhi pela vista — por você".

Concordei que parecia perfeito e ele fez o depósito para garantir o apartamento.

Algumas semanas antes do casamento, eu estava no canto da cozinha quando, apressada, virei e pisei na caixa de ferramentas verde que papai havia deixado aberta descuidadamente no chão ao lado do fogão. Caí e torci os ligamentos do mesmo tornozelo que havia torcido no cânion, anos antes. Papai gritou comigo como se, de alguma forma, eu fosse culpada por ter me machucado.

As palavras doeram, mas eu estava acostumada. Ele tinha sido duro com minha mãe e eu por nossa falta de jeito desde que era pequena, sempre repetindo coisas como: "Olha só por onde anda! Seja mais cuidadosa! A culpa por cair é sua. Agora você conseguiu. Se acabar coberta de cicatrizes, vai ficar feia e ninguém vai querer se casar com você."

Passei as semanas seguintes mancando com uma tornozeleira preta, me perguntando como meu tornozelo gordo e inchado ia caber nos sapatinhos de salto creme. Eu quase nunca calçava salto, mas mamãe insistia que eu usasse por baixo do vestido de noiva. Eu teria preferido me casar descalça, com o tornozelo ruim ou não.

Dois dias antes do casamento, várias pessoas da família nos ajudaram a decorar a igreja de Darian e o espaço de festa, que eram maiores do que na igreja que meus pais frequentavam. Colocamos luzes brancas piscantes em dosséis brancos por cima das plataformas de bolo e penduramos laços prata e vinho em bancos de madeira. Dentro da igreja gritei pedindo ajuda a Dave, meu futuro sogro, que respondeu com delicadeza: "Pode me chamar de pai, se quiser".

"Tá. Gostei disso."

...papai olhou para mim enquanto esperávamos no vestíbulo. Estava emocionado, tentando conter as lágrimas e o nervosismo. Ele estendeu o braço e perguntou: "Você está pronta?".

Dave era um pouco mais alto do que Darian, com a cabeça cheia de cabelos branco-prateados. A mãe de Darian, Dona, pequena com cabelos castanhos e brilho nos olhos, estava ocupada correndo de uma decoração a outra. Calorosos e acolhedores, os pais dele sempre me faziam sentir incluída e muitas vezes me faziam rir — características que seu filho herdara.

No meio da decoração, fui até uma escada de incêndio para tomar um pouco de ar. Eu estava surtando e estressada. Darian se juntou a mim e com calma me entregou meu anel de noivado, já soldado à aliança de casamento. Quando o ergui na luz, fiquei espantada ao ler a inscrição: *O amo nunca falha*.

Estava faltando o "R" de "amor".

Levantei a aliança de Darian. A dele estava certa: *O amor nunca falha*. *Puxa vida*.

Íamos nos mudar para Michigan três dias depois do casamento, então não mandei consertar. Até hoje continua errado. *O amo nunca falha*.

Na manhã do dia do casamento, acordei cedo, com olhos sonolentos, com óculos quebrados, mas de malas prontas. Por volta das 10h, eu estava no shopping esperando a porta de ferro subir na frente da *LensCrafters*, o cabelo enrolado em fitas, minhas unhas recém-feitas em vinho-escuro.

Espiei dentro da loja fechada e escolhi a nova armação de arame. Surpreendi o balconista quando disse: "Hoje é o dia do meu casamento. Vou me casar daqui a três horas, preciso de óculos novos e aqueles ali vão funcionar muito bem".

Ao meio-dia, papai, vestindo seu terno preto e gravata, foi buscar meus óculos para que pudesse enxergar meu noivo e meu próprio casamento.

Nos reunimos para fotos antes da cerimônia, sorrisos enormes no rosto: Darian em smoking preto, colete branco e gravata, eu estava alta nos sapatos de salto, desejando girar como uma princesa com minhas borboletas esvoaçantes e véu de tule preso em uma faixa brilhante na cabeça.

Os padrinhos de Darian, incluindo seu irmão, Eron, vestiam ternos pretos e gravatas prateadas. Minha prima Andrea e duas amigas eram as madrinhas, de vestidos cor de vinho com colares e brincos combinando.

Às 13h de sábado, 26 de julho de 2003, papai olhou para mim enquanto esperávamos no vestíbulo. Estava emocionado, tentando conter as lágrimas e o nervosismo. Ele estendeu o braço e perguntou: "Você está pronta?".

Respirando fundo, peguei seu braço. Na outra mão, eu segurava um buquê de rosas brancas rodeadas de margaridas vinho, e lentamente percorremos o corredor em direção ao altar ao som de "Cânone em Ré Maior".

Perto da frente da igreja, meu pé virou de leve, bati em um ramo de flores pendurado no banco e as derrubei com o baque. Com o rosto vermelho, lancei a Darian um sorrisinho tímido e um encolher de ombros, então me virei para papai e o abracei com força.

Versículos de 1 Coríntios foram lidos: "O amor não folga com a injustiça, mas folga com a verdade; Tudo sofre, tudo crê, tudo espera, tudo suporta. O amor nunca falha".[1]

Fizemos nossos votos, mantendo um diálogo moderno; não havia nada dos dizeres tradicionais.

Os olhos de Darian estavam cheios de felicidade, mas eu tagarelava com ele toda nervosa durante nossa música "Come What May" de *Moulin Rouge*. Fiquei imensamente aliviada quando o pastor nos dispensou como marido e mulher, e voamos de volta pelo corredor ao som de "I've Always Loved You", da Third Day.

Depois da nossa fila para receber os parabéns dos convidados, parei Darian na escada do salão, para tirar os sapatos altos, grata por agora estar descalça sob a saia do vestido. Na festa, tentamos nos despedir de todos. E eu me dei conta de uma coisa: deixaríamos o Kansas dali a três dias. De repente, senti saudades de casa.

Do lado de fora, o Corsica vermelho de Darian nos esperava, decorado de maneira festiva, repleto de balões. Depois de atravessar rolos de filme plástico, fomos recebidos com a explosão de confetes de cores vibrantes saindo do ar-condicionado.

Durante as duas noites seguintes, passamos a lua de mel em uma suíte em Old Town e, na segunda-feira, escolhemos um colchão novo e enchemos o caminhão de mudança, com a ajuda de nossos familiares. Na segunda-feira à noite, exaustos e tentando economizar dinheiro, nos acomodamos no porão da casa dos pais de Darian. Ele me deu o sofá e dormiu no chão com seu cachorro, Skipper.

Logo cedo na terça-feira, papai foi dirigindo o caminhão da mudança e mamãe foi com ele. Eles pegaram a rota de Indiana depois de Saint Louis, e deram a nós, recém-casados, alguns dias sozinhos. Partimos para Illinois no Corsica; nosso ar-condicionado quebrou ao cruzar o Meio-Oeste em um clima sufocante no primeiro dia. Logo culpamos o confete que, de vez em quando, ainda era cuspido em nós.

Na quarta-feira à noite, após um desvio para Chicago para compras na IKEA, passamos por uma grande placa azul de "Bem-vindo ao Michigan". Fiquei hipnotizada pelo ar mais frio e pelos majestosos pinheiros enquanto cruzávamos a I-94 para Detroit. Chegamos tarde ao hotel e ficamos surpresos ao ouvir as vozes dos meus pais do outro lado do corredor do nosso quarto. *Nossa lua de mel já era.*

Na manhã seguinte, Darian e papai descarregaram o caminhão enquanto mamãe e eu alugávamos um carro para que fizessem a viagem de volta para casa. Naquela noite, cercados por caixas e sem vontade de procurar nossos lençóis novos ou qualquer outra coisa de que precisássemos — decidimos esbanjar e ficar mais uma noite em um hotel.

Na sexta-feira de manhã, nos despedimos dos meus pais, mamãe e eu chorando depois de termos discutido no dia anterior. Eu discutia com eles para afastá-los porque não queria que eles fossem embora, assim como eu tinha feito sete anos antes, na faculdade. Meu pai era mais prático ao me abraçar com força; sua filha já estava crescida e casada. Nos ajudar na mudança era sua forma de demonstrar amor.

Levaria nove meses antes que pudéssemos vê-los de novo — eles e quaisquer familiares.

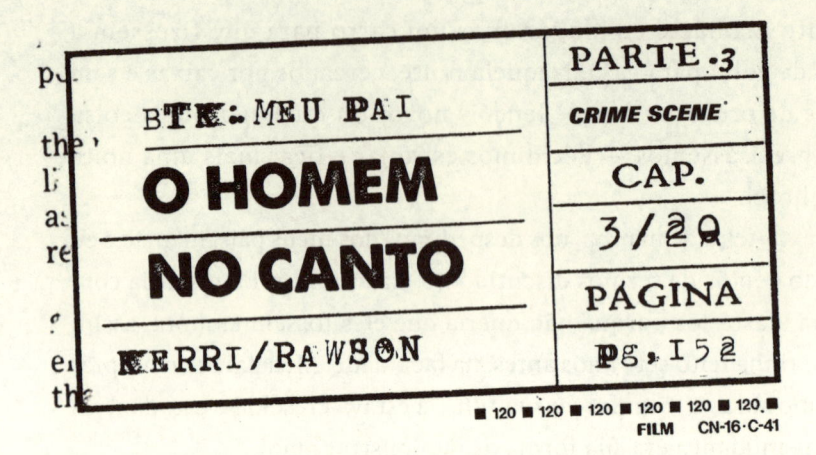

```
BTK: MEU PAI            PARTE.3
                        CRIME SCENE
O HOMEM                 CAP.
NO CANTO                3/20
                        PÁGINA
KERRI/RAWSON            pg. 152
```

QUINTA-FEIRA, 24 DE FEVEREIRO DE 2005
DETROIT

"Seu pai está voltando para casa tarde, tentando recuperar o atraso com uma pilha de papelada. Está estressado — você sabe como ele pode ficar. Quer falar com ele?" Mamãe e eu estávamos conversando ao telefone, exatamente como tínhamos feito todas as semanas pelos últimos nove anos.

Conversei com papai por cerca de dez minutos, sobre nada em especial — se o pneu do nosso carro velho estava careca, que eu não poderia me esquecer de acompanhar as trocas de óleo e o clima (surpreendentemente bom para fevereiro em Wichita; mas frio e péssimo no Michigan).

"Então tá. Bom, fique aquecida, filha. Orgulho de você e do Darian terem chegado até aí. Te amo."

Chegado até aí. Tinha sido mais como "ou vai ou racha", "se ficar o bicho pega, se correr o bicho come". Ou o que quer que seja dito aos casais jovens.

O trabalho de Darian começou três dias depois de nos mudarmos, mas ele não recebeu pagamento por um mês; então, nas primeiras semanas, vivemos com o dinheiro do casamento e da apólice recém-descontada do seguro de vida dos pais dele. Enquanto Darian estava trabalhando, eu alternava entre desfazer as malas, me candidatar a vagas de professora e pirar, comer salgadinhos de queijo aos punhados e assistir novela.

Achei que me casar e mudar de cidade seria uma grande e divertida aventura, mas a realidade de estar longe de casa logo veio à tona. Pouco depois de nos mudarmos, a frágil área de armazenamento no porão do prédio foi invadida. Só tínhamos caixas na nossa parte, mas fui sentindo cada vez mais medo de ficar lá embaixo no porão escuro, enquanto lavava roupa. Comecei a esperar Darian voltar do trabalho para então conseguir descer com roupa suja ou subir com roupa limpa pelas escadas. Eu nem queria estacionar na garagem debaixo do prédio; tinha decidido estacionar perto da porta da frente quando estava sozinha.

Meus terrores noturnos também nos alcançaram depois que nos casamos. Acordava gritando no ouvido de Darian ou socando ou chutando com força. Ele pulava da cama enquanto eu me debatia em busca da luz. "Tudo bem. Você está bem. Você está segura. Volte a dormir. Está tudo bem."

"Não está... tem um homem ali no canto."

"Não. Aquela é a nossa pilha de roupa suja."

Ah.

"Mas eu tinha certeza de que vi..."

"Não. Nada ali. Está tudo bem. Você está bem. Você está segura. Tente dormir." Ele me puxava para perto do peito, bloqueando o mundo com o corpo.

Algumas semanas depois de nos mudarmos, ficamos sem energia no final de uma tarde de quinta-feira. Pelo radinho de pilha, ouvi dizer que estávamos sob outro ataque terrorista e, quando não consegui falar com Darian no trabalho, fiquei em pânico e liguei para meu sogro, que em geral chegava do trabalho às 16h.

Dave me tranquilizou. Não era terrorismo; boa parte do nordeste da região Meio-Oeste dos Estados Unidos havia sofrido um blecaute. Dave disse que Darian estaria em casa assim que pudesse. Com as luzes da rua apagadas, Darian levou duas horas para percorrer o trajeto que normalmente fazia em vinte minutos.

Na sexta-feira, eu estava com calor e muito infeliz, com dor de ouvido e febre, e perguntei se poderíamos fugir para Indiana, onde havia eletricidade. Pressionei a cabeça na janela do passageiro enquanto Darian se afastava da área metropolitana, em busca de um posto de gasolina aberto. Já avançados na reserva, ficamos em uma longa fila de carros, pagando com moedas trocadas — o dinheiro da lavanderia, o único dinheiro que tínhamos. Com combustível suficiente, fomos para o sul, em direção a duas noites de comida quente, chuveiros e ar-condicionado pagos com cartão de crédito.

Chegamos em casa no domingo à noite, em um apartamento fedorento, a geladeira cheia de mantimentos estragados e mais dívidas. Pesquisei médicos próximos, recebi o diagnóstico de infecção de ouvido e comecei a tomar antibióticos. Tivemos mais problemas na semana seguinte, quando o banco extraviou nosso depósito, nos deixando desamparados — culpando o blecaute.

Em outubro, depois de lutar por dois meses para encontrar uma vaga de professora, desisti e resolvi que qualquer trabalho serviria. Eu tinha um empréstimo estudantil para pagar. Vi um pôster com vagas de trabalho temporário na Target e logo fui contratada para o turno da tarde e para os fins de semana.

Tínhamos apenas o Corsica, então eu levava Darian para o escritório de manhã; depois ia trabalhar à tarde. Darian ia de carona até a loja, que ficava perto, pegava o carro e voltava depois que meu turno acabasse. Muitas vezes passávamos pelo Taco Bell para um lanche noturno e apagávamos em casa, para fazer tudo igual no dia seguinte.

Nas noites de folga, nos sentávamos em cadeiras de acampamento que não paravam de quebrar, comíamos em uma mesa dobrável e assistíamos a *Hockey Night in Canada*, com uma antena embrulhada em papel alumínio, conectada a uma televisão com a imagem verde que piscava, danificada depois de ter caído na mudança.

Algumas semanas depois de começar no emprego, farta da porcaria das nossas cadeiras, declarei para Darian: "É isso! Vamos comprar um sofá!".

Logo, um sofá berinjela-escuro e uma namoradeira da Art Van foram entregues. Apoiada de costas na namoradeira, eu passava muito tempo olhando pela janela panorâmica, vendo as cores mudarem, sentindo falta do ar livre do Kansas.

Fiquei com muita saudade de casa naqueles primeiros meses; eu queria bater os calcanhares e pousar de volta nos campos de trigo, como a Dorothy. Calculamos que logo encontraríamos uma igreja no Michigan, faríamos amigos e fincaríamos raízes. Porém, só visitamos algumas igrejas antes de eu começar a trabalhar aos domingos.

Durante o outono, jantamos fora com alguns dos colegas de trabalho de Darian e passamos nosso primeiro Dia de Ação de Graças com um casal que também não tinha família no Michigan. No entanto, na maioria das vezes, éramos apenas nós dois.

Eu me lembro de ligar para minha mãe em dezembro aos prantos e dizer que não poderíamos ir para lá no Natal por causa do meu trabalho — eu ia trabalhar na véspera de Natal e nos dias subsequentes. Darian e eu passamos um Natal tranquilo, abrindo presentes que tinham sido enviados para nós, ao lado da árvore simples comprada com meu desconto de funcionária. Preparei a ceia de Natal para dois e, no dia seguinte, voltei para uma loja movimentada.

Era apenas Darian e eu contra o mundo. Às vezes, entrávamos nele; *ainda* assim, era apenas ele e eu.

Certa noite de inverno, tivemos uma briga boba sobre algo que eu nem me lembro o que era, e eu joguei talco de pé nele. Corri para o quarto, mas voltei quando ouvi a porta bater, surpresa ao encontrar um palavrão salpicado no carpete.

Logo Darian voltou para casa com limpador de carpete, e depois ouvi o aspirador.

Naquela noite, ele acampou no sofá depois que joguei seu travesseiro e uma pequena manta no corredor. Na manhã seguinte, não havia nada a fazer a não ser cair e rir quando vi um *palavrão* tênue manchado de forma permanente no carpete.

Ele revidou por eu ter usado talco para os pés e piorou as coisas com limpador de carpete.

No Ano-Novo, meu emprego temporário tornou-se permanente e pudemos comprar uma TV nova e um *home theater*, entregue a tempo do Super Bowl. Nada mais de esportes em verde. Também soubemos que meus pais nos visitariam em maio e os pais dele, em junho. Saber que a família chegaria na primavera me ajudou a superar nosso primeiro inverno longo e sombrio.

BTK: MEU PAI
DIGA SEMPRE "ATÉ BREVE"
KERRI / RAWSON

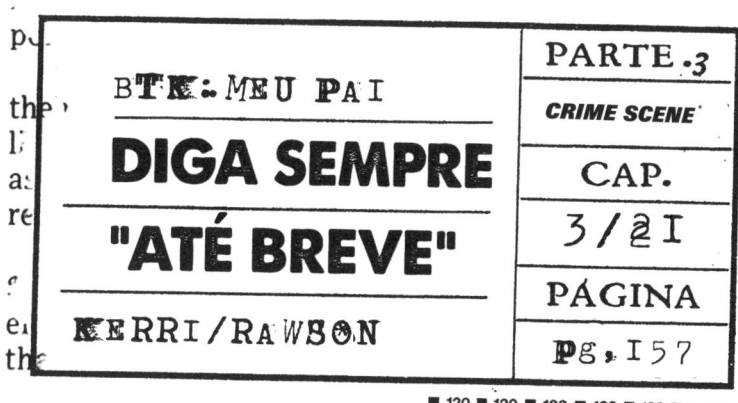

PARTE .3
CAP. 3/21
PÁGINA pg. 157

MAIO DE 2004

As cerejeiras estavam florescendo quando minha família se dirigiu ao Michigan no início de maio. Meus pais e Brian chegaram no aniversário da mamãe, depois de pegarem estrada por dois dias na nova minivan dos meus pais. Eu tinha flutuado ansiosamente pelo apartamento o dia todo e estava quase dançando na ponta dos pés quando tocaram o interfone.

"Uma experiência autêntica" foi como meu pai chamou o jantar de aniversário da minha mãe em nosso restaurante italiano favorito naquela noite, um lugar familiar em uma pequena área no centro da cidade, alguns quilômetros a oeste de onde morávamos.

No dia seguinte, partimos para curta viagem à costa oeste do Michigan; Darian ficou para trás, trabalhando. Em Holland, passamos a tarde caminhando de um lado para o outro entre fileiras de tulipas coloridas em uma fazenda, onde mamãe comprou um jarro azul e branco para sua coleção. Naquela noite, caminhamos pelo píer até o Big Red Lighthouse e, em uma praia macia como açúcar, observamos o sol se pôr no lago Michigan.

Perto de Ludington, na manhã seguinte, papai, Brian e eu caminhamos pelas dunas íngremes e cobertas de árvores no parque estadual P. J. Hoffmaster, descendo até o lago Michigan, cujas ondas frias quebravam nos meus pés descalços pela primeira vez. Com galhos flutuando na água, e que tínhamos carregado arrastando atrás de nós, escrevemos na areia e observamos a água apagar rapidamente as pegadas.

Mais tarde naquela semana, passamos o dia com Darian, vagando pelo enorme salão de exposições do museu Henry Ford, em Dearborn. Naquela noite, jantamos em Greektown e demos uma passada pelas máquinas caça-níqueis do cassino.

Eu não tinha ideia de que estávamos a poucos meses de o mundo desabar. Se alguém deveria ter consciência disso, seria papai. Mas é impossível saber — antes ou agora.

A placa BEM-VINDA, FAMÍLIA RADER nos recebeu em um hotelzinho de beira de estrada em Frankenmuth, no final daquela semana. Não tínhamos certeza se algum dia conseguiríamos tirar papai da Bronner's, a maior loja de Natal do mundo, depois que avistou as cidades em miniatura, com decorações natalinas, e trens que circulavam em torno delas. Demos carona para mamãe na manhã seguinte, pois ela ia às compras, enquanto papai, Brian e eu dirigíamos ao longo da costa do lago Huron. Paramos em uma passarela de madeira ao longo do rio Au Sable a fim de observar as águias americanas. Eu tinha ido àquele local com Darian no outubro anterior, e avistáramos uma águia pescando. Naquela tarde, fiquei emocionada por estar ao lado de papai enquanto duas águias lutavam e perdiam altitude no céu por alguns instantes.

Papai me deixou escolher no mapa para onde ir naquele dia e, no caminho de volta, quando fomos buscar a mamãe, ele me disse que tinha escolhido bem. Achei que fosse a primeira de muitas viagens em família ao Michigan, mas não poderia estar mais errada.

Eu não tinha ideia de que estávamos a poucos meses de o mundo desabar. Se alguém deveria ter consciência disso, seria papai. Mas é impossível saber — antes ou agora.

JULHO DE 2004

No verão de 2004, li sobre o *serial killer* BTK, ressurgido após décadas de silêncio em Wichita. Ele cometera sete assassinatos nos anos 1970 e enviara cartas zombeteiras à polícia e à mídia, mas depois interrompera a comunicação em 1979. Supunha-se que estava morto ou preso. No entanto, na primavera de 2004, ele reivindicou a autoria do oitavo assassinato, cometido em 1986, e voltou a enviar cartas e a deixar sinais, semelhante ao comportamento dos anos 1970. Isso levou a uma imensa caça ao criminoso.

Foi a primeira vez que ouvi falar dos assassinatos ou do acrônimo infame. Fiquei surpresa e perplexa com a informação de que estava acontecendo na minha cidade, mas me lembro de não ter acompanhado de perto as notícias sobre Wichita em 2004.

Eu me lembro de duas coisas: ter conversado com Darian da caçada ao BTK, que também havia lido a respeito, e de, em algum momento naquele verão ou outono, ter perguntado à mamãe ao telefone dos assassinatos nos anos 1970. Ela me disse que, na época, muitas mulheres tinham medo. Ela sentia medo, já que papai às vezes trabalhava até tarde e cursava faculdade à noite na WSU — mas papai a tranquilizou, disse para não se preocupar, que ela estava segura.

No fim do outono, li dos novos e possíveis dados do BTK. Lembro de ter ficado intrigada com a lista — e de voltar a ela algumas vezes porque estava me incomodando.

BTK havia escrito à polícia contando que tinha um primo no Missouri e um avô que tocava violino e morrera de doença pulmonar; o pai dele morrera na Segunda Guerra Mundial; ele havia passado pelo exército na década de 1960, tinha sido fascinado por trens a vida inteira e sempre morara perto de ferrovias.[1]

Fiquei pensando na imagem nebulosa e onírica de uma casa branca com beirais pretos e o trem passando bem perto, perto o suficiente para fazer as janelas estremecerem. Uma casa como a dos meus avós. Mas não fazia sentido.

Concluí que a lista era estranha, mas não consegui torná-la consistente e a abandonei quando soube, em dezembro, que houvera uma prisão. Foi uma prisão incorreta, e não me lembro de ter acompanhado as notícias depois.

Logo os acontecimentos do passado começariam a se encaixar para mim, mas não estava sozinha ao achar que meu pai comum, normal e igual a qualquer outro era a última pessoa na Terra que poderia ser BTK.

* * *

Em setembro, comecei a trabalhar como professora substituta em cinco distritos. O mais distante ficava a uma hora de carro, então era difícil levar Darian para o trabalho e depois seguir para o oeste e chegar a uma sala de aula até as 9h. O salário era bom, no entanto, e logo saí do emprego na Target, feliz por ter noites e fins de semana livres para passar com Darian. Depois de ser dispensado do emprego em Wichita, onde trabalhava com eletrônica de aviões, meu irmão se alistou na Marinha e começou o treinamento de campo, ao norte de Chicago, no outono. Ele nos convidou e a meus pais para a formatura no início de novembro; depois, Brian iria para a Costa Leste estudar submarinos e passaria meses a fio no mar. Eu tinha esperanças de que meus pais pudessem vir a Chicago para passarmos alguns dias juntos, mas papai disse que não poderiam vir, que ele estava muito ocupado para viajar. Eu não sabia bem o que pensar; aquilo era extremamente atípico do meu pai. Porém, como Chicago ficava a apenas quatro horas de distância de Detroit, Darian e eu pegamos o carro e saímos para passar um fim de semana prolongado.

Em uma manhã de sexta-feira, celebramos Brian marchando com os companheiros de Marinha.

Após a cerimônia, ele nos abraçou, feliz em nos ver e sair da base para alguns dias de turismo. Enquanto caminhávamos até o Aquário Shedd naquela tarde, um vento forte nos atingiu, e Brian teve que agarrar seu quepe branco de marinheiro para que não caísse no lago

Michigan. No dia seguinte, aproveitamos o sol e passeamos pelo zoológico Brookfield. Brian falou e que talvez pudesse ir de avião para casa no Natal; Darian e eu já tínhamos nossas passagens compradas e dissemos que esperávamos vê-lo por lá.

DEZEMBRO DE 2004

Vários centímetros de neve haviam caído na noite anterior ao nosso voo de retorno ao Kansas em dezembro, e o mundo ainda era um borrão cinza-azulado quando partimos na escuridão da madrugada para o aeroporto. Darian estava calmo enquanto cautelosamente dirigia pela única pista limpa da rodovia, mas eu ia segurando o apoio de braço do passageiro com os nós dos dedos esbranquiçados de tanto frio.

Chegamos ao aeroporto a tempo, mas descobrimos no portão de embarque que nosso voo estava atrasado e que perderíamos a conexão em O'Hare. Entre a neve, o atraso e ter pegado avião apenas duas vezes na vida, eu estava muito tensa e ansiosa, mas Darian me entregou um *latte* de avelã e falou que íamos conseguir chegar em casa. Ele estava acostumado a andar de avião e, bastante paciente, conversou comigo para me ajudar a atravessar as horas seguintes, em que eu estava decepcionada com as férias, enquanto eu envolvia meu café com as duas mãos, tentando aquecer o corpo inteiro.

Quando chegamos ao aeroporto de O'Hare, horas depois, tivemos que esperar na longa fila para conseguir outro voo para o dia seguinte e garantir um hotel. Entramos em outra longa fila para recuperar as malas, apenas para descobrir que haviam seguido viagem para o destino final. Eu colocava apenas o mínimo necessário na bagagem de mão e congelei no moletom fino quando saímos; meu casaco de inverno, luvas e gorro estavam em um avião rumo ao Kansas.

Voltamos para o aeroporto na véspera de Natal e descobrimos que teríamos de fazer a conexão em Saint Louis para chegar a Wichita.

Lá se vai o culto de véspera de Natal com a minha família na igreja.

Estávamos sentados perto do portão de embarque, em Saint Louis, quando o nome de Darian foi chamado ao guichê — eles queriam realocá-lo para outro voo. Comecei a chorar e contei à atendente a história dos nossos últimos dois dias.

"Ah, eu não sabia que vocês estavam juntos."

Um homem que viajava sozinho ouviu minha história de desgraça e se ofereceu para aceitar a realocação. Fiquei tão aliviada que poderia abraçá-lo; chegaríamos em casa bem a tempo do Natal.

Dormimos no quarto de hóspedes dos meus pais, aquele que havia pintado de lilás dois anos antes, e abrimos os presentes na manhã seguinte. Nunca esquecerei o rosto do meu pai, envelhecido repentinamente, seus olhos estranhamente tristes na manhã de Natal, quando desembrulhou um porta-retratos especial com a fotografia naval de Brian.

Algumas noites depois, Darian e eu voltamos com papai ao aeroporto para buscar Brian. Estava vestindo o uniforme azul da Marinha dos EUA, carregando uma mochila verde, que meu pai pendurou no ombro depois de envolver Brian em um grande abraço. Enquanto Brian estava em casa, fomos ver um filme no cinema de Old Town, lugar que papai considerava muito bacana porque dava para pedir comida direto do assento. Depois de cachorro-quente e batata frita, papai e eu dividimos o maior pote de pipoca com manteiga que era possível comprar.

É estranho, as coisas de que a gente se lembra, por exemplo, eu olhando para a esquerda e vendo meu pai tentando abrir o sachê de mostarda com os dentes — da mesma forma que eu faria.

Mas não me lembro que filme vimos.

O que posso dizer é o seguinte: foi o último filme que vi com ele.

Poucos dias depois, levantamos cedo para fazer as malas antes do voo de retorno ao Michigan. Eu tinha saído do quarto e me deparado com papai no corredor. Ele estava vestido para o trabalho com o uniforme marrom de agente de *compliance*.

Antes de sair, acrescentou uma pilha de cartões de anotações ao bolso direito do peito, vestiu o casaco de inverno marrom-escuro com um distintivo, o chapéu também marrom-escuro e o cinto de utilidades intimidante: um cassetete dobrável, um tubo de gás lacrimogênio, uma multiferramenta Leatherman, uma faca e Deus sabe o que mais.

Ele acabava de se barbear e cheirava a Old Spice, e eu o abracei em um longo abraço de urso. Ele era quente, maciço — reconfortante — e eu não queria que ele fosse embora. "Não sei quando vamos voltar", disse eu.

"Eu sei. Vamos tentar ir visitar vocês de novo em breve, tudo bem?"

"Tudo. Te amo. Até breve.

"Sim, eu também te amo. Até breve."

Só uma garota se despedindo do pai. Não havia motivo para pensar que seria a última vez que eu o veria.

QUINTA-FEIRA, 24 DE FEVEREIRO DE 2005

"Sim, também te amo. A gente se fala."

Depois do telefonema com meus pais, tirei um bolo de chocolate do forno e comecei a polvilhar açúcar de confeiteiro na cobertura enquanto esfriava.

Darian e eu comemos uma fatia antes de ir para a cama, sem saber que, no mesmo horário, no dia seguinte, nossas vidas estariam completamente de pernas para o ar.

A última ligação.

Quando a gente perde alguém, sempre há últimas vezes. O último abraço, o último Natal, as últimas férias. O último milkshake de chocolate, a última pescaria, a última vez que caminhou com a pessoa que amava.

Assim que você descobre qual é a última, faz o possível para selar essas memórias.

Mesmo no meu caso, em que o homem que havia perdido ainda estava bem vivo. Mesmo no meu caso, em que todas as lembranças que tenho do homem que amo ficarão manchadas de preto por muitos anos ainda.

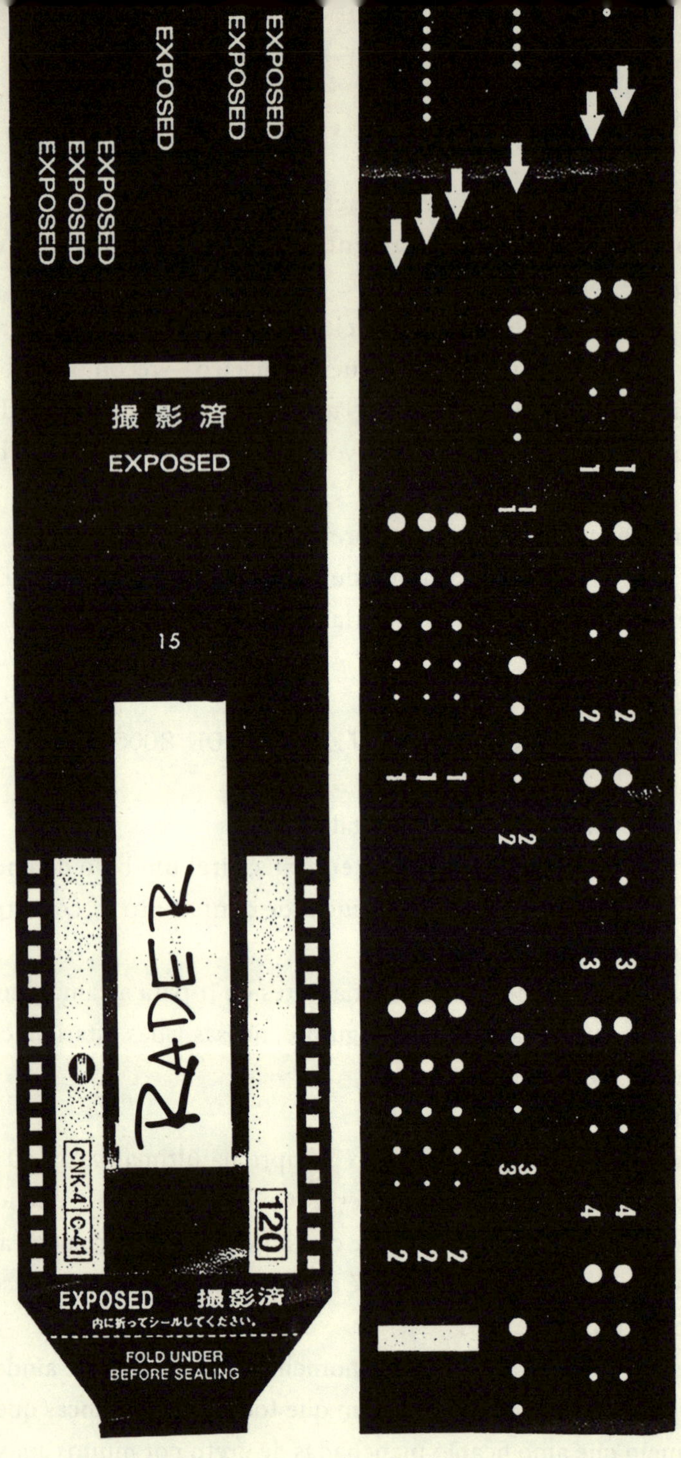
EXPOSED
EXPOSED
EXPOSED
EXPOSED
EXPOSED
EXPOSED
撮影済
EXPOSED
15
RADER
CNK-4
C-41
120
EXPOSED
撮影済
内に折ってシールしてください。
FOLD UNDER
BEFORE SEALING

BK

PARTE 4
QUANDO TODO O RESTO SE FOI

NÃO TEMAS, PORQUE EU SOU CONTIGO; NÃO TE ASSOMBRES, PORQUE EU SOU O TEU DEUS; EU TE FORTALEÇO, E TE AJUDO, E TE SUSTENTO COM A MINHA DESTRA FIEL.
— ISAÍAS 41:10

BOLETIM DE NOTÍCIAS

Interrompemos uma vida perfeitamente cronometrada

12H15
25 DE FEVEREIRO DE 2005
WICHITA

O suposto assassino BTK, Dennis Lynn Rader, 59, foi parado na rua e preso enquanto voltava do trabalho para casa em sua caminhonete branca às 12h15 de hoje.

Rader, foragido há 31 anos, estava indo almoçar com a esposa Paula, 56, com quem é casado há 33 anos. Eles se encontravam para almoçar todos os dias, havia catorze anos, em sua casa térrea de três quartos na pequena comunidade suburbana de Park City.

Rader foi preso na esquina de casa, perto da faixa de pedestres que seus filhos usaram por anos para irem à escola primária. Rader e a filha, Kerri, 26, faziam longas caminhadas com seus spaniels — Patches e, mais tarde, Dudley — pela escola e pelos bairros próximos quando ela era menor.

Sob a mira de várias armas, incluindo espingarda e submetralhadora, Rader foi detido sem incidentes e algemado com o rosto na calçada, próximo aos grandes canos onde sua filha gostava de brincar quando criança.

Uma das primeiras coisas que Rader disse depois de preso foi: "Ei, você pode fazer o favor de ligar para a minha esposa? Ela estava me esperando para o almoço. Suponho que você saiba onde eu moro".[1]

PARTE 4
BTK: MEU PAI
CHOQUE, DNA E FBI
KERRI/RAWSON

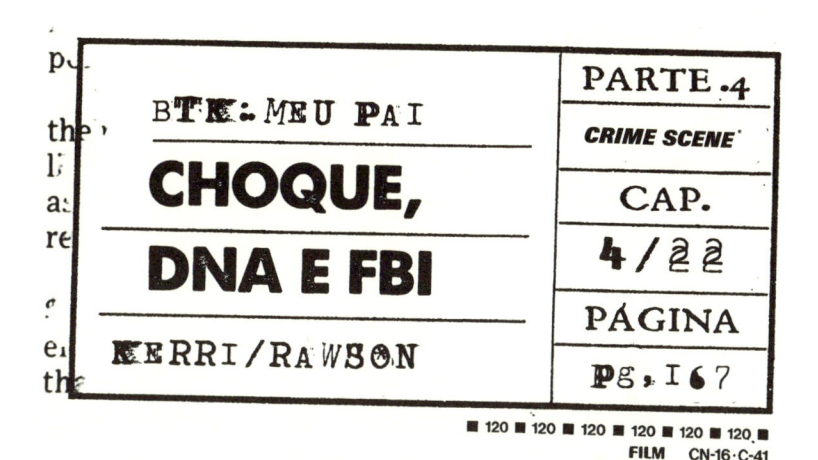

CAP. 4/22

Pg. 167

13H30
25 DE FEVEREIRO DE 2005
DETROIT

"Seu pai é o BTK."

Eu estava zonza no meio da sala, tentando percorrer a curta distância até o sofá berinjela-escuro, tentando voltar à vida — tentando respirar. Tentando me equilibrar diante do peso das palavras incompreensíveis que o agente do FBI acabara de pronunciar.

Seu pai é o BTK.

O amor nunca falha.

Um momento antes, minha mão havia roçado no quadro de mosaico de vidro colorido pendurado na cozinha.

Meu polegar esquerdo girou a aliança de casamento com a inscrição.

O amo nunca falha.

Darian — eu precisava de Darian.

Agarrei o braço alto do sofá e me virei para o homem de aparência preocupada, que estava segurando seu bloco de anotações amarelo e lápis ao lado. Ele estava parado bem perto da parte do carpete onde havia o palavrão manchado. Fiquei tentada a apontar as palavras desbotadas.

"Posso ligar para o meu marido no trabalho? Ele precisa voltar para casa."

"Sim, a senhora pode ligar para ele, mas não pode dizer por que estou aqui."

Sentei e liguei no celular de Darian, tremendo, meu corpo pegando fogo, minha voz quase maníaca, com a sensação mais estranha do mundo de estar no limite; mas, ainda assim, aliviada porque o homem no carro, na minha casa, com o distintivo, não estava ali para me fazer mal.

"Alô?"

Darian voltou para a sala e se sentou ao meu lado, pressionando a perna ao lado da minha, e pegou minha mão. Eu me apertei ao lado dele. Seu corpo estava tenso, os ombros, curvados. Percebia por seus olhos que estava chocado e confuso, tão assustado quanto eu.

"O FBI está aqui. Está tudo bem. Eu estou segura."

"Onde? Do que você está falando?"

"Sabe o homem? Ele é um agente do FBI."

"Que homem?"

"Aquele que estava no carro perto da caçamba de lixo. Ele está aqui em casa agora. E é um agente do FBI. Você precisa voltar para casa."

"Já estou a caminho. O que está acontecendo? Por que ele está aí?" A voz de Darian ia ficando cada vez mais alta, tomada de preocupação e confusão.

"Não posso falar pelo telefone. Você pode voltar para casa?"

"Estou perto. Já, já chego aí."

Desliguei e olhei para o agente outra vez. "Posso ligar para meus avós? Eles moram aqui perto — e perto dos meus pais. Estou muito preocupada com a minha mãe, com a minha família."

"A senhora pode ligar para eles, mas não pode contar sobre o seu pai."

Eu já estava discando. "Vovó, é a Kerri. Aconteceu uma coisa na casa dos meus pais. Mamãe está segura, ela está com a polícia, mas papai foi preso."

"Espera, Kerri. Vou até a esquina e já te ligo. Espera um pouco."

Quando ela me ligou de volta, me disse que havia um enxame de policiais e outros carros não identificados na rua da minha casa. Vovó estava assustada e preocupada. Logo, ela e meu avô também seriam interrogados.

O agente sentou-se ao meu lado, o que me fez sentir um pouco melhor. Corri a mão pelo cabelo e, com nervosismo, amarrei o elástico mais firme, olhando para o meu pijama verde-menta. "É... posso me vestir?"

"Pode. Mas o telefone tem que ficar aqui."

Deixei o celular prateado de flip e, de alguma forma, consegui sair do sofá e percorrer o corredor para o nosso quarto. Joguei o pijama no chão (nunca mais o usaria) e vesti uma camiseta roxa da faculdade e jeans. Nem fechei a porta enquanto me trocava.

Quando voltei para a sala de estar ainda descalça, ouvi chaves na fechadura da porta da frente. O agente do FBI olhou para mim, olhou para a porta e se levantou.

"Tudo bem. É Darian, meu marido."

Darian entrou às pressas e veio direto para o agente, os ombros curvados para a frente como um defensor de hóquei, colocando-se entre mim e o estranho. "O que está acontecendo? Quem é o senhor? Por que está aqui?"

O agente contou.

Darian estava cético. "Posso ver seu distintivo?"

O agente mostrou, e Darian pediu licença para ir ao banheiro, ligar para o departamento do FBI em Detroit, pensando que deviam estar nos pregando uma peça terrível.

Disseram que o agente na nossa casa era de verdade.

Darian voltou para a sala e se sentou ao meu lado, pressionando a perna ao lado da minha, e pegou minha mão. Eu me apertei ao lado dele. Seu corpo estava tenso, os ombros, curvados. Percebia por seus olhos que estava chocado e confuso, tão assustado quanto eu.

O agente mudou de posição e pigarreou antes de começar: "Fui enviado aqui pelo meu departamento para notificar a senhora de que seu pai foi preso e, também, preciso fazer algumas perguntas. Não estou acostumado com esse tipo de trabalho de campo. Sou mais como um contador investigativo — crimes de colarinho branco. Posso ver que a senhora está encarando tudo com dificuldade. Estou um pouco confuso."

Eu sabia que esse cara não era como os agentes do FBI dos filmes.

"Não entendo." Estava gaguejando: "O senhor acha que papai... que ele é... que ele é... esse... esse cara que a polícia estava procurando? Aquele dos anos 1970?"

"Sim, temos motivos para acreditar que sim."

Fiquei com o olhar perdido para o nada alguns segundos, então balancei a cabeça.

"Não é possível. Em dezembro, lá em Wichita? O cara errado foi preso. Talvez seja mais uma confusão. Talvez papai estivesse tentando resolver os crimes, será que não? Será que ele não se enredou, de um jeito ou outro? Sabe, se comunicando com a polícia, talvez?" Estava tentando extrair alguma coisa do rosto do agente, na esperança de que algo, *qualquer coisa*, fizesse sentido.

"Liguei para papai ontem à noite. Ele nunca fez nada de errado. Ele é uma pessoa de bem." Apressada, examinei as credenciais do meu pai: serviço militar, empregos, presidente da igreja, líder dos escoteiros, filho zeloso. Darian falou quando pôde.

O agente continuou: "A senhora poderia ter me descrito".

"Sim. É um cara normal, igual aos outros. É o que estou tentando dizer. Esse é ele." Apontei para uma foto do meu pai na parede, foto em que ele estava com a minha mãe, ambos bem-vestidos e sorridentes. Tinha sido tirada para o diretório da igreja.

O agente olhou para a foto, um pouco intrigado, e olhou para o bloco: "Seu pai guarda coisas na sua casa? Algum tipo de recipiente?"

"Ele coleciona selos, que ocupam certo espaço."

O agente escreveu no bloco de notas.

Encarei o nada mais um pouco, e em seguida retornei o olhar para o agente: "De que datas estamos falando? Os crimes?"

"Os anos 1974, 1977 e 1986."

"Brian nasceu em 1975."

Ele olhou para suas anotações: "Sim."

"E em 1986? Qual mês?"

"Setembro."

"Fomos para a Califórnia, na Disney, no mês anterior — agosto? Antes da minha terceira série."

"Ah. A senhora se lembra de alguma coisa de setembro de 1986?"

"Em 1986? Terceira série? Eu tinha 8 anos. Meu pai trabalhava na ADT, dirigia uma caminhonete branca com escada vermelha. A caminhonete menor, não o caminhãozinho que dirigia antes. Instalava sistemas de alarme nas casas. Alguém foi assassinado em 1986, em Wichita?"

"Foi."

"Não é possível, quer dizer, papai não poderia... Papai, não... Vocês entenderam errado." Eu estava olhando para o nada outra vez.

Nossa vizinha da mesma rua tinha sido assassinada. Estrangulada. O caso nunca foi solucionado.

O terror se apoderou de mim. Fechei os olhos com força e abaixei a cabeça.

Tem alguma coisa muito errada. O BTK estrangulava mulheres — e provavelmente era verdade mesmo.

Lágrimas começaram a arder nos olhos. Eu me virei para Darian, meu rosto arregalado de medo, boquiaberta. Eu não tinha chorado ainda porque estava muito chocada, mas agora as lágrimas tinham começado e não parariam por muito tempo.

Eu me virei para o agente, baixei os olhos e enxuguei o rosto na manga. Em seguida, passei os braços com força ao redor do peito e disse baixinho: "Nossa vizinha, a sra. Hedge? Ela foi assassinada; morava na rua de casa. Entre a nossa casa e a dos meus avós. O corpo dela foi encontrado no campo, estrangulado. O caso nunca foi resolvido; acho que não. Meus pais falavam sobre um homem que havia levado ela para jantar... ela era viúva. Mas acho que ele nunca foi acusado. Não me lembro. Eu era pequena".

"Quando foi?" Os olhos do agente permaneceram calmos, e sua voz, firme.

Ele não estava mais escrevendo no bloco.

"Ah, 1984? Foi no fim da minha primeira série — quebrei o braço na igreja naquela época. Antes? Depois? Não tenho certeza." Contei nos dedos, pensando nos anos e na escola. "Ah, 1985. No início de maio, eu acho. Eu tinha 6 anos — fiz 7 em junho."

Respirei fundo: "Perdi o dente da frente lá no rio — na Riverfest, estávamos nas corridas de banheiras. Eu tropecei andando de volta para o carro com a minha mãe e perdi o dente em um sorvete vermelho de casquinha que eu estava comendo. Então, no dia seguinte, quebrei o braço, bem quebrado. Fiquei dois dias no hospital. Coloquei pinos e tudo." Levantei meu cotovelo direito com cicatrizes para o agente, como sempre fazia quando contava aquela história para alguém.

Papai não estava em casa naquela noite.

Meu estômago voltou a embrulhar. Apertei os olhos com força, então os abri devagar e fitei o rosto do agente: "Papai não estava em casa na noite em que ela desapareceu. Ele estava acampando com meu irmão. Brian tinha 9, quase 10 anos. Escoteiros, talvez?"

"Como a senhora sabe que seu pai não estava em casa?"

"Deu uma tempestade naquela noite. Eu estava assustada. Quando troveja, reverbera na nossa casa — às vezes a casa treme. Eu fui me esconder na cama com a minha mãe. Eu não teria feito isso se papai estivesse em casa. Dormi no lado dele da cama. Às vezes, dormia lá quando ele ficava fora. Só me lembro daquela noite porque nossa vizinha desapareceu. Minha mãe e minha avó Eileen ficaram com medo. Ainda não tinha quebrado o braço. Devo ter sido depois que a sra. Hedge desapareceu."

"A senhora a conhecia?"

"Sim, um pouco. Minha mãe e eu conversávamos com a sra. Hedge quando passávamos na frente da casa dela a caminho da casa dos meus avós. Ela ficava no quintal. Lembro-me dela apoiada no ancinho, acenando para nós uma vez. Ela era legal." Parei para pensar. "Fiquei triste quando soube que ela havia sido morta. Assustada também. Não queria mais passar pela casa dela. Atravessava a rua para não ficar tão perto. Minha mãe tinha que me convencer."

Pensei um pouco mais. "Apareceu um policial. Eu estava pulando no meu pogobol na garagem. Então... sem o braço quebrado. Fiz algumas perguntas para a minha mãe, depois que a sra. Hedge desapareceu. Ele estava conversando com todos os vizinhos."

"Ela desapareceu, a senhora acha, no início de maio de 1985 e, no final daquele mês, a senhora quebrou o braço?"

"Sim."

"Lembra de mais alguma coisa?"

"Meu pai não fez isso. Quero dizer..." Eu parei de falar e estava olhando para o nada outra vez.

"Preciso fazer alguns telefonemas", disse o agente ao se levantar.

Oferecemos a ele o quarto vago que havíamos transformado em depósito e um pequeno escritório de canto para mim.

Quando o agente voltou, falou: "Tudo bem coletarmos seu DNA com um cotonete? Precisamos combiná-lo com algumas amostras que temos".

O agente não tinha kit, não estava preparado. Parados na sala de estar, nós três conversamos sobre essa perplexidade por um instante.

Minha mente se agarrou a esse problema sólido — algo tangível que eu poderia fazer e que poderia pensar que não fosse meu pai.

Por fim, propus: "Posso pegar cotonetes e saquinhos de sanduíche com lacre e o senhor fazer o exame na minha boca?".

Tremendo, fui buscar os itens enquanto o agente ligava para o departamento de polícia. Ele achou que talvez precisássemos ir até a sede deles para a coleta.

Decidimos pegar as amostras nós mesmos, em pé na cozinha em frente ao bolo de chocolate que eu tinha feito. Passei o cotonete no interior da bochecha e coloquei no saquinho. Repeti o processo e, em algum momento, brinquei: "Igual no CSI".

Toda a realidade foi perdida.

O agente me entregou o cartão com seus números de telefone. (Carreguei esse cartão na bolsa por anos, mas hoje, não consigo nem me lembrar o nome dele.)

"O FBI recomenda que a senhora não converse com a mídia, porque pode piorar as coisas."

Por que a mídia tentaria falar com a gente? Piorar o quê?

Ele pegou os saquinhos do balcão, se despediu e saiu. Nunca mais o vimos.

Andei pelo corredor, levantei com cuidado a foto do meu pai e da minha mãe da parede e coloquei no armário do quarto, de frente para a parede. Essa seria a última foto do meu pai que teria na vida. Eu nunca exibiria sua foto outra vez. Independente disso, ele logo estaria na capa de todos os jornais e na TV.

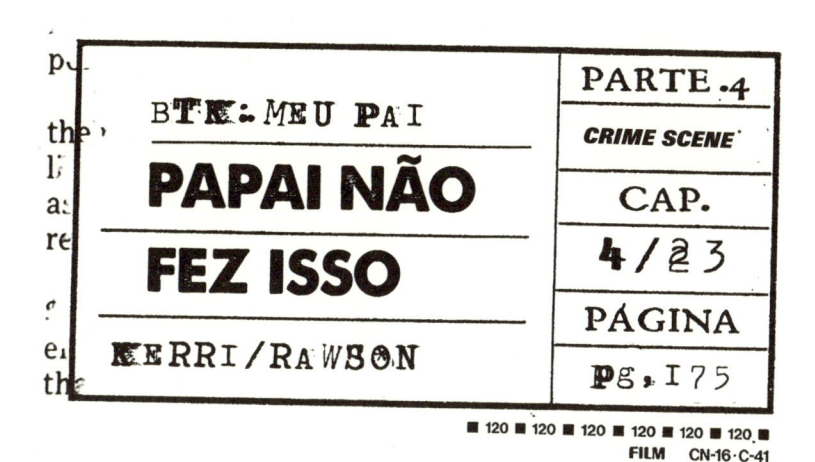

> BTK: MEU PAI
> **PAPAI NÃO FEZ ISSO**
> KERRI / RAWSON
>
> PARTE .4
> CRIME SCENE
> CAP. 4/23
> PÁGINA pg. 175

14H30
25 DE FEVEREIRO DE 2005

"No caminho para casa, eu achava que o FBI estava no apartamento porque eu tinha baixado sem querer alguma coisa que não deveria."

Se ao menos fosse isso.

Darian passou a mão pelo cabelo, deixando-a pousada ali por alguns momentos, como se estivesse atordoado e imóvel.

Existe um homem... FBI... seu pai é... Papai não pode ser.

"Eu preciso ligar para os meus pais, para o meu irmão..." Darian estava andando de um lado para o outro, vez ou outra ia até sua mesa, escrevia um lembrete. Tínhamos colocado a mesa do computador no canto da sala de estar para que eu ficar perto dele, relaxando no sofá, lendo ou assistindo à TV, quando ele tivesse que trabalhar até tarde.

Papai não pode ser. Papai é. Um homem. FBI.

Minha mente vagou outra vez; eu não o tinha ouvido.

"Kerri? Precisamos ir contar ao meu chefe. Tá? E, Kerri, pode cancelar qualquer aula que você tenha nas próximas semanas?" A voz de Darian entrava e saía, entrava e saía da minha atenção.

Cancelar o trabalho.

PROFILE
profile

E encarei o nada por alguns segundos e voltei para Darian falando. Ele estava olhando para mim, preocupado, seus olhos procurando os meus: "Kerri? Deixa para lá. Não se mexa, fique no sofá. Vou tirar nosso site de família do ar, só que pode levar algumas semanas até o cache ser limpo — e fazer umas ligações. Kerri, você almoçou?"

Hein? Site? Cache?

"Almoço. Não. Sem fome."

"Você precisa comer. Vamos comprar alguma coisa. Mas me deixa ligar para o meu pai primeiro. Tá?"

Tá.

A vizinha tinha desaparecido. Assassinada. Papai não estava em casa.

Eu vestia uma camisola azul-clara sem mangas com flores brancas minúsculas, eu estava suada — tinha ficado quente dentro de casa quando ficamos sem energia depois da tempestade.

Eles a encontraram no campo.

E se papai...? Não. Papai tinha um álibi — estava acampando...

Deitei no sofá e me encolhi em posição fetal.

Quebrei o braço na igreja. Eu tinha 6 anos. Minha mãe me dissera, vinte minutos antes: "Desça desses pinheiros antes que você caia e quebre o braço".

Meu cotovelo atravessou a pele. Chamaram de fratura exposta.

Talvez se ficar aqui deitada sem me mexer, vou parar de tremer e o mundo vai parar de girar e crepitar como se estivesse em chamas.

Papai deslizou a bandeja decorada com flores rosa debaixo do meu braço deformado e o embrulhou em panos de prato.

Ele me carregou para fora da igreja e me colocou no banco de trás da perua Oldsmobile prata. Mamãe foi comigo atrás, acariciando suavemente meu cabelo e meu rosto. Papai dirigiu até Wesley, passando pelos trilhos do trem o mais devagar possível enquanto eu gritava a cada solavanco.

Talvez se ficar aqui deitada sem me mexer...

Fui colocada na maca na entrada de emergência do hospital. Eles fizeram radiografias. Ganhei adesivos da Cinderela por cooperar. Eles me levaram para a cirurgia horas depois.

Discuti com as enfermeiras naquela sala gelada, enquanto pegava no sono, dizendo que meu nome era Nancy.

Talvez se ficar aqui deitada sem me mexer...

Não consegui terminar a primeira série.

Não pudemos ir para Padre Island em junho.

Papai não ficou feliz quando a viagem foi cancelada — tudo por minha causa e do meu braço quebrado com os três pinos de metal para fora, que tinham que ser limpos com iodo marrom fedorento todos os dias.

Eu o havia decepcionado. Ele queria uma viagem de férias.

Nossa vizinha tinha desaparecido. Então, quebrei o braço na igreja.

Eu tinha 6 anos.

Talvez se ficar aqui deitada sem me mexer...

A vizinha tinha desaparecido. Assassinada. Papai não estava em casa.

Não me lembro de Darian me tirar do sofá e me conduzir para o carro naquela tarde fria e vazia. Embora possa apostar que andei devagar, arrastando as pernas, segurando nas paredes e no parapeito da varanda. Não era apenas meu corpo que tremia; meu cérebro também. Minha mente tentava lutar contra a implosão total. Em autopreservação, ela tentava se acalmar — começar a se recuperar — e meu corpo estava desacelerando, se esforçando para acompanhar.

Não me lembro do *drive-thru* no Arby's, mas me lembro de tentar engolir um sanduíche de rosbife com cheddar no carro a caminho do escritório de Darian. (Vai demorar muito até comer outro desses.)

Não me lembro de entrar no escritório, trêmula, com lágrimas pelo rosto, mas me lembro da gentileza que o chefe dele demonstrou. Seus olhos encarando os meus, preocupados, dizendo que faria qualquer coisa para nos ajudar.

Eu me lembro de Darian defendendo seu novo chefe, dezoito meses antes, quando meu pai fez algum comentário esquisito sobre o tipo de pessoa que contrataria Darian. E me lembro de Darian dizer, com firmeza e orgulho: "Meu novo chefe, dentre todos neste país, me deu um emprego, apostou em mim — em nós", gesticulando para mim.

O comentário do meu pai doeu, e eu estava maravilhada com meu novo marido, mas tenho certeza de que fiquei em silêncio como uma covarde, sabendo que me custaria caro se falasse contra o papai.

Não me lembro de ter voltado para casa, só de tentar manter meu almoço no estômago enquanto contornávamos alguns cruzamentos. Não me lembro do resto daquela primeira tarde terrível depois que papai foi preso, exceto por finalmente conseguir falar com a minha mãe no telefone muito tempo depois do que eu deveria.

O FBI, a polícia de Wichita — eles deveriam ter nos deixado falar uma com a outra. Não sabíamos de nada. Era cruel e me assustava.

Não me lembro quem ligou.

Nossas vozes ecoaram uma na outra, se sobrepondo, os mesmos sons rasgados e perturbados, ambos dominados pelo choque e pela tristeza, ambas caindo cada uma em seu próprio inferno, a dezesseis horas de distância uma da outra. "Fiquei dizendo à polícia que haviam cometido um erro terrível, mas não quiseram me ouvir."

"Eu também, mamãe. Eu também."

"Ando muito preocupada com você, com o Brian. Você falou com ele? Não estou conseguindo." Mamãe estava sendo mantida no escuro como eu.

Então, ela falou em tom rápido e assustado: "Quando estava saindo do trabalho para almoçar em casa, vi um helicóptero voando em direção a Park City. Fiquei me perguntando quem estariam perseguindo. Tinha visto carros não identificados estacionados na rua na semana passada. Imaginei que era por alguma boca de tráfico.

"Enquanto eu estava sentada à mesa da cozinha almoçando, esperando seu pai voltar para casa, ouvi uma batida na porta. A polícia disse que tinha que sair naquela mesma hora, precisava ir com eles. Pedi minha bolsa, porque precisava do remédio — dos meus inaladores. Eles voltaram e os pegaram.

"Fui levada ao centro para ser interrogada. Logo, ouvi a voz de sua avó Dorothea, dos seus tios, então de mais familiares. Todos presos e levados para a delegacia. Todos dissemos à polícia: 'Vocês pegaram o homem errado', como em dezembro, mas não querem me ouvir. Estão na casa agora. E não sei quando vão embora. Vou ficar com parentes..."

Mamãe estava ficando mais transtornada, a voz falhando, parando no meio da frase. Eu estava com dificuldade para acompanhar: "Mãe, sinto muito por isso tudo. Eu te amo. O tio Bob está aí ou alguém com quem eu possa falar?"

Papai foi preso, mamãe foi presa e meu irmão e eu fomos notificados do outro lado do país, tudo ao mesmo tempo. Uma ação coordenada planejada pela polícia de Wichita, pelo FBI e pelo Kansas Bureau of Investigation (KBI)*. Os caras de distintivo tinham pegado seu homem, o mundo estava desmoronando debaixo dos pés da minha família e nada mais seria igual dali para a frente.

20H

"Seu pai está confessando."

"O quê? O que ele está confessando?"

"Assassinatos. Os do BTK."

Ah.

"Também encontramos evidências na casa dos seus pais que ligam seu pai a BTK, aos assassinatos." Um agente do FBI estava ao telefone na sexta-feira à noite. Não me lembro se foi esse agente que nos notificou da prisão de papai ou outro. Não me lembro se liguei para eles ou se me ligaram.

Na minha casa?

"Na minha casa? *O que* havia na minha casa?"

"Provas dos assassinatos, encontradas sob um fundo falso no corredor na casa dos seus pais, debaixo de uma gaveta. Seu pai nos disse onde procurar."

---

* [NT] O KBI é um órgão com atribuições análogas ao FBI (federal), mas com jurisdição limitada ao Kansas.

Ah. Provas. Assassinatos. Meu pai disse a eles onde procurar.

Caminhávamos por aquele corredor que conectava nossos três quartos inúmeras vezes por dia. Guardávamos as roupas de casa no armário de cima. Um guarda-tudo no meio, uma gaveta com toalhas velhas e meias no fundo — panos de limpeza.

Passamos por muitos avisos de tornado naquele corredor, com todas as portas dos quartos fechadas, ouvindo a KFDI pelo rádio a pilha, agachados com cobertores, travesseiros e nossa caixa de emergência para tornados. Papai ficava de guarda na varanda da frente e era repreendido por mamãe por não estar no corredor com a gente.

Eu tinha dado um abraço de despedida em papai naquele corredor fazia dois meses.

"A mídia vai começar a aparecer amanhã ou domingo. Sua família precisa ter cuidado. Decida agora: onde você vai ficar, com quem, se vai falar com alguém ou não, o que vai dizer."

"Uh... agora, estamos tendo muita dificuldade em acreditar que seja verdade, que papai possa ser..." Minha voz enfraqueceu. Estava ficando transtornada de novo ou ainda não havia me recuperado do primeiro impacto. Eu realmente não sabia qual dos dois.

"Sim, entendemos. Você tem nosso número — ligue se alguém causar problemas."

Desliguei. "Darian? O papai vai confessar. O FBI falou que..."

Talvez se eu disser em voz alta, se torne verdade.

Em algum momento naquela noite, Darian e eu fomos ao supermercado próximo que frequentávamos. Acho que não era nosso programa normal para a noite de sexta-feira. Nenhum de nós estava com fome e acho que não compramos muito. Meu irmão ligou enquanto eu estava parada no corredor de congelados contemplando caixas de pizza. Discutimos possibilidades, mas Darian interrompeu. "Shh... as pessoas vão ouvir."

Continuei falando, vagando sem rumo ao redor dos expositores cheios de tortas, pães e bolos, até que me sentei no banco perto da seção de revistas, esperando Darian terminar a compra. Continuei falando no caminho de casa e enquanto entrávamos. Estava de volta ao nosso apartamento, perto da nossa mesa dobrável chique, quando a voz de Brian ficou embargada e falhou.

"A gente vai ficar bem." Minha voz transparecia a mesma dor que havia na voz do meu irmão, e não sabia como sobreviveria àquela noite. Mas Brian precisava de encorajamento, e talvez ouvir em voz alta ajudasse a tornar realidade.

"Darian não vai sair de perto de mim por nada, e a mamãe está com parentes. Vamos ficar bem, tá?"

Papai estava nos destruindo — à sua família. A minha família.

BTK: MEU PAI
UM ÁLIBI NO GOOGLE

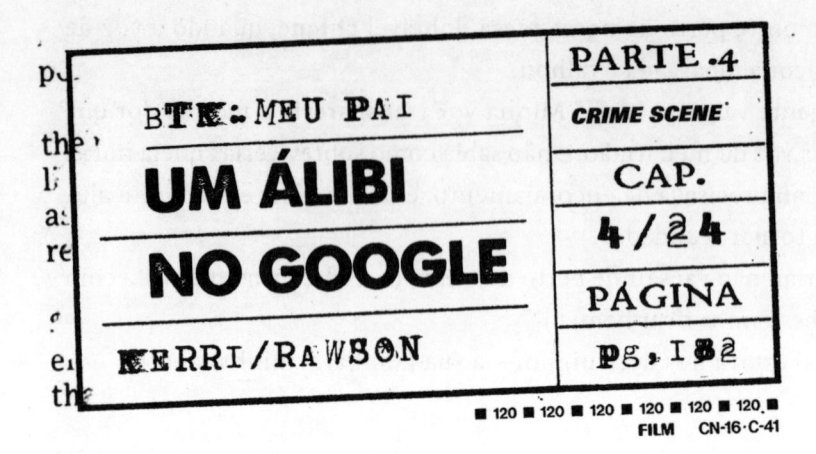

KERRI / RAWSON

PARTE 4
CRIME SCENE
CAP. 4/24
PÁGINA pg. 182

22H
25 DE FEVEREIRO DE 2005

Tarde da noite na sexta-feira — quando ainda achava que papai poderia ser inocente, achei que conseguiria encontrar um álibi para ele, pensei que poderia ajudar o homem que eu amava — pesquisei "BTK" no Google.

Foi o pior erro que já cometi.

A cada clique, cada olhada nas páginas, cada notícia, eu caía em um abismo de desespero e terror. Era agredida por nomes e rostos de vítimas, imagens fortes da cena do crime, detalhes horríveis de assassinatos violentos. Não sabia de quais casos meu pai era acusado, o que era mito da internet e o que era fato.

Não sabia de quantos *assassinatos* meu pai era acusado. Pesquisei artigos em noticiários de alcance nacional que tinha lido no verão anterior, depois que BTK começou a se comunicar com a polícia outra vez, procurei artigos no site do *Eagle*.

Oito.

Ele era procurado por oito assassinatos, incluindo duas crianças.

Crianças.

Eu queria vomitar.

Oito assassinatos.

E não incluía nossa vizinha, a sra. Hedge. Eu tinha entregado ao FBI outro assassinato de papai? Nove?

Não consegui desviar os olhos da tela. Não contei a Darian. A única coisa que fiz foi ficar ali, ainda me expondo ao que continuaria me assombrando por um longo tempo.

Encontrei dois retratos falados dos casos de 1974. Acho que nunca tinha visto os retratos. Eu conseguia enxergar vagamente meu pai em uma imagem de abril de 1974 — a maneira distante com que os olhos escuros eram representados no desenho. Também me deparei com a gravação de áudio de uma ligação ao 911 em dezembro de 1977, após o assassinato. Eu não sabia de sua existência, embora tenha sido divulgado em 1979.

Tudo que eu sempre conheci, amei e acreditei estava desmoronando. Minha vida inteira era uma mentira — desde antes de eu nascer.

"Vocês vão descobrir um homicídio no número 843 da... Isso mesmo."[1] Através da estática, tomada pelo medo, reconheci a voz do meu pai... jovem, mas ele. Percebi a maneira sucinta, curta e oficial com que falava, especialmente se falava com gente uniformizada: policiais, guardas florestais, fiscais de pesca e caça. Papai conseguia mudar não apenas o jeito de falar, mas também a postura; ficava com a postura mais ereta, mais alto — endurecia-se, continha as emoções, imitava-os.

É um relatório. Denunciando um homicídio — como alguém de distintivo.

Tudo que eu sempre conheci, amei e acreditei estava desmoronando. Minha vida inteira era uma mentira — desde antes de eu nascer.

De alguma forma, consegui sair da cadeira e cambalear para a cozinha. Segurando os armários para chegar à geladeira, estendi a mão e peguei a garrafa de vodca que tinha sobrado da confraternização de

Natal do escritório de Darian. Eu me servi de uma dose na caneca de café branca com corações vermelhos e tentei engolir. Até então, só tinha ingerido bebidas alcoólicas misturadas, e apenas algumas vezes.

"O que está fazendo?" Darian tinha vindo para a cozinha ver o que se passava com a esposa prestes a desmoronar.

"Bebendo. É o que fazem nos filmes. Sabe, quando acontecem coisas ruins."

"E está ajudando?", ele perguntou em tom gentil.

"Não. Queima e tem gosto de fogo."

Ele tomou a caneca e despejou o resto na pia. "Acho melhor ir para a cama."

"Eu não quero dormir. Vou comer uma fatia de bolo." E comecei a cortar para mim um pedaço considerável de bolo de chocolate, mesmo com ânsia de vômito. Eu lamentaria aquele gole de fogo e fatia de bolo — que assentaram no meu estômago como pedra — por um longo tempo.

```
MEIA-NOITE
```

Não sei como vou sobreviver. Acho que estou morta — parece que eu morri.

Nada. Não sinto nada.

Não sou nada. Morta.

O pior dia da minha vida transbordou para o seguinte. Entorpecida, mas trêmula, às vezes de forma incontrolável, estava desmoronando cada vez mais — me desintegrando.

Darian me persuadiu a ir para a cama, mas agora estava com muito medo de desligar o abajur. Peguei a Bíblia da prateleira inferior da mesa de cabeceira, mas não tive forças para abrir. Deixei-a cair no chão.

Onde o Senhor está, Deus?

A foto de Michelle no porta-retratos de moldura azul-clara chamou minha atenção. A noite em que perdemos Michelle foi terrível. Não sabia como algum de nós ia conseguir se recuperar. A foto dela estava ao lado do meu anjo de madeira cujas asas retorcidas agora estavam enferrujadas.

Quando eu era pequena, minhas primas tinham um coelho marrom com orelhas caídas que eu adorava. Eu ria quando ele torcia o narizinho preto. Quando fui madrinha de casamento de Andrea, seis anos antes, ela me deu um coelho de topiaria em cerâmica, com brincos de esmeralda como presente para a madrinha. Agora o coelho ficava ao lado da foto de Michelle e do anjo de madeira.

Tínhamos mudado, embora ainda sentíssemos muita falta de Michelle; tínhamos sobrevivido, mesmo com as feridas profundas ainda não cicatrizadas por completo. Nos apaixonamos, nos formamos na faculdade, nos casamos.

Papai me levou ao altar, nervoso e orgulhoso, tentando conter as lágrimas.

O amor nunca falha.

A vida seguia em frente.

Deus estava continuamente produzindo novas vidas.

O Salmo 23 começou a passar pela minha cabeça: "*Ainda que eu ande pelo vale da sombra da morte...*".

"Preciso deixar a luz acesa esta noite." Eu me enrolei ao lado de Darian e coloquei a cabeça no seu peito. Darian era sólido e tangível em um mundo enlouquecido.

"*Não temerei mal nenhum...*"

"Está tudo bem. Não sei se consigo dormir." Ele passou os braços em volta de mim.

"*...porque tu estás comigo; o teu bordão e o teu cajado me consolam.*"

"Eu também."

Eu me senti como se estivesse em vigília, esperando que mais algum mal batesse à nossa porta. Em alerta. Não havia ninguém para nos dizer que já podíamos relaxar.

Eu me sentei frustrada. Nervosa. Farta. "Que inferno! Não consigo dormir aqui!"

"Quer dormir no sofá? Posso ficar no chão ou algo assim."

"Quero." Peguei o pesado edredom marrom e o travesseiro e os arrastei para a sala.

"*O SENHOR é o meu pastor; nada me faltará. Ele me faz repousar em pastos verdejantes. Leva-me para junto das águas de descanso; refrigera--me a alma...*"

Passamos o resto da noite nos revezando para dormir, um no sofá e o outro, no chão, na vigília do outro. Eu acordava no meio da noite, grogue, e via Darian no computador; ele estava de olho lá também.

"*Bondade e misericórdia certamente me seguirão todos os dias da minha vida; e habitarei na Casa do Senhor para todo o sempre.*"[2]

Quando chegou o início da manhã, eu estava no chão ancorada firme no edredom, e Darian no sofá, embrulhado no cobertor verde--mar: um presente de casamento.

Por um momento, não me lembrei o que acontecera. Eu estava no chão da sala.

Ah.

Meu cérebro latejava.

Bateram na porta... FBI... seu pai é... Papai não é.

Minhas mãos tremiam de novo.

Sentei e olhei em volta, tentando descobrir que horas eram.

Meus olhos doíam — estavam quase fechados pelo inchaço, depois de tanto chorar no dia anterior.

Deitei de novo, enrolada de lado como uma bolinha, me cobrindo até os ouvidos com o edredom pesado. Agora não havia nada na terra verde de Deus, que estava coberta de gelo e neve, que me fizesse querer ficar acordada.

11H
SÁBADO

No meio da manhã, fomos notificados de que haveria uma coletiva em Wichita anunciando a prisão de papai. Um canal a cabo ia transmitir ao vivo, mas não tínhamos assinatura.

Depois disso, o que me lembro é que nossos amigos no Texas colocaram o telefone na frente da TV para ouvirmos. Darian deixou o celular entre nós no sofá e aumentou o volume do viva-voz. A insanidade surreal trazida por ondas transmitidas por todo o país.

"BTK está preso", anunciou o chefe de polícia de Wichita, Norman Williams.[3]

Isso foi recebido com muitos aplausos e vivas.

Por que estão comemorando? Eles acabaram de levar o meu pai.

Meus tremores estavam piorando; assim como o latejar no cérebro.

Em seguida, vieram um monte de discursos — políticos. O noticiário nacional foi cortado depois de dez minutos; ninguém mencionou meu pai.

Mais tarde, li que, quarenta minutos após o início da coletiva de imprensa, o comandante da força-tarefa BTK, o tenente da polícia de Wichita, Ken Landwehr, finalmente teve a chance de falar:

Pouco depois do meio-dia de ontem, agentes do KBI, agentes do FBI e membros do Departamento de Polícia de Wichita prenderam Dennis Rader, 59, em Park City, Kansas, pelos assassinatos de: Joseph, Julie, Josephine e Joseph Otero Jr., Kathryn Bright, Shirley Vian Relford, Nancy Fox e Vicki Wegerle. Ele foi preso por homicídio qualificado de todas essas vítimas.[4]

Não muito depois da entrevista coletiva, ele também foi acusado dos assassinatos em primeiro grau de Marine Hedge e Dolores Davis.

BTK: MEU PAI
OS CIRCOS DA MÍDIA
KERRI / RAWSON

PARTE · 4
CRIME SCENE
CAP. 4/25
PÁGINA pg. 188

16H
SÁBADO, 26 DE FEVEREIRO DE 2005

"Isso aqui está virando um circo. Ainda estamos tentando decidir se seria melhor mandar sua mãe para Detroit ou trazer você para cá." Tio Bob ligou e estava me contando as últimas notícias de Wichita, que havia sido invadida pela mídia nacional.

A rua da minha casa estava fervilhando de turistas, e a polícia de Park City tentava impedir que as pessoas roubassem a caixa de correio dos meus pais ou qualquer outra coisa que desejassem do nosso quintal.[1]

"Sua mãe está passando por um momento muito difícil agora, então estou ligando para ver como vocês estão. Estamos atrás de um advogado para o seu pai."

"Boa ideia. Eu não acho que isso vai acabar tão cedo."

"Não, nós também não. Simplesmente não parece possível. Não o seu pai. Estamos todos muito abalados; apenas não faz sentido, mas estou com você — precisamos de alguns planos. Sua mãe ainda não chegou a esse ponto. Precisamos ser pacientes e ir devagar".

"Ok, as coisas estão tranquilas por aqui."

"Nós amamos você e o Darian; estamos orando."
Orando.

No sábado à noite, todos os sites de notícias do país estavam se esbaldando na cobertura da prisão do meu pai e falando de seus supostos crimes, com a bela foto dele de paletó e gravata do diretório da igreja, a que eu tinha pendurada na parede até o dia anterior.

Eu havia voltado para a internet — era nossa principal fonte de informação, mas tentava ser mais cuidadosa e me limitar a notícias confiáveis. Incapaz de compreender concretamente o que papai poderia ter feito, comecei a esquecer os crimes. Tinha brancos, então relia as notícias sem parar, caía em um ciclo de desconexão, dissociação, para em seguida adentrar a lembrança e o reforço.

Minha mente estava sempre tentando estreitar — como se alguém se aproximasse de mim para colocar um cobertor grosso e felpudo ao redor dela — para amortecer os efeitos das informações que chegavam, mas eu continuava a enfrentar, pensando que se soubesse de tudo e pudesse compreender, não me sentiria tão perdida. Em vez disso, o que acontecia era que eu acumulava dano após dano e seguia para uma pilha mental de problemas.

23H

No fim da noite de sábado, o absurdo chegou à internet e ao noticiário, quando uma piada de Darian ganhou repercussão: no ano anterior, no nosso site de família, ele tinha dito que meus terrores noturnos "seriam a morte" dele.

O cache não havia sido limpo a tempo.

Eu havia murmurado meio adormecida que uma pilha de roupas no canto do nosso quarto parecia um mexicano. Agora a internet achava que eu era racista e presumia que meus murmúrios tinham a ver com a família Otero, descendentes de porto-riquenhos.

Quatro integrantes de uma família, incluindo dois filhos, haviam morrido, e era isso que a internet tinha a oferecer?

Logo, eu me deparei com a seguinte manchete da CNN: "Relato: Filha do Suspeito de Ser o btk Alerta a Polícia". O artigo começava com:

> A filha do homem preso pelas autoridades de Wichita, o suspeito de ser autor dos notórios assassinatos do btk, procurou a polícia para expressar suas suspeitas e forneceu voluntariamente uma amostra de sangue, informou a emissora kake-tv, de Wichita, no sábado à noite. A kake citou fontes dizendo que o sangue de Kerri Rader, 26, cujo pai, Dennis, foi preso na sexta-feira, apresentou correspondência de DNA de 90% com o do assassino btk [...] a polícia começou a vigilância sobre Dennis Rader depois que os resultados ficaram prontos.[2]

A filha de... O quê? Eu alertei a polícia?
Amostra de sangue? Que amostra de sangue?
Um jornal de alcance nacional dizia que eu havia entregado o meu pai para a polícia. O jornal havia se baseado nas notícias locais da emissora de TV de Wichita — fontes não identificadas, não confirmadas. Nenhum comentário da polícia.

Dei-lhes dois cotonetes com material da minha boca. Nenhum sangue.

Vigilância? Antes da prisão? Nada fazia sentido, mas agora começava a sentir raiva. Raiva da mídia. Raiva do silêncio da polícia.

Essa raiva dissipou um pouco do entorpecimento e me ajudou a lembrar que eu ainda respirava.

A CNN estava espalhando por aí que eu denunciei meu pai. Não era verdade.

Eu falei sobre a sra. Hedge.
Eu tinha 6 anos.
Eu preciso da minha cama.

DOMINGO

Dormi na minha cama na segunda noite, mas acordei tremendo de novo.
Houve uma batida... FBI... seu pai é... Papai não é.
Um ciclo vívido e detalhado dava voltas na cabeça desde o primeiro dia. Durava alguns minutos, mas eu ficava encarando o nada, vendo a sequência de lembranças passar por mim como um lampejo. Enquanto minha mente revivia as imagens, sentia o medo de novo — medo físico, como se estivesse acontecendo e acontecendo sem parar, e meu peito ia se apertando mais a cada vez. Ia e voltava por vontade própria, como já vinha acontecendo várias vezes desde sexta-feira. Eu não conseguia me livrar daquilo mais do que conseguia impedir meu corpo de tremer. Eu havia dormido, pelo menos até certo ponto, por duas noites, mas ainda acordava confusa.

Darian consegue ver os tremores. Não vou contar a ele ou a qualquer outra pessoa sobre *o ciclo na minha mente.*

Depois de me obrigar a sair da cama, fui para a sala e perguntei a Darian quais eram as últimas notícias.

"Você não vai querer ver o jornal."

"Por quê?"

"Estamos na primeira página."

"Você quer dizer que o papai está na primeira página, certo?"

"Não. Quero dizer nós." Ele gesticulou entre mim e ele: "Nós."

Darian apontou para o *Detroit Free Press* na mesa. "Temos filhos. Sabia?"

O quê?

Ele me entregou o jornal. No fim, havia um artigo sobre a filha de BTK e o marido, que tinham dois filhos e moravam na área metropolitana de Detroit.

"Darian, como o jornal sabe onde a gente mora?"

"Darian, por que diz que temos filhos?"

"Por que as pessoas ficam me chamando de filha do BTK?"

"Darian, vou voltar para a cama."

MEIO-DIA

Eu me convenci a sair da cama. Não sei por quê. Eu não deveria.

Darian disse: "Um repórter tentou oferecer um envelope grosso e cheio de dinheiro ao meu pai se contasse nossos podres".

O quê?

"Meu pai fechou a porta na cara deles. Além disso, um repórter ofereceu dinheiro ao meu melhor amigo em Wichita para nos filmar. Ele os mandou cair fora."

Estou com a sensação de que hoje vou precisar muito da minha cama.

No meio da tarde, ouvi uma batida na porta.

Darian olhou pelo olho mágico e viu dois repórteres de emissoras locais no corredor com cinegrafista. A luz da câmera já estava acesa. Já estavam gravando — à espera de que alguém abrisse a porta.

"Kerri, sou da Fox News. O canal 4 também está aqui. Duvido que sejamos os últimos."

Parei no corredor e me curvei como se estivesse me escondendo. O mundo começava a pegar fogo de novo. Meu corpo parecia se separar da mente. A mente parecia se separar do meu corpo.

Deus pai? Não vou sobreviver a isso.

Tomada de novo pelo medo, me encostei no armário do corredor onde guardávamos as roupas de casa, me encolhi como uma bolinha, tremendo. Passei os braços em volta dos joelhos e tentei ficar o menor possível.

Perguntas do FBI, pedindo meu DNA, internet explodindo, noticiários dos canais a cabo explodindo em confusão, agora câmeras no nosso corredor — o corredor trancado.

A vergonha tomou conta de mim como se tivesse feito algo errado.

O interfone tocou. Mais repórteres perguntando pela filha do BTK.

Culpada pela acusação. Eu sou a filha do BTK. Não sou mais Kerri — ela se foi.

Darian estava parado perto da porta.

De novo em vigília.

Olhou para o corredor e me viu desintegrando diante de seus olhos.

Então, marchou até a caixa de ferramentas, pegou a chave de fenda e desativou o interfone.

Em seguida, veio até mim: "Vamos, vamos para o sofá. Precisamos tirar você daqui — de casa — antes que piore."

Casa. Kansas. Não aqui, onde havia câmeras dentro de prédios de apartamentos.

Filha do BTK.

Darian ligou para a delegacia local e logo o chefe de polícia veio. Ele aconselhou Darian da mesma forma que o FBI havia aconselhado: não devemos falar com a mídia. O que disséssemos poderia prejudicar o caso do meu pai, prejudicar minha família.

Parei no corredor e me curvei como se estivesse me escondendo. O mundo começava a pegar fogo de novo. Meu corpo parecia se separar da mente. A mente parecia se separar do meu corpo.

Darian respondeu que não falaríamos com a mídia e que eu estava tremendo em nosso apartamento naquele exato momento, apavorada.

O chefe de polícia disse aos repórteres, aos operadores de câmera e aos furgões de imprensa que não poderiam ficar em propriedades privadas ou em prédios privados e, em seguida, postou um policial local em frente ao nosso prédio.

Muito depressa, eu desenvolvia uma enorme aversão por aquele circo e seus palhaços, mas pensei que os sujeitos com os emblemas poderiam não ser tão ruins, afinal. Exceto o FBI — exigiria um pouco mais de perdão e compreensão.

15H

"Falamos com um advogado. Ele contou à sua mãe, a nós, que seu pai vai confessar. Disse quanto a defesa dele pode custar." Tio Bob estava ao telefone outra vez. "Ele recomendou que deixássemos seu pai recorrer aos defensores públicos."

"Sim. Não podemos pagar... Quer dizer, o que a mamãe achar melhor."

"Ela concordou com o advogado, mas não está bem. Precisamos trazer você para cá, para ficar com ela. Ela precisa de você, você precisa dela."

Minha mãe e meus avós partiriam de Wichita em breve, para ficar com parentes. Decidimos que eu pegaria um voo para Kansas City, onde poderia encontrar minha família em segurança — longe de Wichita, que fervilhava de repórteres. A família pagou minha passagem aérea e eu faria conexão em Chicago, no aeroporto de O'Hare, na segunda-feira, a caminho de casa.

Casa.

Não me lembro do resto do domingo, exceto por duas coisas. Nossos vizinhos do outro lado do corredor deixaram um bilhete simpático na porta, oferecendo-se para fazer compras de supermercado para nós. E Darian me disse vinte vezes ou mais que eu precisava fazer as malas.

Fazer as malas? Por quê? Ah, certo. A filha do BTK estava indo para casa.

BK.

EXPOSED
EXPOSED
EXPOSED
EXPOSED
EXPOSED

撮影済
EXPOSED

15

RADER

CNK-4 C-41   120

EXPOSED 撮影済
内に折ってシールしてください。
FOLD UNDER
BEFORE SEALING

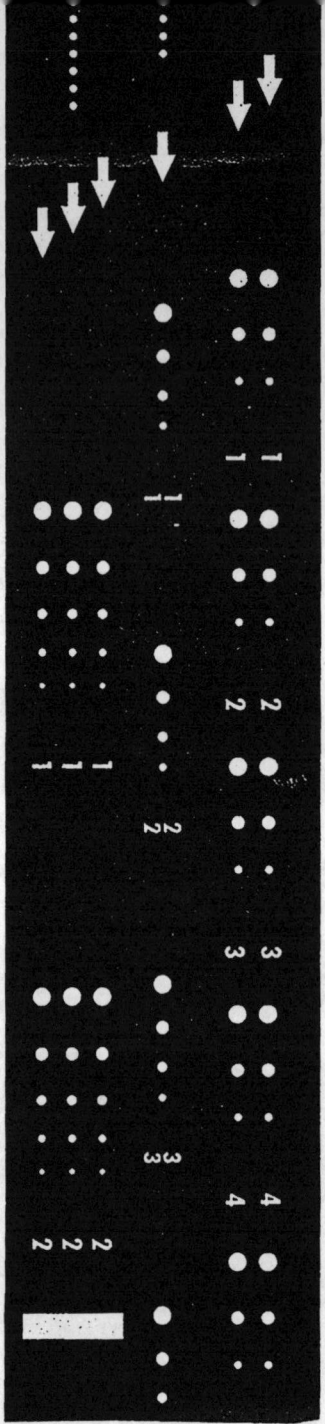

BK
PARTE 5
BUSQUE ABRIGO

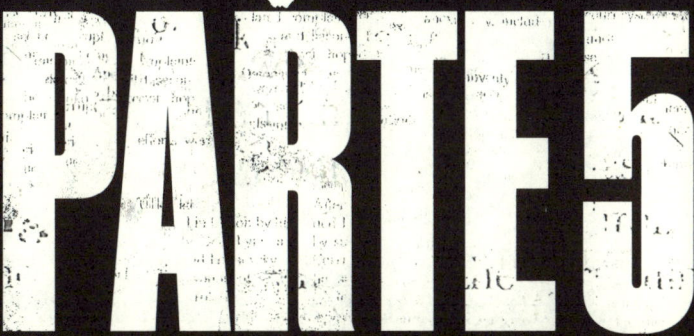

O QUE HABITA NO ESCONDERIJO DO ALTÍSSIMO
E DESCANSA À SOMBRA DO ONIPOTENTE DIZ AO
SENHOR: "MEU REFÚGIO E MEU BALUARTE,
DEUS MEU, EM QUEM CONFIO".
— SALMOS 91:1-2

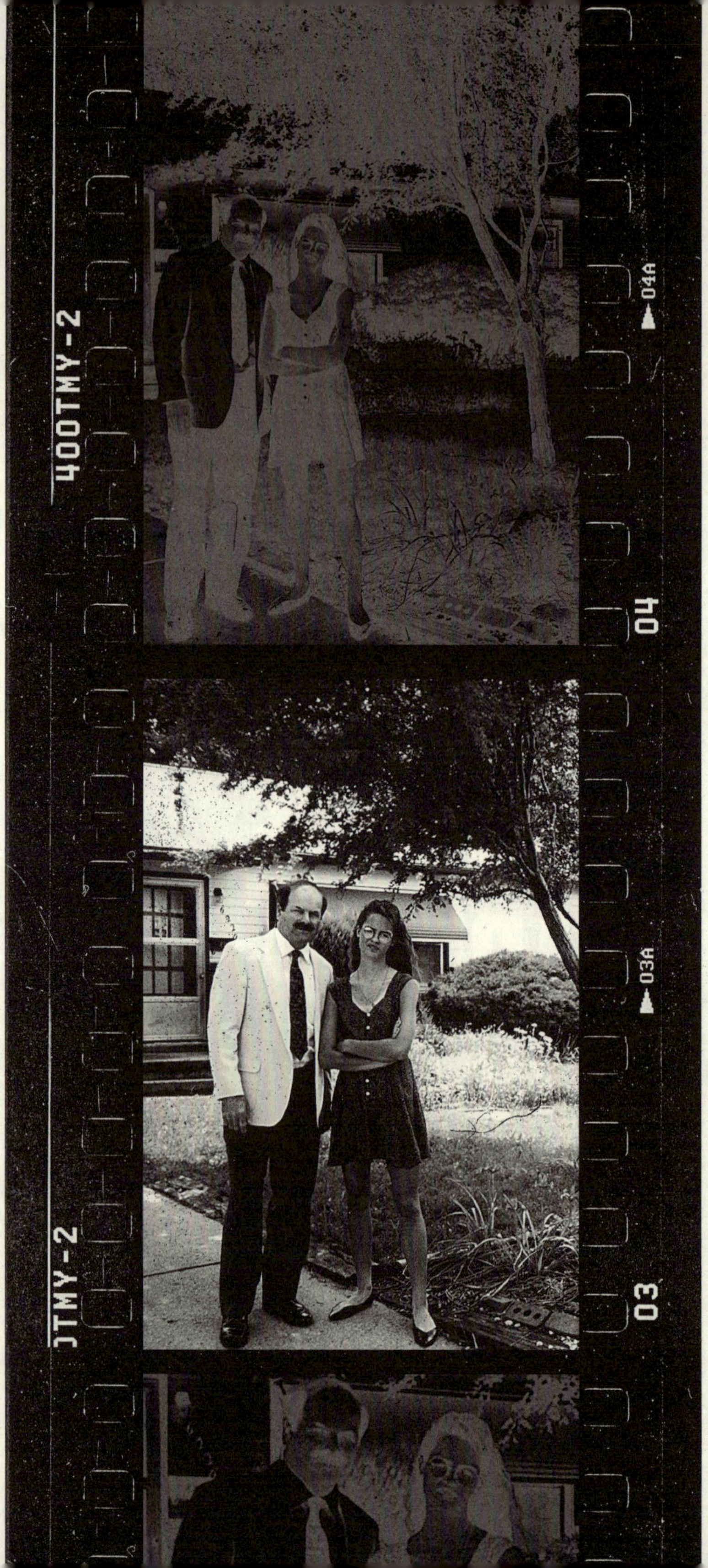
400TMY-2
04A
04
TMY-2
03A
03

PARTE 5 — CRIME SCENE
BTK: MEU PAI SEMPRE SEREI A FILHA DELE
KERRI RAWSON
CAP. 5/26

SEGUNDA-FEIRA, 28 DE FEVEREIRO DE 2005

Na madrugada do quarto dia, Darian carregou minha bolsa escada abaixo quando saímos do apartamento, abriu a porta da garagem fria e sombria e, em silêncio, colocou-a no porta-malas. "O que aconteceu com a nossa plaquinha do Powercat da universidade?"

"Tirei. Também tirei a moldura da KSU na traseira. Não quis que nos denunciasse."

Ah.

"Está pronta? Dei uma olhada lá fora agora há pouco — acho que está tudo limpo."

"Pronta, eu acho."

"Assim que fizermos você chegar em casa, você vai se sentir um pouco melhor."

"Sim. Ok. Vamos."

Prendi a respiração enquanto Darian lentamente tirava o carro da vaga e virava para pegar a rampa de saída do estacionamento, na frente do prédio.

Limpo. Nenhum furgão de imprensa esperando por nós.

Soltamos um audível suspiro de alívio.

"Viu? Estamos bem."

Quando virou na rua principal, continuei olhando para trás — a fim de verificar se havia alguém nos seguindo.

"Estamos bem. Ninguém lá atrás." Darian se virou e olhou para mim com um leve sorriso e um encolher de ombros, tentando, tentando, *tentando* me animar.

Meu rosto ficou vermelho, eu me encolhi na cadeira de plástico duro, a cabeça baixa de vergonha. E se alguém souber quem sou? De quem sou filha?

Estendi a mão e acariciei sua perna. "Tá, a gente vai ficar bem."

Talvez, se repetíssemos várias vezes um para o outro, acabássemos acreditando.

Olhei pela janela do passageiro enquanto seguíamos para o sul na I-275, rumo ao aeroporto. À volta, tudo congelado e desolado, mas pelo menos estava debaixo do céu aberto e não presa no minúsculo apartamento onde tínhamos nos enfurnado nos últimos dias. E havia um plano, estávamos fazendo alguma coisa, qualquer coisa — finalmente.

Darian levou a mala para o aeroporto e esperou comigo enquanto eu fazia o check-in. Ele repassou as instruções de última hora: "Sei que viajou de avião há dois meses, mas é a sua primeira viagem sozinha e..."

E...

Ele me abraçou com força na frente do controle de passaportes.

"Te amo."

"Te amo."

Darian esperou até eu passar pela segurança e, com um aceno, ele se virou e saiu.

Estava sozinha, cercada por centenas de pessoas correndo de um lado para o outro no saguão, todas sem saber que a filha de um serial killer estava entre elas.

Pouco depois de me sentar perto do portão, bebericando um *latte* de avelã, ouvi uma voz familiar. Olhei para o televisor enorme suspenso acima da minha cabeça e vi um amigo da família, que frequentava a mesma igreja dos meus pais, dando entrevista à CNN. Era o porta-voz da igreja.

Havia uma faixa rolando rápido na parte inferior da tela: BTK... Wichita... Dennis Rader...

Meu Deus. É assim que tem sido nos últimos três dias?

...presidente da igreja... sujeito comum... pai... Olhei para cima e encarei boquiaberta a foto do meu pai no domingo. Ele vestido de macacão laranja néon, cansado, taciturno, zangado, descabelado. Carrancudo.

Ele vai ficar irritado com aquela foto de prisão feia.

Olhei pelo saguão; meu pai estava em todas as telas de TV.

Minhas mãos tremeram.

Deus do céu. Não vou sobreviver.

Meu rosto ficou vermelho, eu me encolhi na cadeira de plástico duro, a cabeça baixa de vergonha.

E se alguém souber quem sou? De quem sou filha?

Então, ouvi a voz dele — papai. Um vídeo com "fala de policial", áspero e formal, em seu casaco de inverno marrom-escuro do uniforme de agente de *compliance* e boné.

Minhas mãos agora tremiam muito.

Era o trecho de uma entrevista que ele dera quatro anos antes para a emissora de TV de Wichita, a KSN: "Os cães são um tanto territoriais, além de ferozes, e estamos tentando cercá-los e encurralá-los da melhor forma possível".[1]

Como John Wayne — seu herói de infância.

Ele fala igual de quando denunciou o assassinato de uma moça em 1977.

"Você encontrará um homicídio... Nancy Fox... Isso, correto." Nancy tinha 25.

Eu tenho 26.
Vem, Senhor Jesus. Vem.
"*Meu Deus, o meu rochedo...*"
Fragmentos dos Salmos estavam girando na minha cabeça outra vez.
Mexi na bagagem de mão, peguei o MP3 player preto e os fones de ouvido. Toquei *A Rush of Blood to the Head* do Coldplay bem alto. E me abaixei atrás do livro grosso que trouxera: *Harry Potter e o Cálice de Fogo*, um dos favoritos para fugir da realidade. Sobrevivência.
"*...em quem me refugio.*"[2]
Não me lembro de entrar no avião, mas me lembro de ter me espremido contra a janela oval fria e de haver um comissário de folga acomodado a um assento de distância, com a lacuna entre nós que parecia enviada do céu. Lembro-me da decolagem, de sentir a liberdade com o doce *vuush* do avião ao levantar voo, das lágrimas pelo rosto na subida acima das nuvens escuras e de encontrar um raro céu muito azul a caminho de Chicago.

A filha do BTK estava indo para casa.

Feixes brancos, cálidos e intensos ricocheteavam nas janelas e aqueciam meu rosto.

"*O Senhor é a minha luz...*"
Não sei o que espera por mim em casa. Mais CNN?
Pai.
O Michigan está muito longe de tudo o que há pela frente.
"*...e a minha salvação...*"
Mas mamãe precisa de mim.
E eu preciso dela.
Não sei se consigo. Se sou forte o bastante.
Não sou.
"*...a quem temerei?*"[3]
Deus? Não posso ficar aqui em cima para sempre?

Enquanto a paz passava do lado de fora e as lágrimas manchavam as páginas cheias de orelhas do livro, enrolei um lenço de papel branco encharcado em volta dos dedos.

Uma voz gentil interrompeu minha dor: "Aceita um chocolate? Comprei no Japão."

O comissário tinha o rosto gentil, que combinava com a voz, e me entregou uma barra de chocolate.

"Obrigada."

"Certo. Você está bem?"

Não sei como responder. Papai é... Estou indo para casa porque... "Estou. Indo para casa por causa de emergência familiar."

Isso funciona.

"Ah. Sinto muito. Espero que dê tudo certo."

Funciona. É. Não dessa vez.

Virei mais as costas para ele, me inclinei o mais perto que pude da janela, e coloquei no *repeat* "Worlds Apart", de Jars of Clay.

Não queria pousar nunca.

Foram quarenta minutos rápidos na viagem até Chicago e logo eu estava vagando pelos intermináveis saguões do aeroporto de O'Hare em busca de almoço e do meu portão. Lembro-me de pegar frango com molho de laranja e *noodles* no Panda Express e de mandar uma mensagem para Darian: "Enfrentei o primeiro voo, minha cabeça lateja de dor".

Não me lembro de embarcar no segundo avião, nem do voo em si. Talvez eu tenha dormido.

16H
KANSAS CITY

Mais para o fim da tarde, sentia um nó no estômago ao descer pela ponte de desembarque em Kansas City.

Não sei o que me aguarda.

Mamãe!

Ela estava em sua alegre capa de chuva azul-marinho com forro amarelo, de ombros curvados. Uma palidez pairava em seu rosto. Via-a esperando do outro lado da divisória de segurança no portão de desembarque com o tio Urban e a tia Donna.

Família! Kansas!

Corri para os braços da minha mãe.

Lágrimas escorreram, imagens refletidas de exaustão e ruína.

Depois de abraçar meus tios, andei de braços dados com mamãe a caminho da esteira para pegar a bagagem.

"Vi seu pai na sexta de manhã. Ele parou na Snacks para comer um pãozinho de canela, me deu um beijo e disse que me veria na hora do almoço."

"Falei com ele na noite anterior. Ele me lembrou de verificar o óleo do carro."

Mamãe e eu estávamos conversando uma com a outra sentadas no banco de trás do carro, que rumava para oeste.

Na pressa, ao fazer as malas, eu havia esquecido o carregador do celular, então fizemos um desvio para Circuit City. Meu tio me ajudou a escolher o carregador certo e pagou para mim.

O vovô Palmer e a vovó Eileen estavam nos esperando à noite na casa dos meus tios, e A. D. e Jason se juntaram a nós para jantar. Comemos KFC com purê de batata e molho, e nada jamais tinha sido tão saboroso.

Sentei-me ao lado da minha mãe. A conversa ia e vinha.

"É como se seu pai tivesse morrido", disse ela.

De repente, era "seu pai, o papai", como se agora pertencesse a mim e não mais tanto a ela.

Então, com determinação e olhos duros, mamãe disse a todos: "Já passamos por coisas piores; vamos superar".

Coisas piores se referia à perda de Michelle. Falei com Andrea ao telefone naquela noite, chorando de soluçar, balançando o corpo no chão da sala de jantar. "Não consigo parar de tremer. Sinto como se tivesse sido atropelada por um caminhão de dez toneladas."

"Você está em choque", falou. "É completamente compreensível. Você ainda está sob o grande peso desse trauma que está acontecendo, está em andamento."

Ah.

Choque.

Até certo ponto, já estava em choque físico e mental havia quatro dias. Levei anos para perceber o quanto prejudicara a mim mesma naqueles primeiros dias. Deveria ter pedido ajuda, ido para o hospital, pedido que alguém me dopasse. Vou me arrepender pelo resto da vida.

Mais tarde naquela noite, minha tia estava verificando a secretária eletrônica e foi quando ouvi aquela voz de novo: "Alô? Alguém pode atender?"

Pai.

Congelei por dentro, mas por fora, perdi o controle do tremor.

Seu pai é o BTK.

Ouvimos a mensagem, mas não retornamos a ligação.

Na hora de dormir, eu me enrolei ao lado da minha mãe na cama dela. Exatamente igual a quando era uma garotinha — procurando consolo. Choramos juntas algum tempo e eu fiquei repetindo: "Sinto muito, mãe. Eu sinto muito".

Um pouco depois, desci para dormir na cama que meu tio havia preparado para mim. Talvez não devesse ter deixado minha mãe sozinha, mas eu não aguentava mais — não aquela noite.

PARTE 5
CRIME SCENE
BTK: MEU PAI

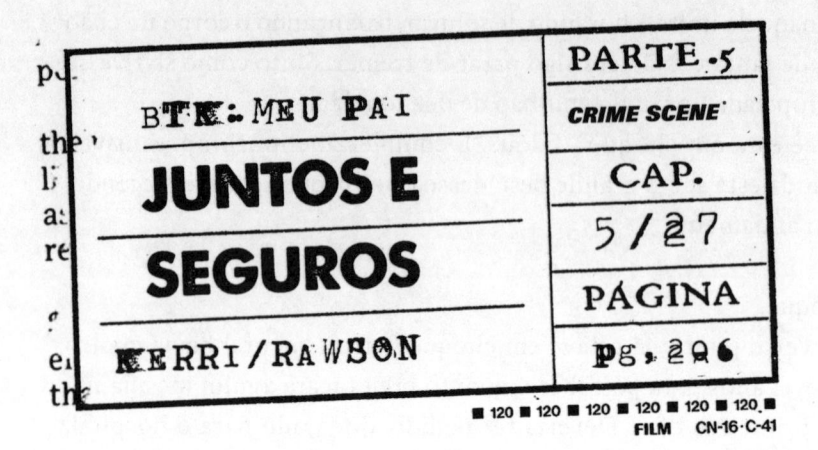

JUNTOS E SEGUROS

KERRI / RAWSON

CAP. 5/27

PÁGINA Pg. 206

TERÇA-FEIRA, 1º DE MARÇO DE 2005 KANSAS

Parei de tremer, enfim, no quinto dia.

Acordei na terça-feira de manhã cedo no colchão na sala dos meus tios. As cores da luz pálida matinal estavam se aprofundando; a casa, silenciosa; meu corpo, em paz. Sentei e estendi as mãos — esperando o tremor voltar. Elas ficaram paradas.

Talvez, apenas talvez, eu sobreviva.

Logo, outras pessoas também estavam despertando em silêncio. O cheiro de café solúvel vinha da cozinha, as tigelas de cereal sacudiam e os jornais farfalhavam, lápis prontos para preencher as palavras cruzadas do dia.

Aquela era uma casa onde poderia ficar descalça e de pijama pelo tempo que desejasse. Poderia me esticar no sofá de couro de grandes dimensões, me esconder em Hogwarts por horas, e não ser confrontada com perguntas cujas respostas eu ainda não estava pronta para contemplar.

Era um lugar tranquilo, com vozes gentis e bondosas que pertenciam a pessoas cujas vidas continuariam como eram antes de meu pai abrir um buraco enorme em tudo.

Era o descanso enviado por Deus, e eu não queria ir embora jamais.

"Seu tio Paul recebeu uma licença de emergência do Iraque e está vindo para casa", minha mãe contou. O segundo irmão mais velho de papai havia sido chamado da reserva para o serviço ativo alguns meses antes. Eu estava feliz por ele retornar do deserto, embora a razão desse retorno não fosse motivo de felicidade.

"Tio Jeff apareceu no jornal", disse a vovó Eileen, ao me entregar a primeira página do *Wichita Eagle* do dia anterior, apontando para uma matéria na parte de baixo da folha.

Na tarde de domingo, o irmão mais novo do meu pai, farto dos repórteres que passavam de carro pela casa da vovó Dorothea, saiu na varanda para falar com dois jornalistas do *Eagle*. Ele disse que a vovó tinha 79 anos e era frágil, que ele tivera de desligar a secretária eletrônica porque ela estava sofrendo assédio. "Minha mãe ainda não consegue acreditar", falou. "Ainda está profundamente em negação. E eu também, mas comigo, talvez, a aceitação esteja começando a chegar. Não acho que meu irmão seja o BTK, mas se for, se isso for verdade, então vou deixar a verdade ser a verdade."[1]

Que a verdade seja a verdade. É o que o vovô Bill diria se estivesse aqui para nos guiar, mas seu coração ficaria despedaçado.

Vovô? Mande ajuda — para todos nós.

Meu tio disse aos jornalistas que havia erros e especulações. Ninguém havia entregado o meu pai. "Vovó é amorosa; vovô era duro, mas um homem decente. Vovô havia servido como fuzileiro naval e era temente a Deus, severo, mas não insensato. Não havia problemas na família, nenhum abuso."[2]

O FBI lhe perguntara se ele ou algum dos irmãos haviam sido abusados sexualmente pelos meus avós.

Jesus amado.

Meu tio disse: "Falei que não. E essa é a verdade".[3]

Essa é a verdade.

Li o artigo devagar, à medida que passava o polegar sobre o jornal, deixando as lágrimas caírem livremente.

Vovó Eileen me entregou alguns lenços de papel e me fez um afago no braço. "Seu tio Jeff fez uma coisa boa e corajosa."

"Sim, sim, com certeza. Meus avós nunca, não fariam, não..."

"Não. Eles eram — são — pessoas muito boas. Você sabe que os estranhos estão inventando."

Meus ombros se contraíram; a mandíbula cerrou-se; a raiva perpassou meu rosto: "Tudo isso foi provocado por ele. Culpa dele."

"Seu pai amava e se importava muito com seus avós, com os irmãos, com toda a sua família — sua mãe, você, Brian."

A manchete do jornal dizia que, no dia anterior, papai fora acusado no tribunal de cometer dez assassinatos em primeiro grau. [...]. Não fui capaz de estar com ele. Eu não sabia se algum dia seria capaz de estar com ele outra vez.

Ah, sim. Todos nós também amávamos muito meu pai. O amor, a despeito do tamanho que tivesse, não fora o suficiente para detê-lo — para ajudá-lo. E agora ele havia deixado todos nós recolhendo os cacos.

Eu me levantei, os ombros caídos, e fui para a porta de acesso ao pátio externo. A grama estava marrom, mas o céu era de um azul intenso típico do Kansas, entremeado de fiapos de nuvens.

Meus olhos começaram a arder com as lágrimas iminentes mais uma vez. Era verdade que alguém havia abusado do meu pai quando menino? O pensamento me queimou de dentro para fora.

Quem? Quando?

Forcei o cérebro e não consegui encontrar resposta, nada além de desespero, vazio,, confusão.

Em seguida, um lampejo de convicção, de conhecimento: muitas pessoas são abusadas quando crianças e não fazem mal a uma alma sequer quando crescem. Não importa o que houvesse acontecido ao meu pai, não era desculpa. Não havia desculpas para o que tinha feito. Ele era o responsável por tudo aquilo. Ele escolhera aquilo para si — escolhera fazer mal aos outros.

Por quê? Por que aqueles dez inocentes? Crianças?

A manchete do jornal dizia que, no dia anterior, papai fora acusado no tribunal de cometer dez assassinatos em primeiro grau. Eu estava no avião enquanto ele enfrentava um dos piores dias de sua vida — sozinho. Não fui capaz de estar com ele. Eu não sabia se algum dia seria capaz de estar com ele outra vez.

TERÇA-FEIRA À TARDE

Ele vai confessar.

Mamãe estava rabiscando taquigrafias em um bloco de notas amarelo, a caneta alternando entre voar e parar no ar. Escreveu: "Ele vai confessar", e sublinhou duas vezes antes de dar batidinhas com a caneta para chamar minha atenção.

Sim, mãe. Ele está confessando há dias.

Que a verdade seja a verdade.

O pastor Mike, que presidia a igreja que meus pais frequentavam, ligou para minha mãe depois de visitar papai na prisão. Fazia o possível para tentar nos transmitir uma mensagem — que estava tentando explicar, entender o que havia de errado dentro dele.

Mamãe estava sentada na cama dos meus tios, a colcha de casamento feita à mão dobrada cuidadosamente a seus pés. Eu estava sentada de pernas cruzadas ao lado dela, procurando em seu rosto sinais de todo aquele sofrimento.

Ela escreveu: "Tem algo de errado com ele". Outra vez sublinhou, deu batidinhas.

Sim, mãe. É claro que tem um monte de coisas erradas com ele.

Minha mãe escreveu: "Monstro. Escondido. Lado sombrio. Vilão".

Mas papai não era o vilão. Ele era o oposto — o mocinho. O cara que salvava o dia. O herói — *meu* herói.

Papai havia crescido com a tradição dos caubóis: Gene Autry, Roy Rogers, o Cavaleiro Solitário. Seu amor pelo Velho Oeste havia capturado minha imaginação na infância. Eu o observava adicionar óleo e grãos de pipoca à pipoqueira vermelha e aguardava o *pop-pop-pop* enquanto ele servia uma Pepsi com gelo para cada um. Então, depois que sal e manteiga fossem adicionados aos flocos brancos crocantes, íamos para a sala ver Wayne enfrentando os bandidos no sábado à noite.

Eu não queria ser uma donzela em perigo; queria ser uma *cowgirl*, usar jeans, andar a cavalo, manejar gado e carregar um revólver de seis balas. As *cowgirls* se resgatavam sozinhas. Mamãe enxotava a mim e ao meu irmão para fora se começássemos com muita loucura brincando de caubói e índio dentro de casa. Gritos de guerra, armas de brinquedo e sofás transformados em fortes resultavam em exílio até o sininho do jantar.

Mamãe me cutucou, segurando o bloco de notas para eu ler: "Sexual. Sem controle. *Bondage*".

Estremeci com as palavras. Meu rosto pegando fogo, desviei o olhar.

Não falamos de religião, sexo ou política.

A voz da mamãe se elevou; era direta, mas tensa: "Não, ele nunca abusou sexualmente de mim ou das crianças. Nunca nos bateu. A polícia perguntou no primeiro dia".

Ele nunca bateu, mas ainda assim podia ser truculento fisicamente. Brian. Ele tentou estrangular Brian duas vezes.

A segunda vez foi anos depois da primeira. Meu pai empurrou Brian contra o armário da cozinha e colocou as mãos em volta do pescoço dele. Papai disse: "Minha lealdade é com a sua mãe; é hora de sair da minha casa e arrumar um lugar pra morar".

Mamãe empurrou meu pai para longe de Brian, pálido como um lençol. Ela enfrentou meu pai. Ela era corajosa, com todo seu 1,70 metro de altura.

Outra vez, papai me perseguiu pelo corredor quando eu tinha 16 anos, me ameaçando como se quisesse acabar comigo. Eu o xingara na sala de casa, meus olhos em chamas. Seu rosto ficou vermelho de raiva assassina; foi o mais furioso que eu o vi. Mamãe interveio e bloqueou a passagem dele com o corpo — com isso, ganhei alguns segundos, permaneci em segurança. Ele chutou a minha porta, mas eu já estava trancada — estava segura.

Lado sombrio. Vilão. Monstro.

"*O Senhor é a fortaleza da minha vida...*"

"Eu sei. Você está certo em perguntar, em ver como estamos." O tom da mamãe suavizou. O rosto perdendo a força, ficando pálido. Ainda era muito recente para ela falar desse assunto.

O homem que conhecíamos. O que não conhecíamos. O que pensávamos conhecer. O que nunca existiu de verdade.

"*...a quem temerei?*"[4]

A caneta caiu, o bloco de notas agora descartado ao lado. Ela encerrou a ligação logo depois: "A polícia parece pensar que todos fomos abusados. Eles tinham me perguntado; agora o pastor perguntou também."

"Não sei se acham mesmo; só estão se certificando de que estamos bem. Em casos como esse, muitas vezes..."

Mamãe me parou. "Eu cuidava de você e do seu irmão, trocava a fralda de vocês, dava banho. Eu teria visto se ele causasse qualquer mal que fosse quando vocês eram pequenos."

Ai, que droga. As pessoas pensam — presumem — que papai abusou sexualmente de nós.

Seu pai é o BTK, você é filha do BTK, ele deve...

Mamãe olhou para as anotações: "Seu pai vai confessar, diz...".

Ouvi-a repetir a conversa ao telefone. Enquanto falava, a cor pouco a pouco ia voltando às bochechas, e os olhos brilhavam com uma faísca que não via desde que havia chegado em casa. Raiva, ao que parecia.

Ela repetiu a conversa com o pastor para minha tia e minha avó. Cada vez mais forte, recuperando um pouco mais de si mesma. Ela sabia a verdade agora — ela a ouvira diretamente. Mamãe estava enfrentando, e mais dia menos dia, a verdade a libertaria.

QUINTA-FEIRA

Caímos em uma rotina tranquila e fácil na casa da minha tia, a quem persuadimos a voltar para o trabalho de professora porque éramos fortes o bastante para cuidarmos uns dos outros durante o dia. Mamãe e eu só comíamos e dormíamos; estávamos percorrendo os primeiros passos difíceis em nosso caminho para a recuperação.

Deixamos a TV desligada; só ligávamos para assistir a *The Amazing Race* ou *Survivor* à noite. As únicas notícias que chegavam eram do jornal diário, que cada uma escolheria ler ou não.

Era um lugar seguro, longe da loucura em Wichita e dos perseguidores de câmeras em Detroit. No início da semana, mais furgões de reportagem estavam estacionados em frente ao nosso apartamento, e um chegou a seguir Darian, que fez todos os retornos que encontrava para despistá-lo. Repórteres apareciam no escritório, e os colegas de trabalho atendiam a porta por ele. Os repórteres ligavam no trabalho e no celular também: "Sou fulano de tal, do canal tal, e gostaria muito de falar com a sua esposa. Sabe como podemos contatá-la? Sabe onde ela está?".

Vovó tinha me levado à livraria e comprado *Harry Potter e a Ordem da Fênix*, porque eu queria continuar na leitura. No caixa, nos cutucamos ao ver a foto do meu pai na capa de várias revistas e jornais nacionais que berravam manchetes sobre o BTK.

"Não conte para a sua mãe."

"Não. Eu não vou."

Meus avós eram presença firme e constante, um lembrete de que as minhas raízes eram profundas e fortes. Vovô passava os dias lendo ou fazendo palavras cruzadas na poltrona reclinável. Ele levantava a cabeça vez ou outra e me dava um pequeno sorriso ou perguntava: "O que o jornal diz hoje sobre o seu pai?". Eu me aproximava da poltrona e contava. Ele ouvia balançando a cabeça, os olhos demonstrando dor.

Vovó andava de um lado para o outro pela casa, cuidando da louça, cuidando de todos, certificando-se de que estávamos bem alimentados. Minha mãe e eu frequentemente nos sentávamos à mesa da cozinha e alternávamos entre conversa e silêncio.

Eu falei: "Você se lembra do meu aniversário, há cinco anos, quando papai acordou depois da endoscopia e pirou? Ele ficou todo nervoso: 'Eu disse alguma coisa maluca enquanto estava apagado?'".

Mamãe perguntou: "Foi nesse dia que recebemos um alerta de tornado quando chegamos em casa?".

"Sim. Foi um dia difícil — nada parecido com um aniversário", respondi. "Lembro de pensar que queria ter lembrado de trazer comigo os cupcakes que compramos."

"Você acha que seu pai estava com medo de falar alguma coisa? Na sala de exame?"

Dei de ombros. *Quem poderia saber?*

Minha mãe continuou: "Você sabia que eu estava brincando com ele neste último outono, dizendo que ele escrevia como aquele cara — BTK?".

Dei um sorrisinho, tentando abafar a risada, atenta aos sinais no rosto de mamãe. Ela também estava tentando esconder uma risadinha maliciosa, e quando nossos olhos se encontraram, nós duas rimos. Era bom rir.

Pessoas morreram. Eu não deveria rir nunca mais.

"Uma vez perguntei ao seu pai por que BTK usava a caixa de cereal para se comunicar com a polícia — vi no noticiário. Ele disse: 'Cereal... como em *serial killer*'."

Eu não sabia se ria ou se chorava.

"Onde ele conseguiu aquelas caixas? A gente não comprava aquele cereal."

E é isso que minha pobre mãe está querendo saber.

Ela continuou: "Quando fui entrevistada, perguntaram o que havia por trás da porta secreta. Eu perguntei: 'Que porta?'. Disseram a porta da cozinha, atrás da mesa. Respondi: 'A porta que leva para a secadora?'".

Eu bufei, tentei me conter e desisti; ri alto. Mamãe e vovó seguiram.

"A polícia me perguntou sobre cofres — não sei por quê."

Mais tarde, descobrimos que papai usava caixas secretas para armazenar materiais do BTK. O rosto de mamãe ficou sério, a voz mais baixa: "No início do ano passado, houve um especial sobre o trigésimo aniversário dos primeiros assassinatos, aquilo que aconteceu com a família Otero. Passou na TV. Seu pai assistiu."

Ah. Eu não sabia que ele tinha assistido.

"Na época, o jornal também publicou uma grande matéria sobre os assassinatos."

Eu me inclinei sobre a mesa, deitei a cabeça e envolvi o corpo com os braços.

Os primeiros contatos de 2004 do BTK apareceram em março, no 27º aniversário da morte de Shirley Vian Relford. Tudo o que eu estava descobrindo sobre os assassinatos do meu pai não parava de entrar e sair da minha cabeça de repente, mas eu não dizia nada em voz alta, pois tentava proteger minha mãe do pior.

"Não entendo por que dizem que sabíamos das ações do seu pai, que estávamos de alguma forma envolvidos ou que deveríamos saber." Seu rosto estava tenso e abatido.

Ela precisa descansar. Precisa escapar para seus próprios livros e histórias.

Até onde eu conseguia me lembrar, ela possuía dezenas de livros escorados na parede ao lado da cama, com lindas capas e que retratavam heroínas cheias de esperança. Eram um verdadeiro contraste com os livros escuros do papai, que falavam de crimes, apoiados acima da cabeça dele em sua metade da cabeceira da cama.

"Mãe, não há como você ter ficado naquela casa com ele, criado a gente com ele. Se tivéssemos a menor ideia, sairíamos gritando pela porta, direto para a delegacia."

Vovó disse: "Seu pai trabalhou no mesmo corredor de uma delegacia por catorze anos — eles também não sabiam".

Ninguém sabia, exceto papai.

SÁBADO

Meu tio e A. D. foram de carro até nossa casa no sábado para buscar roupas, livros e outras coisas de que minha mãe precisava.

Só de pensar na minha casa senti um aperto no estômago. Era o único lar que eu conhecera, e agora não tinha certeza se era corajosa o suficiente para voltar a colocar os pés lá. Mamãe já havia decidido que não dormiria mais lá. Nenhum de nós a culpava.

Por enquanto, ela planejava ficar com as irmãs e meus avós, mudando-se da casa de um para o outro com algumas semanas de intervalo, até descobrirmos o que fazer com a casa e encontrar um novo lugar para morar.

Papai custara a nossa casa. De 34 anos. Em um piscar de olhos.

Fiquei ansiosa enquanto meu tio e primo estavam fora, preocupada com o que encontrariam. Porém, quando voltaram na noite de sábado, relataram que a casa não havia sido saqueada, o que temíamos. Nem parecia que alguém tinha estado lá, muito menos uma equipe de investigadores, peritos de cena do crime e sabe-se lá quem mais. O prato de almoço da mamãe, abandonado na mesa da cozinha quando foi levada de casa, estava até na pia; alguém o enxaguara.

Minha família me convenceu a procurar voos de volta para Michigan. "Você precisa voltar para Darian, voltar a lecionar", afirmou minha tia. "Vai ajudar — as crianças vão ajudar — ter uma rotina."

Estava preocupada com a minha mãe, não queria deixá-la, mas ela disse: "Vou ficar bem. Tenho muita ajuda aqui; você precisa voltar para casa".

Casa. Minha casa era o Kansas. Não o Michigan.

Eu queria ficar mais uma semana naquele lugar calmo e tranquilo, onde estava segura. E não queria pensar em enfrentar os meses seguintes enquanto estivesse a dezesseis horas de distância.

Darian disse que as coisas estavam mais tranquilas — os furgões de reportagem haviam sumido. Assim, reservamos um voo para mim no domingo.

Eu sentia falta dele — precisava dele. Eu tinha que voltar algum dia.

"*O Senhor é a minha luz e a minha salvação; de quem terei medo.*"[5]

PARTE 5

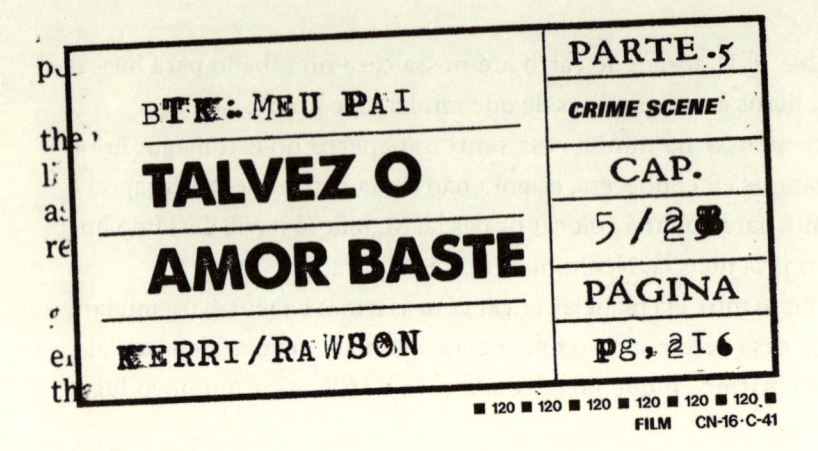

BTK: MEU PAI — TALVEZ O AMOR BASTE
KERRI / RAWSON
CAP. 5/28 — pg. 216

MARÇO DE 2005
DETROIT

"O pastor Mike acha que devemos escrever para o seu pai. Tentar nos comunicar com ele — explicar por que achamos que deveria se declarar culpado."

Culpado.

Que a verdade seja a verdade.

Alguns dias depois de chegar em casa, liguei para minha mãe. Eu concordava de todo o coração com ela: papai deveria se declarar culpado, mas eu não tinha ideia de como alguém convenceria meu pai a fazer alguma coisa, ainda mais algo tão imenso.

A confissão de culpa nos pouparia a todos — a nossa família e as sete que ele havia destruído — de meses, senão anos, de sofrimento por um longo e prolongado julgamento. Todos sabíamos qual seria o resultado inevitável. Culpado.

Mas o homem que eu não conhecia não era afeito a poupar ninguém. Ele era um assassino. De crianças. Mulheres: filhas, mães, avós. Um pai. O homem que eu não conhecia, o narcisista, enfim tinha todos os holofotes para si, depois de 31 anos. Ele provavelmente não desistiria por nada, nem mesmo por sua família.

Deus pai?

O amor nunca falha. Amor. Eu amava o pai que conhecia. Talvez o amor fosse o suficiente. Talvez papai se declarasse culpado por nós.

Era difícil pensar em escrever para o meu pai; era doloroso. Protelei.

No sábado, 12 de março, eu me sentei no computador do canto e escrevi para papai, duas semanas depois de ter desmoronado na mesma cadeira. Três dias depois de ele completar 60 anos.

Feliz aniversário, pai.

Com o passar dos anos, continuei a achar que escrever para ele era doloroso e ficava me arrastando, sentindo como se o peso daquilo fosse maior do que poderia suportar, mas em dias raros, é o suficiente saber que é o certo a fazer — então, eu me sento para escrever. Lágrimas caem toda vez. É algo que me destrói, mas faço por ele e por mim.

No meio de toda a história da prisão, acusação e apelação de papai, ele e eu trocávamos cartas uma vez por mês. Minhas cartas eram digitadas, e acrescentava *cliparts* coloridos para animá-las, depois as salvava no computador, imprimia e enviava para o Centro de Detenção do Condado de Sedgwick, em Wichita. As dele eram escritas à mão e enviadas em envelopes decorados para o Michigan.[1]

> Sábado, 12 de março
> Pai,
>
> Oi. Fisicamente, eu estou bem. Estou segura e em casa, em Detroit. Depois que tudo aconteceu, consegui pegar um voo para o Kansas e passar um tempo com a mamãe. O Brian está bem. A Marinha tem sido solidária e prestativa; estamos felizes por ele estar seguro na base, onde não pode ser assediado.
>
> A mídia relatou que denunciei você. Não é verdade. Eu não sabia de nada (como todo mundo) até o dia em que o FBI bateu na porta. Tentei contar a eles que homem incrível você é, que pai maravilhoso você é, como tinham cometido um erro feio e prendido o cara errado. Eu tentei, todos tentamos, mas eles não deram ouvidos. O pastor Mike retransmitiu sua mensagem para mim e mamãe, e a passamos para Brian. Todos sentimos muito por você estar convivendo com isso há tanto tempo.

Ainda amamos você. Amamos de todo o coração o marido, pai e homem que conhecemos. Não sabemos quem é aquele outro. Compreendemos que há algo de muito sério e profundamente errado com essa parte sua. Queremos que procure ajuda, se puder.

Queremos que seja tratado de forma justa, com compaixão e respeito. Esperamos que não seja um julgamento longo e arrastado, mas entendemos que é sua escolha e seu direito ser julgado. Vamos endossar qualquer que seja a sua decisão. Apoiamos você, marido e pai que conhecemos. Lamento que esteja sozinho e que não estejamos juntos. Lamento não poder te dar um abraço e dizer que tudo vai ficar bem.

Não importa o que tenha feito ou não, você é meu pai e eu te amo. Você criou a mim e a Brian tão bem quanto qualquer homem poderia criar, cuidou de nós, nos protegeu, nos ensinou muito sobre a vida e as coisas que vem com ela. Lamento não poder estar perto para cuidar de você como cuidou de mim nos últimos 26 anos.

Não estou pronta para falar ao telefone ainda, mas vamos conversar em algum momento e algum dia também iremos visitá-lo, mas agora é muito difícil. Por favor, tente entender, não o abandonamos, não lhe viramos as costas, só precisamos de um tempo para tentar assimilar tudo e conseguir um solo firme debaixo dos pés.

Amo você,
Kerri

MARÇO

Orações e apoio de todo o país, sobretudo de outras igrejas de denominação luterana, chegaram como uma enxurrada na nossa igreja, destinadas à nossa família e a toda congregação. Várias mulheres da nossa comunidade montaram pacotes de itens para minha mãe, minha avó e eu. Havia presentes embrulhados individualmente para abrirmos um de cada vez: itens adoráveis e atenciosos para que soubéssemos que estávamos sendo cuidadas, incluindo uma manta azul-esverdeada tricotada à mão.

No meio da loucura, minha família foi abençoada com o amor ao próximo que fortalecia nossos espíritos — para nos lembrar de que não estávamos sozinhos.
"*Deus é luz, e não há nele treva nenhuma.*"²

Amigos e parentes distantes de quem minha mãe não tinha notícias havia anos ligaram e escreveram. Rita, minha colega de quarto da faculdade, me enviou um cartão de cores vibrantes; eu não falava com ela fazia oito anos. Teve um significado imenso para mim, lágrimas gratuitas depois de anos de separação.

Uma semana antes, na fila do caixa do supermercado, fiquei horrorizada ao ver na capa do *Enquirer* fotos granuladas da mamãe saindo da Snacks.

Dois outros amigos nossos da faculdade enviaram um cartão-presente para um jantar no Boston Market — ainda me lembro de como achei atencioso e surpreendente, e ainda me lembro da refeição. Meu pai e minha família continuavam nas manchetes nacionais, mas alguns colegas de trabalho de Darian eram os únicos no Michigan que sabiam quem Darian e eu éramos. Minha frequência como substituta em qualquer escola era tão pequena que nem me incomodava em dizer a ninguém quem eu era. Eu nem saberia por onde começar, e talvez não fossem me querer como professora se soubessem.

Meu pai é o BTK *— eu sou filha do* BTK.

Os furgões de reportagem haviam sumido, mas a mídia ainda tentava entrar em contato. Cheguei em casa um dia e encontrei um envelope colado com fita adesiva na porta, com as palavras *National Enquirer* escritas a mão — o bilhete era escrito em papel de carta de um hotel local. Uma semana antes, na fila do caixa do supermercado, fiquei horrorizada ao ver na capa do *Enquirer* fotos granuladas da mamãe saindo da Snacks.

A porta do nosso prédio deveria ficar trancada. Por acaso aquele repórter queria me enviar uma mensagem de que seria a próxima a ser perseguida, fotografada e publicada?

Só de ouvir nossa aldrava de metal, eu pulava de susto. Atendia a porta, bastante tímida, depois de olhar pelo olho mágico. Nosso carteiro, também muito tímido, me entregava correspondências registradas que eu não queria, mas que eu precisava assinar.

Recebia ligações de códigos de área que não conhecia, às vezes me arrependendo no mesmo instante de tê-las atendido em vez de deixar cair na caixa postal.

Todos, de Oprah a Larry King, queriam uma entrevista, e recusei todos. Mamãe também — uma frente unida de solidariedade.

Vamos pagar sua passagem para Nova York; pode vir e se sentar na nossa cadeira de convidada.

Vamos pagar sua passagem para Chicago; pode vir e se sentar no nosso sofá confortável.

Não, obrigada — não tem nada para ver aqui, pessoal. Sigam em frente.

26 de março*
Querida Kerri,

Feliz Páscoa Atrasado! Muito obrigado pela carta. Fiquei repleto de emoções e felicidade. Eu estava começando a achar que nenhum parente próximo me escreveria. Sua carta foi muito sincera e posso dizer que veio de uma filha muito amorosa e compreensiva.

Acabei de almoçar e joguei uma partida rápida de Paciência, o velho "Solitário" venceu. Embora o tenha derrotado ontem à noite. Um dos RAs (responsáveis de Ala) me ensinou a jogar. Não acontece nada nos fins de semana e os RAs e eu vamos levando as coisas com tranquilidade. Eles não têm supervisores e tendem a ser melhores em deixar as coisas correrem com tranquilidade e em não pegarem demais no nosso pé.

---

* [NT] As cartas originais do BTK trazem erros de concordância e pontuação, às vezes ausência de conectivos e uso aleatório de maiúsculas e minúsculas. Com a intenção de manter o conteúdo das cartas mais fiel ao original, foram preservados os erros ortográficos e demais peculiaridades do texto em todas as cartas reproduzidas neste livro.

Visita do advogado todos os dias, visita do Pastor Mike. Um Dr. teve que vir cuidar das minhas unhas encravadas e estou tendo problemas com o pé direito inchado, talvez seja minha dieta ou o calçado ruim. Outro médico de cabeça (Psicólogo) também me visitou na sexta-feira. Passei muitas noites trabalhando na história boa/sombria do passado para o advogado.

Então agora, para manter a mente ocupada, tenho a Rotina Diária: o velho Solitário para brincar, cartas para ler, cartas para escrever, Estudo Bíblico, exercícios, livros para ler, também comecei a receber o *Eagle*.

Eu também ouvi que você me denunciou, mas sabia, no fundo, que você *não* tinha feito isso. Eram meus próprios Follies brincando de gato e rato com o FBI e com a polícia por tempo demais. Eles enfim se aproximaram de mim como um míssil. Tenho alguns problemas sérios e preciso de ajuda. Preciso das suas orações e dos seus pensamentos.

Tenho tentado orientar meus advogados para o conceito de menos exposição familiar. E é o que quero fazer de verdade, bem no fundo do coração. A audiência de acusação formal está prevista para 19 de abril, daqui a 16 dias úteis. Falamos sobre um apelo de Insanidade, mas não sei qual vai ser melhor no longo prazo, se Larned (Hospital Estadual) ou El Dorado (Prisão).

Sei que muita coisa feia vai vir a público mesmo assim. Eu só não sei o que fazer; perdi o controle da minha vida neste momento e fiquei à mercê do Sistema Judiciário. Algumas pessoas simplesmente pensam que posso, de uma hora para outra, ligar para o Juiz e me declarar Culpado e tudo será colocado em uma caixa e trancado. Exposição na mídia e possível feiura trazidas à tona antes de eu ser sentenciado. Tudo acima pesa na minha mente e drena meu emocional para um abismo.

Ouvir de outra fonte pode me ajudar a decidir para o bem da família.

Soube pelo noticiário da TV que indicaram um juiz pra mim. Meu advogado não disse nada, sexta de Manhã, se bem que pode ter sido um anúncio à tarde na mídia. Queria saber que foram com sede demais ao pote!

Recebi uma carta da sua Mãe. Mais uma vez, fiquei radiante e muito feliz. Vou responder carta dela neste fim de semana. Vai [ser] a quarta carta. A dela é sempre a mais difícil de escrever. Tenho receio de minhas cartas não chegarem a você, sua Mãe e Brian. Enviei três todas as semanas.

Manda um alô pro Darian. Esteja preparada, a audiência está próxima e a mídia vai voltar, desculpe por isso.

Com amor,
Pai[3]

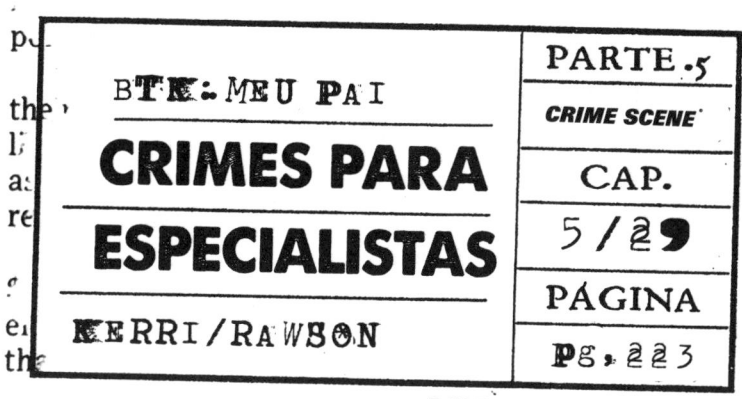

BTK: MEU PAI
CRIMES PARA ESPECIALISTAS
KERRI / RAWSON

PARTE .5
CRIME SCENE
CAP.
5 / 29
PÁGINA
pg. 223

MARÇO DE 2005

As cartas de papai chegavam ao sabor do acaso e aprendi a me firmar antes de abrir a caixa de correio. Voltava devagar para dentro do apartamento e as colocava na minha mesa até reunir forças para abri-las. Sempre tinham um leve odor de um lugar que eu não conhecia: úmido, mofado, parecido com cigarro.

Quando enfim estava pronta para ler, eu flutuava em um turbilhão de emoções: tristeza, raiva, descrença, desconexão. Darian se preparava, sabendo que a tempestade estava prestes a cair: começava a caminhar de um lado para o outro, xingando, sacudindo as páginas amarelas para ele.

Depois, as lágrimas. Sempre as lágrimas.

Eu tinha perguntas, precisava de respostas, e as palavras de papai não bastavam.

Ele não estava nos contando muito, mas as respostas custavam a sair de Wichita. A polícia divulgava novas revelações dos crimes de papai; sobre as gigantescas buscas a ele ao longo de décadas; e sua prisão. O *Eagle* cobria essas divulgações em profundidade e os noticiários nacionais os disseminavam aos quatro ventos.

Junto do resto do mundo, eu estava descobrindo a verdade sobre meu pai. Mas, ao contrário do resto do mundo — que estava apenas acompanhando uma história — eu também estava acompanhando minha vida. Para mim, era muito difícil tentar combinar as descobertas com o que eu já sabia. O que achei que sabia.

Descobrimos que, junto das mentiras muito maiores, papai havia enganado minha família e mamãe de muitas maneiras menores. No ano anterior, ele ligara algumas vezes e dissera que precisava ficar até tarde para trabalhar. Na verdade, o que estava fazendo até tarde no seu escritório na prefeitura era trabalhar nos "projetos do BTK", trancando objetos incriminadores em seu armário. Papai normalmente deixava o escritório às 18h, e mamãe quase sempre estava com o jantar pronto quando ele chegava em casa — depois de ela ter trabalhado um dia inteiro. Pensar nele ligando e mentindo — e ela sentada à mesa, com fome, com certeza comendo um pacote de biscoitos Ritz para enganar o estômago e poder jantar com ele — gerava em mim indignação fenomenal.

Mamãe esperava na cadeira dela, próxima ao fogão, para que fosse fácil se levantar e manter aquecido o prato preparado até que meu pai chegasse em casa.

A cadeira dele era ficava diante da secadora, para que assim estivesse de frente para a porta da cozinha e não de costas. Ninguém nunca podia se sentar na cadeira de papai se ele estivesse em casa — a menos que quisesse provocá-lo ou se ver em apuros.

Nas férias com a família em Saint Louis, em junho de 1993, papai ficou paranoico com a equipe de limpeza roubar seus biscoitos Ritz e começou a contar quantos havia no pacote antes de sairmos de manhã. Quando sua atitude ficou ridícula, não restava nada para mim e mamãe a não ser rir e zombar dele.

Naquela viagem, enquanto comia em um restaurante italiano "autêntico", papai me disse que gângsters nunca se sentavam de costas para a porta. Ele gostava muito de filmes de máfia — *O Poderoso Chefão, Os Bons Companheiros, Estrada para Perdição*.

Eu havia assistido a todos com ele, e agora papai estava sozinho em um caminho para o inferno que ele mesmo havia pavimentado.

* * *

Papai também trabalhava nos projetos do BTK enquanto mamãe ia ao coral da igreja, mas não era incomum, quando eu estava em casa, no início dos anos 1990, vê-lo mexendo em selos. Ele costumava ter grandes álbuns, índices em fichas, pinças e luvas de borracha espalhados na mesa da cozinha. As cartas e envelopes do BTK teriam se misturado perfeitamente àqueles papéis. E ele não havia retomado essas comunicações até 2004.

Papai não voltou a se intitular BTK em 2004 apenas devido ao documentário do 30° aniversário dos assassinatos da família Otero, que foi ao ar na TV. Ele provavelmente tinha retomado as atividades em parte porque seus filhos já eram adultos, haviam saído de casa, saído do estado. Estávamos seguros, indo bem; ele nos criara da maneira certa.

Nossa partida poderia ter causado uma crise de início de terceira idade: as crianças haviam partido e a aposentadoria estava se aproximando. Papai também queria se aposentar como BTK. Ele tinha mais tempo, mas mais tempo o levava ao tédio, o que muitas vezes o levava a fazer coisas ruins.

Uma das cartas que enviara a uma emissora de TV local de Wichita tinha sido despachada logo antes da viagem da família ao Michigan, em maio de 2004. Conhecendo meu pai, ele poderia tê-la escorregado como quem não quer nada na caixa de correio em frente ao Leeker's, abastecido o carro e comprado gelo antes de sair da cidade.

Papai havia se afastado por uma hora enquanto estávamos olhando as vitrines em Frankenmuth. Será que estava procurando notícias sobre a última comunicação do BTK, que havia sido descoberta enquanto ele estava convenientemente de férias? Voltou com vinho, dizendo que havia encontrado uma loja que oferecia degustações. Fazia sentido na época, mas agora eu questionava sua ausência.

O contato de maio de 2004, que continha um caça-palavras, foi divulgado após a prisão. Eu reconheci aquilo como algo que meu pai acharia divertido. Ele preferia criptogramas — códigos de substituição

— e meu tipo favorito de passatempo eram problemas de lógica. Imprimi e encontrei várias palavras familiares, incluindo nomes da nossa família, espalhadas criativamente nele, bem como nosso endereço.

O que papai pretendia? Se esse quebra-cabeça tivesse sido divulgado ao público no verão de 2004, será que eu teria visto no noticiário e tentado resolvê-lo?

Pesquisei outras comunicações do BTK. Sabia que ainda tínhamos uma máquina de escrever, que ele usava para endereçar envelopes. Até reconheci o carimbo à moda antiga de um trem.

No outono de 2004, papai não compareceu à formatura do treinamento de campo de Brian na Marinha. Será que sua estranha desculpa de "ocupado demais para viajar" tinha relação com algo criminoso que estava fazendo?

Papai saiu do aeroporto na noite em que fomos buscar Brian no Natal. Por quê? Ele estava procurando uma TV para ver o noticiário?

Quando Darian e eu estávamos em Wichita para o Natal, papai montou a mesa dobrável na sala de estar e colocou uma pilha de *Eagles* nela. Enquanto todos assistíamos a um filme, ele marcava metodicamente o topo de cada primeira página, tamborilando os sapatos de ficar dentro de casa enquanto fazia. Será que as marcas eram um código?

Código. Substituir uma coisa pela outra.

Será que eu tinha a chave para decifrar o meu pai — decifrar quem era BTK?

Se eu estivesse morando em Wichita em 2004, provavelmente teria ficado até o pescoço tentando resolvê-lo. Eu poderia ter — minha família poderia ter — ficado em apuros se um de nós tivesse tropeçado sem querer em algo do meu pai que fosse do BTK.

Percebi por que a lista de pistas falsas que papai dera à polícia havia me incomodado no outono anterior:

Trens. Ferrovias.

Papai estava no exército na década de 1960.

Algum dos meus bisavôs tocava violino?

Vovô era do Missouri e havia lutado na Segunda Guerra Mundial.

Doença pulmonar. Pulmão preto era o motivo da morte dos mineiros de carvão, e havia minas em volta de Columbus e Pittsburgh, onde papai tinha vivido quando menino.

Quando era pequena, íamos aos encontros da família de papai em Columbus e então até as colinas para visitar a Big Brutus, uma enorme escavadeira elétrica laranja e preta que escavava carvão nas décadas de 1960 e 1970. Nós, crianças, posávamos com o papai na pá para tirar a foto, sorridentes.

Meu irmão e eu éramos praticamente crianças quando meu pai cometeu os últimos três assassinatos. Meu pai foi responsável por causar danos imensos a suas dez vítimas. Ele também foi responsável por causar danos imensos à minha família.

Meu pai e eu acampamos, pescamos e passeamos de canoa ao redor das crateras de mineração nas férias de primavera de 1994; meu tio Bill se juntou a nós. Houve alerta de incêndio porque estava muito seco e fazia um frio absurdo para março. Papai me disse que eu já não tinha mais idade para dormir em uma barraca com ele, então fiquei paralisada e sozinha congelando em uma velha barraca com vazamentos. Eu me irritei e, à noite, xinguei papai, mas na manhã seguinte agradeci pelas roupas que me fez usar: seu macacão, seu casaco extra, suas luvas. Também agradeci por meu pai e tio serem bons cozinheiros de acampamento, mesmo com fogo limitado.

Lembro-me de morrer de medo de ter que dormir sozinha naquela viagem, embora meu pai e meu tio estivessem bem ali e não fossem permitir que nenhum mal me acontecesse. Também acho que posso ter me assustado com os livros que tenha levado.

Dividi a barraca com meu pai no ano seguinte, no Grand Canyon, então não sei dizer por que ele havia se oposto tanto a compartilhá-la naquela viagem de primavera.

Ao tentar montar um quebra-cabeça gigante de décadas e com lacunas enormes, eu desvendava fragmentos da verdade, mas também estava enfrentando fortemente a mim e às minhas memórias. Essas novas peças da verdade cortavam como cacos de vidro conforme as descobria, e se incrustavam na minha alma à medida que as esquecia.

Mecanismo de enfrentamento. Dissociação. Sobrevivência. Autopreservação.

* * *

Na primavera, a mídia nacional alardeou que o DNA do sêmen coletado da perna de Josie Otero, de 11 anos, em janeiro de 1974, foi comparado, em 24 de fevereiro, com o meu, retirado de um dos meus exames de Papanicolau, e que isso teria levado à prisão do meu pai no dia seguinte.

Meu DNA também correspondia ao sêmen deixado no apartamento de Nancy Fox em dezembro de 1977 e às raspagens das unhas de Vicki Wegerle, em setembro de 1986.[1]

A palavra surreal não serve nem mesmo para começar a descrever tudo isso.

Lembrei de quando Darian e eu voltamos para casa em dezembro e papai lhe fez uma pergunta estranha: "Os disquetes podem ser rastreados, como no *CSI*?".

Darian, sem saber por que papai estava perguntando e não querendo entrar em detalhes técnicos, dispensou-o com um rápido "não", embora soubesse que os discos poderiam ser rastreados.

Papai acabou enredado com um disquete que enviara à polícia em fevereiro. Ele o usara na biblioteca de Park City e na igreja que frequentava, onde era listado on-line como presidente. Seu primeiro nome e os locais onde o havia usado estavam nas propriedades do arquivo. A polícia encontrou "Dennis", pesquisou sobre "igreja luterana" e localizou quem procurava.

Depois que a polícia descobriu o nome do meu pai, começou a vigiar a rua da nossa casa. Estavam confiantes de que iam pegá-lo, mas esperavam a chegada de alguns resultados de DNA antes de prendê-lo. Na primavera, foi divulgado para a mídia que o DNA aguardado era o meu.

Os detetives coletaram amostras do BTK em cenas de crime em 1974, 1977 e 1986. Em 2004, a força-tarefa BTK pediu a mais de mil homens na região de Wichita que fizessem um teste de DNA — de forma voluntária — para descartá-los como suspeitos. Foi apelidado de *swab-a-thon*.*

Pelo que entendi, fui a única mulher examinada para comparar meu material genético ao do meu pai. O que eu não sabia era que antes de me pedirem para fornecer um cotonete com a minha mucosa voluntariamente, meu DNA já havia sido coletado sem meu conhecimento. Depois que os detetives determinaram que meu pai provavelmente era o BTK, descobriram que ele tinha dois filhos e que eu havia estudado na Kansas State e vivido nos dormitórios enquanto estava lá.

Eles conseguiram uma intimação para obter meus registros no Lafene, o centro de saúde do campus. Quando um detetive chegou, teve sorte: eu tinha feito o exame anual de Papanicolau e a biópsia de um pólipo cervical. Ele conseguiu outra intimação, além da ordem judicial para minha amostra de tecido.

O slide foi levado ao laboratório do KBI em Topeka e, em 24 de fevereiro, voltei como uma compatibilidade 10/10 de alelos com o BTK.

Eu era uma estudante universitária quando me disseram que precisaria de uma coleta de tecido e biópsia. Fiquei preocupada e com medo, até que voltou benigno. Tinha quase a mesma idade de Kathryn Bright, que meu pai assassinara em 1974.

Vinte e cinco anos depois que papai assassinou uma jovem de 21 anos perto da Wichita State, ele ajudou a filha de 21 anos a se mudar para um dormitório da Kansas State. Seis anos depois, meu DNA ajudaria a identificá-lo. (Ainda não sei se esse DNA em particular veio de um exame de Papanicolau de rotina ou da biópsia.)

---

* [NT] Algo como "maratona do *swab*", em referência aos procedimentos que usam o *swab* [cotonete longo e estéril] a fim de obter material para exames clínicos. Especificamente, é possível colher material genético para exame de DNA esfregando um cotonete na mucosa da boca.

Meu pai invadia as casas das pessoas, amarrava-as e as torturava, assassinava-as e causava ainda mais violações depois que morriam. Não soube disso de forma delicada pelos detetives que trabalharam no caso do meu pai, que vasculharam meus registros médicos. Em vez disso, descobri pelo noticiário, junto do resto do mundo.

Meu irmão e eu éramos praticamente crianças quando meu pai cometeu os últimos três assassinatos.

Meu pai foi responsável por causar danos imensos a suas dez vítimas. Ele também foi responsável por causar danos imensos à minha família.

Ele nos traiu.

Agora, eu sentia que a polícia tinha me usado. Haviam acessado meus registros médicos particulares sem minha permissão.

A mídia estava perseguindo minha família e nos fazendo sentir como se tivéssemos feito algo de errado. (Na verdade, teríamos nos qualificado para receber os serviços de apoio à vítima no estado do Kansas, mas não sabia disso até 2017.)

Em alguns meses, perdi a fé no meu pai, perdi a fé no jornalismo e, agora, estava perdendo a fé nas autoridades policiais. Não sobraria muita coisa depois que papai acabasse com a gente.

BTK: MEU PAI
A LUZ E A ESCURIDÃO
KERRI / RAWSON

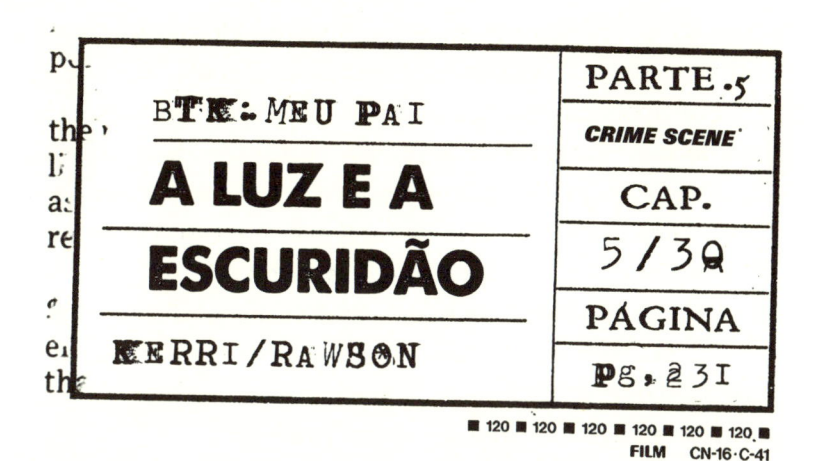

PARTE .5
CAP. 5/30
PÁGINA Pg. 231

ABRIL DE 2005

Em algum ponto entre os piores meses da minha vida, começou minha segunda grande descida de sofrimento para dentro de um abismo turvo e sombrio. Junto das paredes opacas e espessas que tentavam conter minha dor, vieram lampejos brancos de pânico na visão, tingida com borbulhar vermelho-escuro. A depressão e a ansiedade, meus antigos torturadores, estavam ressurgindo e juntando forças com um novo valentão: o trauma – que, na verdade, poderia ser um antigo algoz meu.

Pai.

Eu começava a perder a noção do tempo. A capacidade de me manter firme vinha em solavancos, e quando não conseguia, tinha episódios de branco cinza-nebuloso.

Vida dividida. Nos dias bons, eu lecionava, fazia compras, ia ao Coney com Darian. Vagávamos pelo Zoológico de Detroit, dois dos raros visitantes que frequentavam o parque nos meses semicongelados. Na aparência, éramos como quaisquer outras pessoas, mas estávamos em sofrimento.

Na tentativa de nos manter anônimos, Darian sempre me lembrava de baixar a voz quando falava do papai em público. Mais e mais, contava a Darian as coisas terríveis que o mundo alegava terem sido feitas pelo meu pai, e ele pacientemente permitia que eu falasse. Se saíamos para jantar, olhávamos ao redor, imaginando se alguém sabia quem éramos. Nós tentávamos não pronunciar o nome "BTK".

Principalmente por minha causa, mas talvez se dissesse em voz alta, aquilo se tornasse realidade: *meu pai é o BTK — eu sou filha do BTK*.

A certa altura, ficamos presos no cinema, congelados em nossos assentos depois de ver *Refém*, filme com criminosos violentos, invasão a domicílios e Bruce Willis tentando salvar o dia.

Darian me lançou um olhar. "Você está bem? Estou meio zonzo."

"Eu quero vomitar." Agarrei os apoios de braço enquanto os créditos rolavam.

"Talvez a gente não devesse ter visto este."

"Verdade. Acho que não vou aguentar esse tipo de filme por um tempo." Fiz uma pausa, olhei para o chão e de volta para Darian, e disse baixinho: "Eu vi *Os Sete Crimes Capitais* com papai no Palace no início de 1996".

"Ah. Só vocês?"

"É. Você acha que ele estava tentando me dizer algo sobre ele? Quando me levou para ver esse filme?"

"Não sei."

"Eu vi *Copycat — A Vida Imita a Morte* em North Rock. Papai ficou impressionado por eu passar por aquilo sozinha. Conversamos sobre o filme quando cheguei em casa."

"Sabia que, para todos os efeitos, *Dragão Vermelho* é vagamente baseado no seu pai?"

"Não! Sério? Caramba. Vi esse com ele também. E *O Silêncio dos Inocentes* e *Hannibal* e *8mm*... Eu poderia continuar a lista."

"*8mm*? Uau. Bem, vamos lá, vamos indo." Ele se levantou, recolheu nosso pote de pipoca e copos vazios, e ofereceu a mão e me levou para fora. Não voltamos ao cinema por algum tempo.

Continuei tagarelando sobre assassinos em série e histórias de terror no carro, da mesma forma que um hidrante quebrado jorra água: "Também li todos aqueles livros — os do Hannibal Lecter, *Beijos Que Matam*, muitos do Stephen King. Papai e eu trocávamos livros, sugeríamos títulos da biblioteca, conversávamos disso."

"Que idade?"

"Ensino fundamental? Ensino médio? Mamãe não necessariamente aprovava, mas meu pai me deixava ler o que eu quisesse. Eu lia os romances escondida dela por baixo das cobertas com a lanterna. Ela enfim desistiu de tentar me impedir quando eu tinha uns 16 anos."

Conversar com Darian sempre ajudava. Dizer em voz alta o que girava sem parar na minha cabeça. Talvez, se eu pensasse o suficiente naquilo tudo, parecesse verdade.

Nos dias em que estava mal, que eram muitos, eu sumia. Não dava aulas. Dormia até Darian ligar para perguntar: "O que você quer almoçar? Que tal Taco Bell?".

O amo nunca falha.

Na alegria e na tristeza, na saúde e na doença.

Eu comia o que ele me trazia, fazia sei lá o quê por algumas horas, para então deitar no sofá e cochilar até ele chegar do trabalho. Assistíamos à TV à noite, ou eu fazia ponto-cruz, um novo e velho hobby, enquanto ele trabalhava no computador. Ficávamos acordados até tarde — nossa tentativa de afastar a escuridão — então, um de nós resmungava que era hora de dormir e o outro vinha atrás.

Não sei dizer em que semana de inferno nos encontramos de novo como marido e mulher, mas logo no início, éramos nós contra o mundo.

Após a prisão, meus terrores noturnos voltaram com força total. Agora, aquela coisa que tentava me matar na calada da noite se parecia muito com meu pai. Eu me sentava, em silêncio, procurando com os olhos o que havia no quarto ao redor, procurando por ele. Ou acordava assustada e gritava, puxando o pobre e adormecido Darian. "Pa... Pa... Pai."

"Não é. Dorme."

"Como você sabe?", questionava Darian, com acusação na voz e derrubava coisas na mesa de cabeceira ao tentar encontrar a lanterna Maglite preta gigante ou tatear para localizar o interruptor do abajur. "Ah. Tem razão. Não tem ninguém aqui."

Papai está na prisão. Ele não pode machucar mais ninguém.

Meu coração batia tão forte que quase saía do peito. Eu tremia. Então, alguns minutos depois, encontrava a coragem e me forçava a desligar a luz outra vez.

Ok, não tem nada aqui, volte a dormir.

Às vezes, lutava contra o bandido e sem querer acabava batendo em Darian, confundindo-o com o inimigo, mas logo eu estava acordada o suficiente para perceber o erro. "Desculpa. Pânico noturno de novo."

Ele grunhia. "Mmph, está tudo bem. Dorme."

Eu sempre tinha terrores noturnos. Não sabia em que noite voltariam, mas pelo menos eram um monstro conhecido. Novidade eram os ciclos de memórias. Eram um novo algoz, e não tinha ideia de como me livrar da crise ou de quando ia passar.

Minha casa não era mais um lar. Havia sido permanentemente fixada nos meus ossos como o lugar onde eu sofrera dor e medo intensos, um risco para minha vida, em 25 de fevereiro. Havia criado uma carga emocional pesada e incandescente, que dava voltas, voltas e mais voltas.

O homem do FBI bateu na minha porta... Ele pediu meu DNA... Ele saiu... Nunca mais o vi.

De novo e de novo.

Tinha certeza de que estava ficando louca, embora continuasse a não contar a ninguém, nem mesmo a Darian, que tentava segurar as pontas por nós dois. Tenho certeza de que ele também percebia que a esposa continuava desmoronando na frente dele.

Não me lembro quando, exatamente, me vi de volta no sofá de um terapeuta. Não me lembro se fui porque minha mãe me convenceu — ela havia começado a se consultar com alguém em Wichita — se Darian me persuadiu a buscar ajuda, ou se eu mesmo agitara a bandeira branca da rendição.

Acho que não marquei o quadradinho de pensamentos suicidas desta vez, mas também não tenho certeza. Eu me lembro de pegar as cartas de papai, dobradas, e retirá-las de dentro dos envelopes decorados da prisão, nas sessões de terapia — algo tangível para apontar, dizer que aquilo estava mesmo acontecendo.

Darian me levava. O consultório ficava no bairro ao sul do nosso, não muito longe, mas eu não conseguia reunir forças suficientes para ir de carro sozinha; além disso, minhas sessões eram à noite. Eu havia recomeçado a sentir grande nervosismo no escuro.

"*O Senhor é a fortaleza da minha vida; a quem temerei?*"[1]

Darian às vezes entrava comigo e se espremia ao meu lado no sofá. Outras vezes, esperava 45 minutos na recepção e depois, bem tarde, íamos comer no Steak 'n Shake.

Meu terapeuta afirmou que eu estava de luto. Eu tinha permissão para chorar e precisava me permitir fazê-lo, embora papai ainda estivesse vivo e tivesse causado muitos danos. Eu sentia muita culpa e vergonha pelo que ele tinha feito e nem sempre achava que tinha o direito de lamentar sua perda da minha vida.

De luto pela perda do pai que eu amava, de luto pela perda do homem que nunca conheci. De luto por ele, pela minha família. De luto pelas vidas que ele tirara. De luto por suas famílias.

* * *

Nesses meses terríveis, percebi que não apenas estava sofrendo um ciclo dos pormenores que vinha descobrindo sobre os assassinatos de papai e dos meus próprios traumas do FBI; Eu também estava repetindo as promessas de Deus contidas nas Escrituras. Não me encontrava apenas presa na escuridão; eu também estava agarrada à luz.

"*O Senhor é a minha rocha, a minha cidadela, o meu libertador; o meu Deus, o meu rochedo em que me refugio; o meu escudo, a força da minha salvação, o meu baluarte.*"[2]

"*O Senhor é a minha luz e a minha salvação; de quem terei medo? O Senhor é a fortaleza da minha vida; a quem temerei?*"[3]

Às vezes, os versículos se misturavam, ficavam fora de ordem: *O Senhor é a minha rocha e a minha salvação, de quem terei medo?*

Os versículos cortavam a escuridão, e comecei a me ensinar não apenas a repeti-los em pensamento silencioso, mas a pronunciá-los baixinho quando sentia medo. Principalmente no escuro.

"*Deus é luz, e não há nele treva nenhuma.*"⁴

Eles me traziam força — me proporcionavam uma postura desafiadora. A vontade de seguir em frente. Nos piores momentos da vida, estava me voltando para a minha fé em Deus, sem nem mesmo perceber, a princípio, que isso estava acontecendo.

Em algum momento nesses meses terríveis, quando não me restava mais nada — nenhuma capacidade de abrir a Bíblia —, Deus me deu uma imagem *Dele*: embaixo de mim estava Sua força, uma grande e inexpugnável rocha preta sobre a qual Ele me colocara. Ao meu redor e dentro de mim estava o Seu Espírito, escudo impermeável de luz. E acima de mim, tremulando bem no alto, sua bandeira: "*e o seu estandarte sobre mim é o amor*".⁵

BK

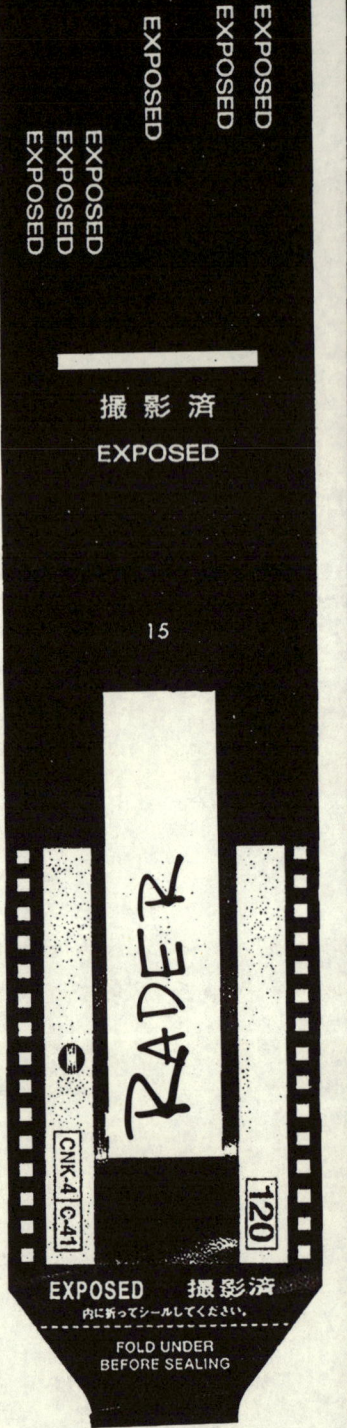

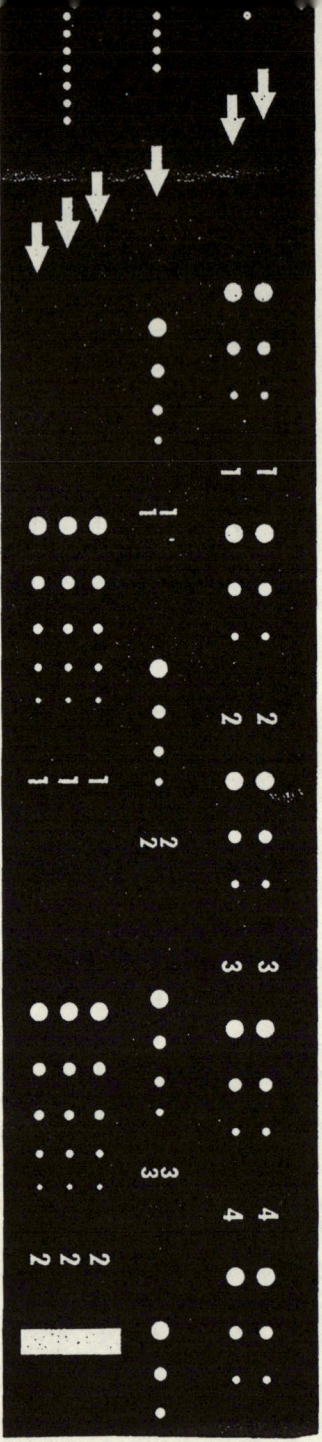

EXPOSED
EXPOSED
EXPOSED
EXPOSED
EXPOSED
EXPOSED

撮影済
EXPOSED

15

RADER

CNK-4 C-41   120

EXPOSED 撮影済
内に折ってシールしてください。
FOLD UNDER
BEFORE SEALING

BK

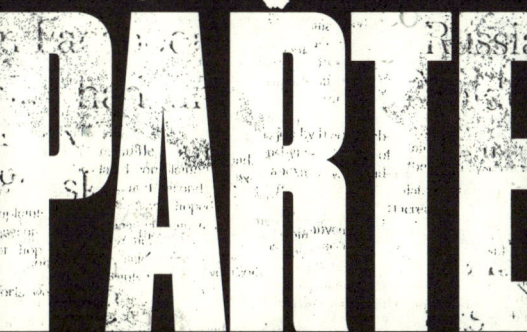

PARTE 6
FIRME-SE NA SUA ROCHA

ELE DEU A MEUS PÉS A LIGEIREZA DAS CORÇAS E ME FIRMOU NAS MINHAS ALTURAS. ELE ADESTROU AS MINHAS MÃOS PARA O COMBATE, DE SORTE QUE OS MEUS BRAÇOS VERGARAM UM ARCO DE BRONZE.
— SALMOS 18:33-34

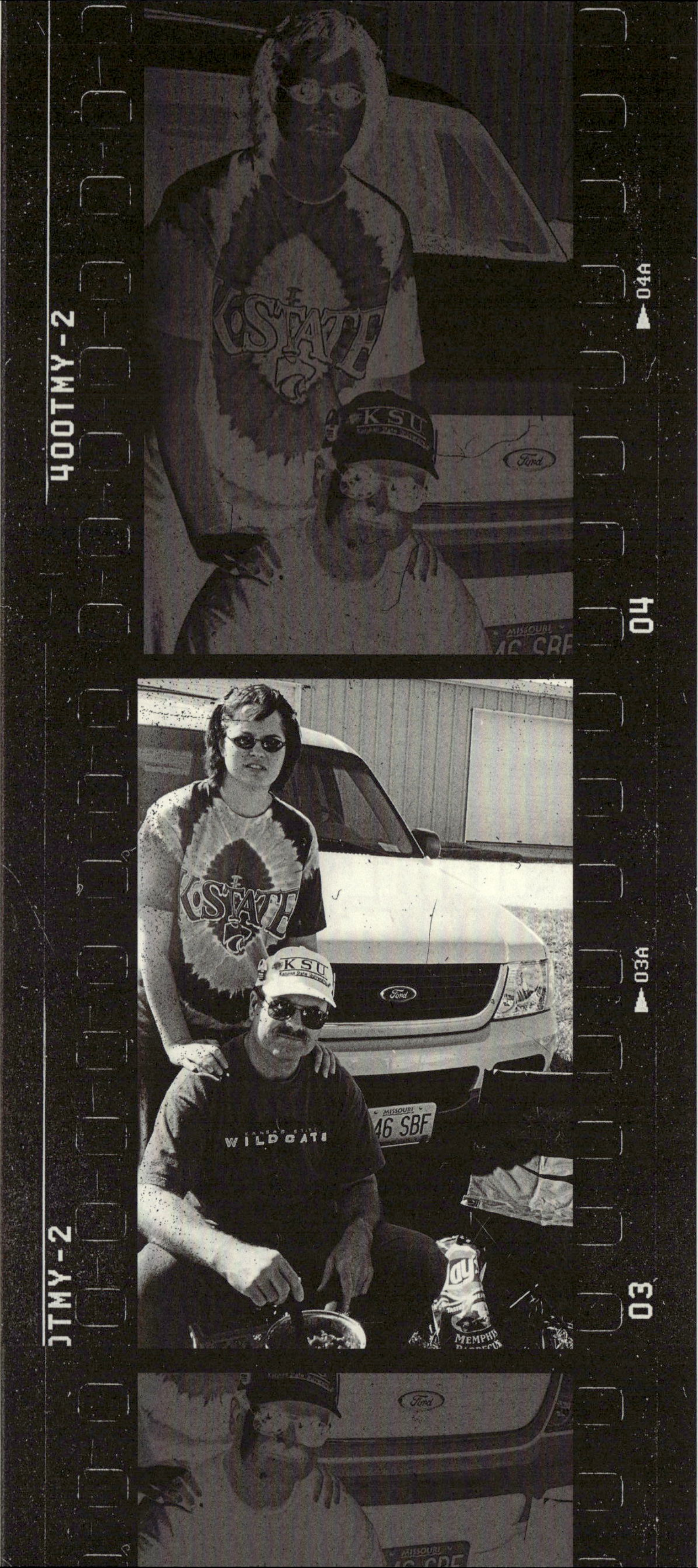
400TMY-2
04A
04
03A
03
K-STATE
KSU
WILDCATS
MISSOURI
46 SBF

BTK: MEU PAI
O TEMPO SEMPRE PASSA
KERRI / RAWSON

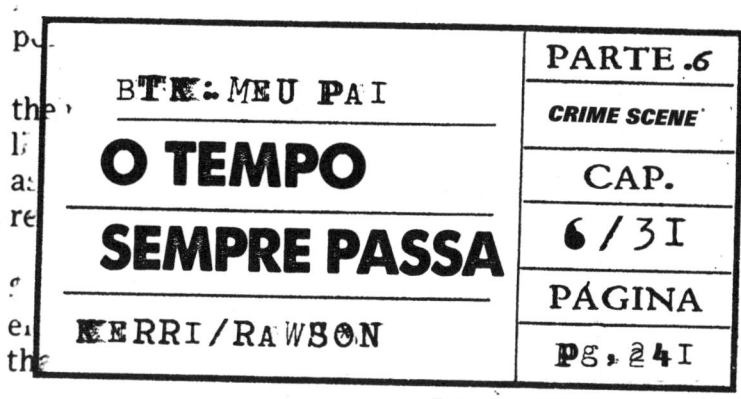

PARTE .6
CRIME SCENE
CAP. 6/31
PÁGINA pg. 241

17 de abril

Querida Kerri,

Começamos a pré-acusação na próxima semana, em 19 de abril. O circo vai começar! A mídia e o resto são uma grande confusão!

Meu advogado planejou sacudir o estado. Haverá uma alegação de inocência em algum momento; isso nos dará tempo para analisar mais provas. Em algum momento, faremos o apelo final. O negócio legal já era.

Finalmente consegui me mudar para uma Ala com 12 Detentos, eu os chamo de "Gangue dos doze condenados". O sistema entrevistou cada um sobre risco de segurança e minha situação de grande visibilidade. Eles são um bando de malucos, mas são caras legais. Estou aprendendo seus nomes e fazendo amizade na Ala. Um deles cortou muito bem meu cabelo hoje de Manhã. Tenho minha própria mesa e cadeira (territorial) e todo mundo tem na sala comum. Dividimos nossos remédios, assistimos à TV, jogamos cartas. Ainda vou jogar xadrez, embora outros joguem todos os dias. Também fazemos barulho, brincamos uns com os outros e não ficamos parados por aqui. Como se costuma dizer, "Passe o tempo, não deixe que o tempo passe por cima de você".

Os Doze Condenados disseram que, desde que cheguei, receberam privilégios. Embora tenhamos mais controle nas celas, a aplicação das Regras de Detenção e dos RAs tem sido mais formal. Acho que porque eles sabem que em algum momento vou falar com a mídia, e eles querem que o show deles esteja seguindo o riscado.

Pegamos um pouco de ar fresco ontem à noite. Minha primeira vez desde a prisão. Alguns caras não saíam desde setembro. Ah, foi tão bom respirar ar fresco e ver o céu azul, lua crescente. Eu tive que ir acorrentado, mas já estou acostumado. Eles me acorrentam quando eu me locomovo pelo prédio. Na acusação, vou ter correntes de perna e dispositivo de choque de 50.000 volts, caso eu saia do controle. Recebo muito respeito dos Doze Condenados.

Sua mãe disse que você não recebeu mais nenhuma correspondência minha, é verdade? Não entendo? Enviei pelo menos duas ou mais cartas. Será que o FBI as está segurando? Vovó Dorothea caiu e foi para o hospital? Você ou Mamãe podem me contar? Estou de mãos atadas!

Comecei a desenhar no envelope. Eu desenho alguns para os Doze Condenados. É assim que sobrevivemos; ajudamos uns aos outros. Troca. Chocolate quente, barra de chocolate, Cheetos, chá, Tang, café, são necessidades básicas todos os dias.

Estou sem notícias da família. Espero que esteja tudo bem. Tenho certeza de que a mídia vai cair pesado de novo, desculpe, me perdoe.

Com amor,
Pai

19 DE ABRIL

A primeira audiência de papai no tribunal, uma pré-acusação, durou apenas alguns minutos, o que me fez rir quando imaginei toda a mídia nacional que tinha vindo só para isso. Papai usava seu belo terno cinza e uma elegante gravata cinza e amarela que mamãe e eu tínhamos dado em algum Dia dos Pais. Queríamos que meu pai se vestisse de modo adequado para o tribunal, não de macacão laranja. Compreendendo que era importante para nós, tio Bob foi até nossa casa e escolheu ternos, camisas sociais, gravatas que combinassem e sapatos para o meu pai.

Papai era um criminoso, mas não importava o que tivesse feito, ainda merecia ser tratado com dignidade e respeito. Chamaram-no de monstro, não humano; disseram que deveria ir para a cadeira. Era brutal ouvir criticarem-no, xingarem-no, zombarem dele.

Eu entendia essa raiva. Afinal, ele havia tirado dez vidas e não existia qualquer dignidade ou respeito nos seus atos — meu pai deveria ficar na prisão pelo resto da vida. Ainda assim, era meu pai, e embora eu ainda me sentisse dilacerada por dentro, tentava dar um apoio discreto ao homem que conhecia para que pudesse atravessar a formalização das acusações e o julgamento.

Que a verdade seja a verdade.

Eu deveria ter aparecido no tribunal e me sentado atrás dele, estado lá para dar apoio, mas tive medo. E estava com vergonha de não ter força ou coragem. Não queria ser exposta pelo circo da mídia. E também não confiava na polícia, que eu sentia que tinha me usado.

Eu também não conseguia me imaginar enfrentando as famílias. Elas eram um bloco de solidariedade — todas haviam perdido alguém que amavam pelas ações dele. As famílias mereciam justiça.

Minha família estava à parte disso. Éramos a família dele. Nós ficaríamos longe.

O melhor que poderia fazer seria acompanhar pela internet as aparições de papai no tribunal, verificar os sites de notícias depois. Eu chorava baixinho enquanto lia os detalhes e estudava com atenção as fotos dele, tentando muito me agarrar ao que — e a quem — estava perdendo. O terno parecia um pouco mais folgado, ele havia apertado um furo a mais no cinto, a barba tinha crescido, o cabelo estava um pouco mais longo do que eu sei que ele preferiria, e seu rosto estava abatido. Ele estava envelhecendo da noite para o dia.

A prisão cobrava seu preço.

Eu assistia à desgraça e queda do meu herói, que se esforçava ao máximo para manter as coisas sob controle. Eu poderia dizer pela tensão em seu rosto.

"Preciso escrever para o papai antes de viajar para casa." Estava no telefone com a minha mãe depois da audiência dele.

"Não conte a seu pai do meu pé." Mamãe torcera o pé no mês anterior e quebrara um osso. Ela agora estava mancando para lá e para cá de muletas, usando uma bota.

O que contar e não contar ao meu pai havia se tornado questão de discórdia, não apenas com ela, mas também com meus tios. Havia uma lista cada vez maior e mutante do que eu podia falar. Eu também não tinha ideia de quem andava escrevendo para ele ou fazendo visitas e nem o que estavam dizendo.

De qualquer maneira, papai soube da fratura, e tinha ouvido que vovó Dorothea continuava a piorar. Minha família estava unida para proteger minha avó, mas ela mesma queria escrever e visitá-lo. Ela estava definhando, sofrendo de demência e possivelmente de Parkinson. Vovó era bem cuidada por meus tios e suas famílias, mas não parecia importar o que papai ouvisse: ele ainda implorava por respostas quando nos escrevia, demonstrando preocupação por todos nós.

Quando eu escrevia, tentava informá-lo da melhor maneira possível, ao mesmo tempo em que tentava evitar qualquer coisa que caísse no novo rótulo de "privacidade da família". Com frequência, anotava: "Estamos bem. Todos estão bem", imaginando que quanto mais pudéssemos aliviar suas preocupações, mais provável seria que se dispusesse a se declarar culpado. (Dica de sobrevivente: dois meses depois de seu pai ter sido preso é bastante improvável que alguma coisa esteja "bem", que dirá que *você* esteja "bem".)

23 de abril

Querido pai,

Oi. Fiquei feliz ao receber suas cartas e saber como você está — me preocupo por estar sozinho e em um ambiente tão hostil. Estou feliz por você poder sair ao ar livre, conversar com outros presos agora e ter com quem jogar baralho.

Parte de uma das cartas que escreveu [para] alguém, talvez um estranho (carta de fã?) está agora em um site sobre os crimes. Talvez você precise ter cuidado agora com para quem escreve e para quem dá poemas e desenhos. Tudo pode acabar na internet ou prejudicar seu caso no tribunal.

Mamãe está planejando ficar com a vovó e o vovô por um tempo. O Dudley está com amigos da igreja, ele está bem.

Vou para a cidade esta semana, porque nosso Corsica está arriando, e mamãe vai nos dar o Tempo. Vou me encontrar com sua psicóloga enquanto estiver lá. Conversei com seus advogados nas últimas semanas, e Brian também planeja ajudar.

Ficamos felizes por você ter dispensado a audiência na terça-feira. Mesmo que eu esteja na cidade, ainda não estou pronta para visitar a prisão, mas prometo que vou ver você em algum momento.

Você estava querendo saber da vovó Dorothea. Ela estava com parentes, mas então teve outra recaída e precisou ir para o hospital. Ela ficou alguns dias lá e depois pediu para ser levada a um asilo. Ela já está melhor.

Brian está indo bem; ele está se mantendo ocupado com as aulas. Mamãe está bem e tentando se ajustar à nova vida.

Darian e eu estamos bem. Estou de volta ao trabalho de professora substituta. Finalmente esquentou por aqui, e as flores e árvores desabrocharam, mas neste fim de semana estamos sob aviso de tempestade de inverno, se é que podemos acreditar nisso. Sabemos que você ainda está decidindo a argumentação final, mas a família sente que, se você for culpado, então sabe que é culpado. Por que analisar mais provas? Não entendemos bem todas as questões legais envolvidas, mas estamos tentando respeitar sua decisão. As coisas seriam mais fáceis para nós no que diz respeito à mídia e ao tribunal se pudesse se declarar culpado, mas sabemos que isso é com você.

Eu fiquei me perguntando se aconteceu algo de ruim com você quando era menino e se gostaria de se abrir e falar disso? Eu sinto muito se você teve alguma experiência negativa. Você deve saber que não é culpa sua se algo aconteceu quando era pequeno. Em casos como esse, fomos informados de que geralmente aconteceu alguma coisa com a pessoa que cometeu os crimes e que mudou quem ela era.

Seus psicólogos e advogados não podem me dizer nada sobre o caso ou qualquer coisa que você tenha contado a eles. Tudo o que sei é o que você transmitiu ao pastor, nas cartas, e o pouco que o FBI me contou no primeiro fim de semana. Sabemos que há evidências, mas não exatamente quais.

Do ponto de vista emocional, todos sentimos que ainda é impossível que você tenha algo a ver com isso — o homem que conhecemos e amamos. Do ponto de vista racional, sabemos que há todo um outro lado e coisas que o embasam. Estamos tentando chegar a um entendimento — pode haver duas pessoas diferentes em você. Algum dia gostaríamos de respostas, se você for capaz de dá-las ou de recebê-las de si mesmo.

Cuide-se, mantenha-se em segurança e tente não se preocupar muito com a família. Alguns parentes estão tendo dificuldades, e pode ser por isso que você não está recebendo tantas cartas ou visitas.

Tente se manter forte e saudável. Deus está com você, Ele nunca vai te deixar nem te desamparar. Ele o amou antes mesmo de você ser criado, Ele o ama incondicionalmente e perdoará todos os seus pecados se pedir perdão.

Envio todo meu amor e minhas orações,
Kerri

Algumas cartas foram extraviadas ou mantidas na prisão, talvez até roubadas em algum ponto ao longo do caminho ou perdidas nos primeiros meses. Brian escreveu a papai, mas a carta foi devolvida porque meu irmão gentilmente acrescentou um cartão de chamadas de longa distância e a prisão não permite. Nesse caso, papai e eu enviamos cartas um para o outro ao mesmo tempo; nos sentamos para escrevê-las no mesmo dia, com dezesseis horas de distância entre nós, e elas se cruzaram pelo caminho.

>23 de abril
>Querida Kerri,
>
>Oi, como você está? Você e Darian estão bem e se mantendo ocupados???
>
>Ouvi dizer que vai estar na cidade para ver sua mãe na próxima semana. Eu adoraria te ver, mas sei que seria difícil e talvez ainda seja muito cedo.
>
>Sempre consigo escrever para você, antes de para o resto da família. Não sei a razão, mas você parece me entender e as cartas ajudam a quebrar o gelo para que outras cartas venham na sequência.
>
>Uma ou duas linhas me ajudariam a superar a tristeza de não ter notícias de entes queridos. E Kerri, pode ser que o correio não esteja chegando. Recebo muitas cartas de outras pessoas, amigos por correspondência, mas poucas da família. Recebi a terceira carta da sua Mãe e uma da Vovó Dorothea.
>
>Você e sua Mãe podem me visitar, mas, como disse, a mídia pode ver vocês ou pode ser muito cedo. Será muito difícil ver qualquer uma. Ficarei com o coração completamente partido, triste, mas é bom ver alguém da família para variar.
>
>Você já deve ter ouvido a renúncia da pré-audiência em 19 de abril. Sua mãe ficou muito feliz por eu ter cumprido o desejo da família. A acusação será em 3 de maio, meu advogado quer que me declare, Inocente para ganhar mais tempo e decidir o argumento final. Resumindo, se eu me declarar inocente, não vou trair a família nesse momento; preciso de tempo para tomar a decisão final.

Estou me acostumando com minha nova família, os internos da Ala — Doze Condenados. Não só agora eu tenho respeito, como a Ala está ficando conhecida e os presos estão se tornando Celebridades! Alguns responsáveis de Ala não querem fazer a guarda, devido à nossa posição agora. Ficam nervosos demais. Esta semana, cinco presidiários ficaram na tranca. Sem privilégios de sala diurna. Fizemos uma promessa hoje dizendo que todos iríamos para a tranca se algum RA passasse dos limites com a gente. Alguns dos RAs querem armar pra mim para que assim possam alegar que me colocaram na tranca por um ou dois dias. Fiz 43 dias na tranca, grande coisa!

Ocupo meu dia com cartas, escrevendo para familiares (cristãos e outros), quebra-cabeças, o *Eagle*, TV, jogos, baralho, exercícios, risos, piadas e histórias de guerra com outros presos. Além disso, alguns visitantes, um amigo por correspondência e o Pastor.

Acompanho aqueles que me escreveram e responderam, me mantenho ocupado. Recebi cerca de 98 cartas até agora. Uma boa parte já respondi. Pode ser que você comece a ver algumas cartas minhas, poemas, aparecendo na internet, procuro escrever só o que já se sabe ou que já vai se tornar conhecido, nada que atrapalhe a relação advogado-cliente ou a família, mas se esse evento de mídia começar a sair do controle, eu o encerro rapidamente, com poucas cartas de amigos por correspondência.

Se cuida, manda lembranças pro Darian. Saudades!

Com amor,
Pai

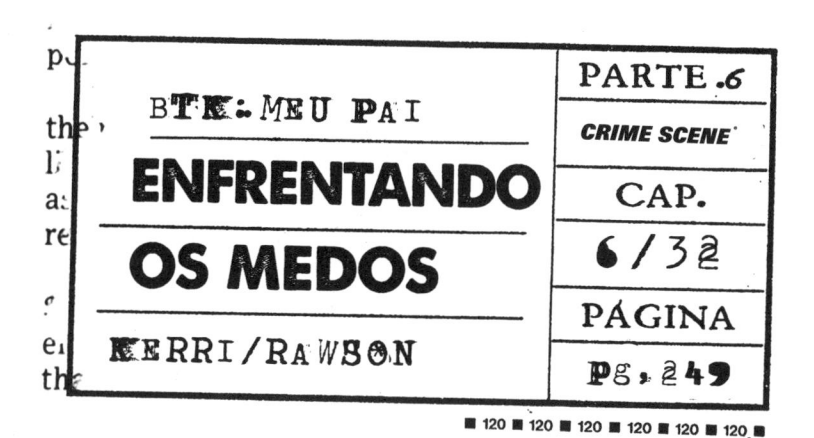

PARTE 6
BTK: MEU PAI
ENFRENTANDO OS MEDOS
KERRI / RAWSON

ABRIL DE 2005
MICHIGAN

Em um domingo, de manhã bem cedo, Darian me levou em um trajeto de uma hora rumo ao norte. O inverno estava no fim e nevava lentamente. Eu encontrava consolo nos flocos brancos e fofos que caíam em silêncio, mas embarcar naquele voo para Wichita era como se eu estivesse seguindo direto para a cova dos leões, com suas câmeras e microfones prontos, bocas abertas para me devorar.

O Senhor é a minha rocha e a minha salvação, de quem terei medo?

Eu tinha planejado viajar no fim de semana anterior, mas os dois advogados do meu pai — defensores públicos atenciosos e gentis — sugeriram que atrasasse a viagem devido à primeira audiência de papai no tribunal. Eles imaginaram que uma massa de repórteres estaria de olho no aeroporto Mid-Continent, em Wichita, aguardando minha chegada. Até se ofereceram para me buscar e me ajudar a chegar à minha família. Enquanto estava sentada no portão de embarque em Atlanta, esperando a conexão, olhei ao redor para ver se reconhecia alguém. Em alerta. Aquelas pessoas estavam a caminho de Wichita e sabiam sobre meu pai.

No avião, examinei os rostos outra vez enquanto seguia para o assento lá no fundo.

Não reconheço ninguém, mas será que me reconheceram? Se sim, o que pensam de mim?

WICHITA

O aeroporto estava tranquilo quando pousei: sem mídia, sem câmeras, sem leões. Eu ainda me sentia constrangida ao puxar a mala de rodinhas pelo estreito corredor.

No desembarque, do outro lado, vovó Eileen e mamãe estavam esperando por mim. Mamãe parecia mais forte do que em fevereiro. Havia cor e vida no rosto, mas ela estava apoiada em muletas, com uma bota ortopédica pesada no pé esquerdo.

Eu fazia uma varredura da cidade enquanto seguíamos para a casa dos meus avós; eu me virava para olhar ao redor pelas janelas do carro,, como se estivesse em patrulha.

Este lugar é hostil a mim.

Depois de sair da I-135, passamos lentamente de carro na frente da minha antiga casa. Parecia solitária, sem o Springer spaniel marrom e branco esperando no portão. E não parecia mais minha casa. Doeu, e com as lágrimas que estava tentando engolir, acrescentei *casa* na lista de coisas que eu havia perdido.

Passei a semana seguinte na outra esquina, na casa dos meus avós, um lugar tranquilo e pacífico cheio de memórias. Olhei para o parque atrás da casa, onde a vovó havia ficado por décadas lavando pratos; percebi como era perto da antiga casa da sra. Hedge — e que loucura que meu pai tivesse assassinado nossa vizinha quando eu tinha 6 anos.

Cresci brincando na valeta estreita que passava atrás de nossas três casas e voltando para casa coberta de lama da cabeça aos pés. Jogava beisebol com meus primos naquele parque nos feriados e batíamos em bolas de golfe do quintal dos meus avós por cima da corrente baixa que o separava do parque. No inverno, eu caminhava pesada pela neve com meu irmão, que puxava nosso trenó laranja para o minúsculo morro no quintal dos meus avós por onde poderíamos descer.

Em um dia escaldante de verão, quando eu tinha 8 anos, papai, Brian e eu levamos nossa elegante e aerodinâmica pipa laranja néon para o parque. Mais tarde, eu estava brincando, em pé sobre um balanço vermelho enferrujado bem atrás da velha casa da sra. Hedge. Escorreguei e caí, batendo a parte entre as pernas com força no poste de metal.

Papai ficou nervoso, irritado — como se fosse minha culpa eu ter me machucado. Com dor e confusa com sua reação, pedi para voltar para casa. Poucos minutos depois, caminhando ao longo da valeta, papai estava balançando a pipa ao acaso e uma das pontas de plástico do quadrado me acertou no olho, o que causou sangramento.

Por reflexo, estremeci e logo cobri o olho com a mão. Em seguida, estremeci de novo quando ouvi a voz estrondosa: "Presta atenção no que você faz!". Lá estava ele de novo — sua irritação com a minha dor. Como se meu acidente o tirasse do sério. No entanto, havia algo mais ali nos seus olhos e postura abatida. Vergonha.

Entrei e sentei no vaso sanitário com a tampa abaixada — nosso local de primeiros socorros, onde incontáveis joelhos arranhados receberam curativos da mamãe. Eu a queria por perto, como sempre queria quando papai ficava ruim.

Ela verificou meu primeiro ferimento, dizendo que havia feito algo semelhante ao cair de uma bicicleta quando era menina. Então me levou até Wesley — para o mesmo pronto-socorro em que estivera um ano antes por causa do braço quebrado — para cuidar do olho. Tive que usar um tapa-olho por alguns dias.

Foi um dia péssimo, mas minha mente de 8 anos tornava tudo pior e ligou aqueles acontecimentos como algo ruim que tinha acontecido bem atrás da casa onde a sra. Hedge desaparecera no ano anterior. Depois daquilo, fui ficando com mais medo — não apenas com medo daquela casa, mas desconfortável com todo o parque.

Papai seria contido, protegido de si mesmo. Nunca mais poderia machucar outro ser humano. Nem teria que fingir — se esconder atrás de sua fachada. Todo mundo agora sabia quem ele era e o que ele era. Papai poderia encontrar algum tipo de alívio nisso.

Agarrei a bancada da cozinha dos meus avós, fechei os olhos, nauseada. Uma memória há muito esquecida, tingida de linhas vermelhas parecidas com estática, tentou me percorrer com uma onda de calor incandescente.

Será que papai tinha ficado "ruim" naquele dia porque estávamos brincando atrás da casa da sra. Hedge? Por que ficava tão bravo quando mamãe e eu nos machucávamos? Ele não se enfurecia quando Brian se machucava.

Papai está na prisão. Ele não pode prejudicar mais ninguém agora. Você está segura — calma.

SEGUNDA-FEIRA

Meu pai e seus defensores públicos perguntaram se estava disposta a conversar com uma psicóloga contratada pelo estado do Kansas, como parte da defesa do meu pai. Brian falou com ela ao telefone e concordei em nos encontrarmos enquanto eu estivesse em Wichita, na casa da tia Sharon e do tio Bob. A psicóloga foi amigável e logo me deixou à vontade. Pelas horas seguintes, sentada à mesa da cozinha na casa da minha tia, contei como era a vida com meu pai durante a minha infância e adolescência: acampamento, pesca, férias.

Tudo bem e normal. Não há nada para ver aqui, pessoal; pode guardar o DSM-VI.

A caneta da psicóloga corria sobre um bloco de notas amarelo. Isso me ajudava a falar abertamente de papai, mas drenava meu emocional. E quando ela saiu, ainda não tinha ideia de o porquê meu pai precisava de defesa no julgamento, já que era culpado.

Naquela noite, jantei com os pais de Darian e o irmão dele, Eron. Foi a primeira vez que vi a família de Darian desde a prisão, e tagarelei sobre tudo o que tinha acontecido nos últimos meses; falei até ficar rouca. Dave e Dona ficaram preocupados comigo e tentaram redirecionar a conversa para me proteger, mas eu não conseguia parar.

Trauma.

Naquela noite, Dave me acompanhou até o carro da minha mãe. Desanimada e exausta, eu disse: "Não sei o que Darian e eu vamos contar aos nossos filhos um dia sobre meu pai, o avô deles".

Dave respondeu: "Ainda vai demorar vários anos para isso. Não se preocupe; até lá vamos ser velhos especialistas no assunto".

Eu o abracei e fui embora com lágrimas ardentes — o que ele falou me deu esperança. Eu guardaria essas palavras e essa esperança por muitos anos.

TERÇA

O pastor Mike, com camisa clerical preta e colarinho branco, visitou a casa dos meus avós enquanto eu estava lá. Em geral, era descontraído e jovial, mas notei que um peso havia se apoderado dele.

Mike estava conduzindo seu rebanho por uma terrível tempestade. Ele visitava meu pai todas as semanas, havia ouvido sua confissão e agora tentava orientá-lo da melhor maneira que podia. Seus olhos exibiam uma dor que eu não vira antes, mas a voz era a de sempre: firme e calorosa.

Perguntei sobre a possibilidade de meu pai alegar insanidade. Mike apontou que o manicômio judiciário do estado provavelmente era mais duro e pior do que a prisão de segurança máxima nas proximidades de El Dorado, para onde papai seria enviado após o julgamento.

"Seu pai talvez seja colocado na solitária — para a proteção dele e para a segurança dos outros prisioneiros e guardas."

Solitária. Eu não tinha pensado nisso.

Sozinho.

"Acho que seu pai não vai durar um ano na prisão." Mamãe me observava com um olhar incisivo.

"Você diz isso porque o homem adora as pantufas dele e a sua excelente culinária?" Abri um pequeno sorriso, sabendo que essas coisas haviam sumido da vida do meu pai para sempre. Mamãe sorriu de volta.

"Como ele chama essas coisas, mãe?"

"Confortos materiais."

"É."

Nós estávamos tentando conter os sorrisos; eu suguei o lábio inferior. Vovô examinou meu rosto, seus olhos brilhando, e desisti de segurar a risada, que voltou com tudo. Era bom estar em casa.

Mike se virou para a mamãe. "Ele vai ficar bem", disse, apontando como papai provavelmente encontraria "conforto emocional" no confinamento. Papai seria contido, protegido de si mesmo. Nunca mais poderia machucar outro ser humano. Nem teria que fingir — se esconder atrás de sua fachada. Todo mundo agora sabia quem ele era e o que ele era. Papai poderia encontrar algum tipo de alívio nisso.

"Papai pode até gostar da prisão. Não terá que lidar com o estresse do trabalho, atividades da casa, a lista de tarefas." Meu sarcasmo era evidente. "Vai gostar de não ter que lidar com muitas pessoas — de não ter mais que tolerar e trabalhar bem com os outros."

"Concordo." Mike falou diretamente para mim. "Seu pai é resoluto e capaz. É excelente em dissociação. Tem décadas de habilidades aprimoradas pelo tempo. É um sobrevivente."

Sobrevivente.

Meu pai era um sobrevivente do tipo forte, muito forte. Forte do ponto de vista físico, mental e psicopático. Ele se daria bem na prisão.

"Papai mentiu para nós." Estava olhando para Mike outra vez, procurando em seu rosto as respostas que eu tanto desejava.

"Ele não é apenas um mentiroso patológico; ele traiu completamente todos vocês."

Traição.

Não apenas nós, sua família, mas também toda a cidade: os amigos, aqueles que trabalharam com ele, os escoteiros, a comunidade, a igreja. Por décadas.

Estremeci com a palavra *traição*, embora eu mesma tivesse chegado a ela havia um mês. Meu cérebro entrou em curto por alguns segundos e senti o queixo ficar tenso. Tive que me afastar de Mike e encontrar outra coisa em que me concentrar por um momento.

Traição.

Era uma palavra muito dura de ouvir em voz alta a respeito de meu pai, mas era verdade. E a verdade doía pra caramba.

BTK: MEU PAI
O MUNDO NÃO É MAU
KERRI / RAWSON

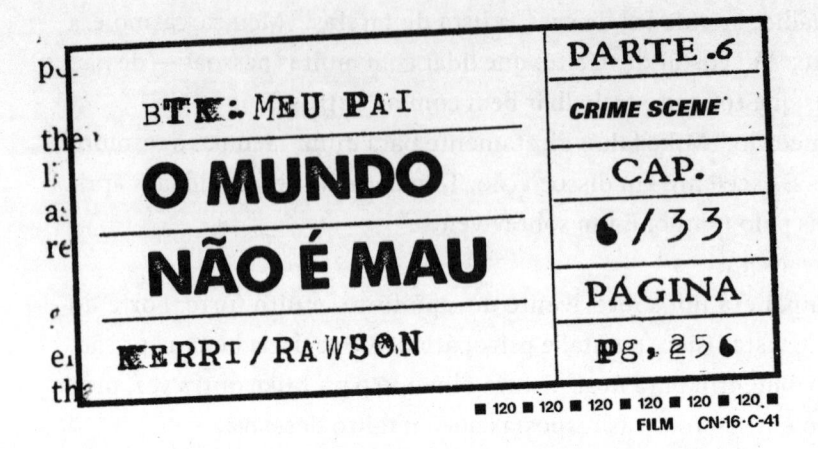

PARTE 6
CRIME SCENE
CAP. 6/33
PÁGINA pg. 256

ABRIL DE 2005

Mamãe e os parentes estiveram ocupados trabalhando na antiga casa, preparando-a para a venda. Eu sabia que precisava pegar o que queria antes que fosse tarde demais, mas a consciência de que precisaria enfrentar a casa me trouxe enorme apreensão no peito.

No trajeto pelo quarteirão, agarrei a maçaneta da porta do carro e procurei no céu azul um momento de paz. Vovó estava com a gente e tia Sharon também viria nos encontrar, o que aliviava um pouco o meu medo.

Quando entrei na cozinha pela porta dos fundos, fui assaltada por memórias — cheiros antigos, sons antigos. Aquela era a única casa que eu conhecera por 25 anos, exceto pelo período em que tinha vivido em Manhattan. No entanto, não parecia mais um lar. A casa ainda estava cheia de itens familiares, mas tinha um ar de solidão e caos. Era evidente que algo havia acontecido ali; a sensação não era apenas de uma família fazendo as malas para se mudar.

Minha mãe, avó e tia entraram e começaram a trabalhar na sala de estar. Elas já tinham estabelecido uma rotina que pareciam conhecer bem. A sala estava desordenada: havia um enorme saco preto cheio de lixo no meio do piso de madeira maciça, próximo a um armário de arquivo do quarto dos meus pais, uma cadeira de cozinha e um triturador.

Eu deveria ter vindo aqui semanas atrás, para ajudar.

Mamãe examinava uma pilha de registros financeiros de muitos anos e ia destruindo a maior parte deles. Ela não queria jogar fora nada que contivesse seu nome ou o de papai, nem informações pessoais, então os estava rasgando. Coisas estranhas de papai — como citações que ele havia feito em Park City — continuavam aparecendo no eBay. Não tínhamos dúvidas de que as pessoas também vasculhariam nosso lixo.

Minha tia também comentou que achava o triturador terapêutico: *Dennis... Crack... Bbrrzz... já era.*

Eu as deixei e fui caminhando devagar até chegar ao quarto que eu havia pintado de lilás três anos antes. Era o lindo quarto de hóspedes da mamãe, aquele em que Darian e eu tínhamos ficado no Natal. Ver seus jarros azuis e brancos, exibidos com orgulho em um armário de porcelana, e a colcha branca com delicadas flores roxas me deu vontade de chorar.

Para o inferno com meu pai.

Entrei no quarto dos meus pais, mas hesitei porque não consegui suportar a visão de tantas bugigangas estranhas que estavam em sua cômoda — como a pequena estatueta preta de pedra com olhinhos vermelhos minúsculos e penetrantes que ele havia trazido da Ásia, em seu tempo na Força Aérea. Aquilo tinha assumido uma dimensão totalmente diferente de esquisito. Eu jamais colocaria os pés naquele quarto outra vez.

Cruzei o corredor até o quarto do canto sudoeste — meu antigo quarto — e percebi a madeira afundada na parte inferior da porta onde papai a chutara havia uma década. Minha velha cama e a cômoda ainda estavam lá, mas papai vinha usando o quarto para guardar coisas. No meio do recinto havia uma mesa dobrável em cuja superfície ainda estava uma pilha de exemplares do *Eagle*.

Na infância e na adolescência, eu adorava meu quarto — era um santuário onde eu havia passado incontáveis horas felizes sozinha — mas ele nunca pertencera apenas a mim. Quando eu era pequena, mamãe usava a escrivaninha dobrável para a máquina de escrever, e meus pais mantinham os livros de adulto na estante mais alta até que eu tivesse altura o suficiente para subir em uma cadeira e conseguir bisbilhotá-los. Os dois sempre usaram meus armários para guardar coisas; às vezes, no meu armário dos fundos, papai até mantinha algumas espingardas e rifles de caça dentro de estojos de couro marrom-claro.

As armas do papai.

Usadas sobretudo para tiro ao alvo, as armas não eram carregadas quando estavam em casa, ou pelo menos era o que se supunha. Também se presumia que não haviam sido usadas para cometer crimes, mas agora não havia como saber com tanta certeza.

Papai, em geral, mantinha suas armas longas no compartimento do aquecedor, que era mais difícil de alcançar porque, na maioria das vezes, havia um armário na frente dele. Eu nunca soube onde ele guardava as balas, ou onde ficava sua grande arma da caixa preta com forro acolchoado vermelho.

Ele teve problemas gigantescos com mamãe quando eu tinha cerca de 12 anos. Ela encontrara uma pochete verde debaixo da escrivaninha da nossa sala de estar, contendo um pequeno revólver de nariz achatado. Parecia uma arma que poderia ser enfiada em uma meia através de um coldre de tornozelo.

Carregada? Não carregada? Não faço ideia.

Como era de se esperar, mamãe surtou com ele, gritando, e ele até pareceu envergonhado quando murmurou alguma explicação sem sentido ao tirar a pochete verde da mão dela.

Fui no tiro ao alvo com meu pai uma vez, quando estava no ensino médio, em um acampamento da família Rader no outono. Disparamos a espingarda e o rifle contra alvos de argila amarela que colocamos em pés de milho e jogamos bem alto no ar. Com seu revólver pesado, atiramos através de uma pequena ravina em fardos de feno.

Eu gostava mais das armas longas, mas não do hematoma que a espingarda deixava no meu ombro. Só disparei a arma algumas vezes porque não gostava de seu propósito — eu sabia que não era para caçar.

Voltando ao presente, meus olhos dispararam para os armários. Eu sabia que as armas haviam sido removidas pela polícia, mas agora eu questionava meu pai, minhas memórias — minha vida. Que tipo de homem guardava armas no armário da filha?

Não podemos voltar a ter as coisas como eram antes?

Elas nunca foram tão boas assim, garota.

Eu não estava fazendo um trabalho muito bom em selecionar objetos de lembrança para levar; eu ficava me perdendo em mim mesma. Voltei para a sala, onde eu havia empilhado duas grandes caixas perto da porta. Estavam cheias de selos não usados, em especial os colecionáveis que meu pai vinha reunindo nos últimos anos. Havia também uma grande pilha de envelopes com selos de primeiro dia, carimbados à mão, lacrados em plástico, endereçados ao meu pai. Eram caros em comparação ao preço de um envelope com selo normal, mas não eram utilizáveis, nem poderíamos vendê-los devido ao nome dele.

Aposto que papai tinha feito de propósito, pensando que os envelopes seriam valiosos *justamente* porque seu nome estava neles.

"Ei, mãe, você quer uma pilha de selos não usados com você e com a vovó? Vocês não vão precisar comprar selos por anos!" Papai não gostaria que usássemos seus preciosos selos colecionáveis para enviar pagamentos das contas de água e luz, mas era exatamente o que íamos fazer.

Onde ele arrumava dinheiro para comprar todos aqueles selos? Meus pais quase não tinham dinheiro para gastar com supérfluos. Tinham até refeito a hipoteca da casa a certa altura, que agora mal valia o valor da dívida. Eu não tinha ideia de como mamãe ia sobreviver com seu pequeno salário. Outra traição.

Levei alguns contêineres de plástico vazios e separei neles meus pertences antigos do colégio e da faculdade.

Guardar. Guardar. Lixo. Lixo.

Vasculhei minhas estantes de livros e notei uma edição de bolso, um pequeno livro preto e vermelho, colocado em um ângulo diferente, numa prateleira inferior. Parecia ter sido colocado ali com um gesto distraído.

Pai.

Eu o peguei e virei; era um livro sobre crimes reais.

Claro.

Não era meu. Eu nunca o tinha visto antes.

Um cartão de visita cinza, que ele estava usando como marcador, caiu — um dos antigos cartões dos seus dias no censo.

Virei-o; havia rabiscos taquigráficos estranhos de caligrafia pequena e quadrada.

Em janeiro de 1991, papai havia assassinado a sra. Davis. O cartão de visita de 1990 trazia uma espécie de guia para um assassinato que estava planejando — quando? Em 1990? 2005?

Não vou sobreviver.

O quarto começou a girar, ficou elétrico, vermelho-vivo. Enevoado, como se eu fosse desmaiar.

De novo não.

Estendi a mão para a estante.

O Senhor é a minha rocha e a minha salvação, de quem terei medo?

O versículo misturado, agora repetido com frequência, foi o que me salvou. Eu me endireitei. Estava acontecendo de verdade. Papai era mesmo um assassino. Ver seus garranchos no verso daquele cartão tinha sido a gota d'água para mim — era verdade.

Você é filha do BTK — O BTK é seu pai.

Coloquei o cartão de volta no livro e caminhei devagar com ele pelo corredor, passando pelo lugar onde nos disseram que papai guardava seus troféus debaixo do assoalho. Parei na sala e olhei em volta com olhos cautelosos. O que diabos mais ainda havia naquela casa?

Contei à minha família sobre o livro, mas não mostrei o que estava no verso do cartão. Pedi a lista telefônica e procurei o número do Departamento de Polícia de Wichita. Eu esperava encontrar alguém do grupo à frente do que estava sendo chamado de força-tarefa BTK antes de meu pai ser preso.

"Alô? Encontrei algumas evidências relacionadas ao BTK." Eu andava de um lado para o outro na cozinha.

A voz masculina na outra ponta da linha parecia entediada quando respondeu. Com certeza eu não era a primeira a ligar.

"O que e onde eu encontrei? Bem, sabe, sou a filha dele. Moro no Michigan, mas estou na cidade ajudando a limpar nossa casa e me deparei com..."

A pergunta ainda vem à tona: como poderíamos não saber quem era meu pai e o que ele estava fazendo? O ceticismo de estranhos — e sua insistência em vocalizá-lo publicamente — era uma das partes mais irritantes de todo esse desastre.

Agora eu tinha sua atenção. "Espere aí, moça."

Falei brevemente com um detetive.

"Então, mãe? Landwehr e Otis estão a caminho."

Em dez minutos, bateram à nossa porta. Olhei pela janelinha de vidro — como papai havia me ensinado. Ken Landwehr e Kelly Otis estavam ali.

Destranquei a fechadura, tirei a trava da porta de tela.

"Oi. Eu sou Kerri Rawson, filha de Dennis. Entrem." Olhei nos olhos dos dois e estendi a mão. Ambos sorriram um pouco para mim e eu retribuí com um leve sorriso.

Você vai ficar bem.

Ken era o comandante da unidade de homicídios e o líder da força-tarefa BTK. Ele estava à frente das coletivas de imprensa quando BTK se tornara notícia no verão anterior. Ken vestia terno cinza-claro, com distintivo e telefone celular presos na cintura. Ele não me pareceu apenas alguém que ostentava um distintivo; não, seus olhos escuros eram surpreendentemente amáveis — tristes, até. Que motivos ele teria para tristeza?

Kelly Otis, a detetive que trabalhara de maneira incansável no caso BTK, tinha o cabelo castanho-claro em curto penteado e me parecia um urso pardo — da melhor forma possível.

Gostei daqueles dois de imediato. Ambos olharam fixamente para mim, como se me enxergassem de fato. Foram gentis, respeitosos e ficaram em nossa sala ouvindo tudo com educação enquanto minha boca corria a mil por hora. Entreguei-lhes o livro e o cartão, os dois o examinaram, e Ken casualmente os guardou no bolso.

Sem manuseio cuidadoso, sem saquinhos para evidências coletadas em cenas de crime — ele não precisava disso como prova. Acho que só queriam vir nos ver e ver a casa. (Só para constar, parecia que um tornado havia passado pela sala.)

Não conversamos por muito tempo, mas acho que tentei agradecê-los pelo papai. Eu poderia até ter formulado assim: "Obrigado pelo papai, por pegá-lo e tal...".

Eles pegaram os próprios cartões de visita e anotaram os números de celular no verso. "Ligue para nós a qualquer hora, dia ou noite, se você ou sua família precisarem de alguma coisa."

Os agentes partiram não muito depois disso.

Nunca tive a chance de ver ou falar com Ken outra vez antes de ele falecer, em 2014. Carreguei os cartões dele e de Otis ao lado do cartão do FBI na bolsa por muitos anos, e mais tarde programei o número de Otis na discagem rápida do meu celular — apenas para garantir.

Esses não eram vilões. Eles estavam mesmo preocupados comigo e com minha família. Tinham nos ajudado e nos dado assistência durante anos, na tentativa de prender meu pai. A fim de impedi-lo de machucar outras pessoas, inclusive nós. Estavam nos defendendo agora, dizendo publicamente em entrevistas que tinham certeza de que minha família — incluindo minha mãe — não tinha ciência dos atos do meu pai.[1]

Também estavam tentando nos proteger da mídia local. Eles disseram que não queríamos ser incomodados, não queríamos conversar. Disseram: "Deixe-os em paz".

Quando liguei pedindo ajuda, eles vieram voando.

Esses caras são heróis.

Eu me senti péssima pela raiva que nutrira em relação a eles: toda a força policial de Wichita, o KBI e o FBI por levarem meu pai embora, por usar meu DNA.

Preciso me livrar dessa raiva.

Não gostava de ficar com raiva da polícia, mas era mais fácil do que ter raiva do meu pai. A raiva era grande demais para que eu a concentrasse apenas nele, então eu havia espalhado ela ao meu redor.

Perdoar.

Precisava perdoá-los por tirar meu pai de nós; era o trabalho deles e o tinham feito bem. Papai merecia ir embora — para sempre. Ele era o responsável, não os policiais.

Talvez eu ainda pudesse sentir raiva do FBI pela forma como fui notificada em fevereiro? E da mídia também. Definitivamente, ainda sentia raiva deles. É, isso mesmo.

PARTE 6
LUTE POR QUEM AMA

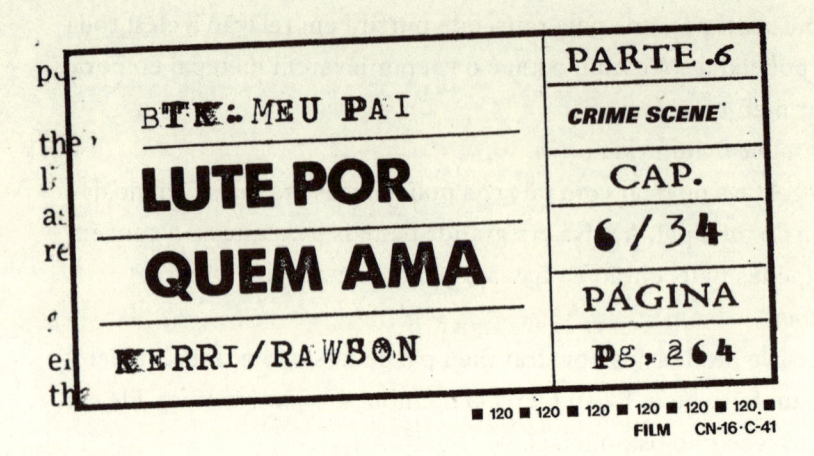

CAP. 6/34
PÁGINA pg. 264

BTK: MEU PAI
KERRI/RAWSON

ABRIL DE 2005

Depois que Landwehr e Otis saíram, mamãe disse: "Bem, acho que é o suficiente por hoje". Ela era uma profissional tarimbada em eufemismo.

Tinha sido chocante encontrar o livro de papai com suas anotações de assassinato, mas à luz do que já havia sido removido de nossa casa e de seu escritório no trabalho, os objetos pareciam se encontrar em um nível bem inferior na escala da insanidade. Eu não achava que a polícia tivesse deixado de observar mais nada, mas se tivesse, eu não ia bancar a detetive.

Na noite em que meu pai foi preso, preocupado com a possibilidade de a polícia saquear nossa casa, meu pai desenhou um mapa com os itens incriminadores que havia escondido. O que foi encontrado incluía velhas revistas de detetives no sótão e no espaço de armazenamento do porão, recortes de revistas de mulheres e crianças, acondicionados em uma caixa plástica dentro de um armário, além de um kit de emergências.

A pergunta ainda vem à tona: como poderíamos não saber quem era meu pai e o que ele estava fazendo? O ceticismo de estranhos — e sua insistência em vocalizá-lo publicamente — era uma das partes mais irritantes de todo esse desastre. As pessoas diziam: "Ele guardava provas na casa de vocês, pelo amor de Deus".

A questão é que ninguém podia sair mexendo nos pertences do papai. Ele já poderia causar sofrimento suficiente sem que nenhum de nós precisasse comprar brigas deliberadamente. Podíamos levar uma bronca até mesmo por estar no canto dele no quarto, por "mexer com coisas que não dizem respeito a você".

Mamãe e eu abríamos o armário de papai no quarto para pendurar as roupas de trabalho e da igreja depois de tirá-las da secadora, mas tudo o que eu via eram algumas malas e caixas de papelão, nada fora do comum. O armário bagunçado da minha mãe, com sapatos de várias cores empilhados, era mais interessante — e aliás, era ali que ficavam os presentes de Natal.

Papai era quem se aventurava a subir no sótão e descer no espaço de armazenamento do porão — ambos lúgubres e apertados.

Ele guardava os enfeites de Natal no sótão: pegava a pequena escada de madeira dentro da despensa da cozinha e subia até ficar com a metade do corpo dentro do buraco escuro no teto, onde fazia uma corrente de ar frio, e ia passando caixas de cheiro estranho para nós. Quando eu tinha altura o suficiente, subi a escada, curiosa para ver que cara tinha um sótão, mas tudo o que vi foram caixas brancas marcadas "Enfeites Natal" e uma pilha de revistas velhas empoeiradas para as quais eu lancei um olhar, mas as descartei logo em seguida.

Lembro-me de papai liberar o vão de acesso ao porão, localizado dentro da despensa, e tirar a cobertura sobre ele apenas uma vez. Esse foi o dia em que um caça F-5 atingiu o sudeste de Wichita e Andover em abril de 1991, matando dezessete pessoas. Depois de soado o alerta, nos reunimos no corredor, como sempre fazíamos, mas papai estava realmente com medo naquele dia e andava apressado de um lado para o outro pela casa, repetindo: "Este é muito ruim, e se mudar de rumo, nós vamos nos encolher no porão debaixo da casa." Mamãe respondeu: "Até parece que eu vou descer lá, com todas aquelas aranhas". Ela também estava falando muito sério.

Quanto à caixa com os recortes de revistas, não sei onde foi encontrada, mas eu apenas teria que voltar à regra básica da casa: "Se for do papai, deixe onde está".

Dei uma risadinha de escárnio quando soube que papai havia deixado um kit de emergências por aí. Parecia um pouco a nossa caixa de itens essenciais em caso de tornado: plástico, corda, fita adesiva, ferramentas. Apesar disso, eu não ter certeza se era uma caixa de tornado ou um kit de emergências, ou talvez ambos, me incomodou por anos.

Também fiquei me perguntando o que teria acontecido se qualquer um de nós houvesse tropeçado na parafernália criminosa de papai. Se tivesse sido descoberto por um de nós, se ele se sentisse encurralado, será que ele teria nos feito mal para se proteger? Ainda estaríamos vivos agora?

Não me escapava que o fato de minha família ainda estar viva parecia desapontar alguns dos estranhos que falavam com mais franqueza.

Papai também guardava itens muito incriminadores no escritório — localizado no final do corredor de uma delegacia de polícia. Tenho certeza de que as pessoas também achavam suspeito. E tenho certeza de que papai achava engraçado — estava bem debaixo do nariz das autoridades. Zombando delas.

Papai guardava os pertences que tirava das vítimas no armário do escritório, que mantinha trancado, igual fazia com aqueles que guardava debaixo do nosso assoalho. Da mesma forma, mantinha pastas cheias de cópias originais de suas comunicações como BTK, desenhos e fotos de crimes e vítimas amarradas, além de registros meticulosos.

Não havia razão para nenhum de seus colegas questionar um armário trancado. Ele era um bom funcionário, um trabalhador ativo que se esforçava para ir além.

Era também um vigarista que havia ludibriado todos nós por três décadas. Zombado de todos nós.

* * *

Pelo que me lembro, só voltei para casa mais uma vez com a intenção de pegar o que eu queria levar para o Michigan. Junto dos selos de papai, empacotei a coleção de moedas comemorativas dos cinquenta estados, seu manual de escoteiros e seus guias de pássaros, astronomia e trilha.

Eu estava lutando com afinco para me agarrar ao homem que eu amava — como haviam se passado apenas oito anos desde o Grand Canyon? Eu também queria alguns dos seus equipamentos de *camping*, mas isso significava ter que sair e abrir o pequeno quartinho anexo. Eu não sabia se conseguiria reunir coragem.

O quartinho era onde armazenávamos ferramentas de jardinagem, equipamentos de pesca e acampamento e, também, onde pendurávamos as coleiras da Patches e do Dudley. Eu costumava ir ao quartinho para buscar essas coisas. Só que agora o jornal dizia que papai havia armazenado lá alguns de seus diários de bordo de BTK. Pelo que entendi, ele havia construído um fundo falso no quartinho — que talvez fosse o motivo de o FBI perguntar à mamãe sobre a secadora na cozinha; a abertura era para a lateral do quartinho. Lembrei das plantinhas no alto de uma plataforma coberta por um isolamento branco ofuscante, com fibra de vidro rosa saindo pelas laterais.

Os diários de bordo de papai — onde havia escrito detalhes explícitos de seus sete assassinatos na década de 1970 — estavam naquele quartinho? Perto de onde eu ficava quando pequena, aprendendo sobre a vida com ele? Se eu me concentrasse bastante, podia me lembrar vagamente de alguns fichários de três argolas com o logotipo da ADT — vermelho, azul e branco. Não sei dizer, no entanto, se estou lembrando deles apenas por tê-los visto no escritório no centro da cidade ou se na prateleira superior da escrivaninha que ficava na sala de estar, ou ainda se estou imaginando-os em outro lugar — algum lugar estranho — como o quartinho externo.

Concentrar-se tanto assim vai ser a sua morte, garota. Vá buscar as coisas que você quer guardar. Está tudo bem. Não precisa ter medo.

O Senhor é a minha luz e a minha salvação; de quem terei medo?[1]

Reunindo coragem, saí. Logo reconheci o tilintar familiar de metal quando fechei o portão atrás de mim.

Ah. Não tem mais cachorro aqui. Não precisa mais trancar o portão.

Dei mais alguns passos até o quartinho, respirei fundo e empurrei a porta; embora ela fosse emperrada, agora se abriu apenas com um leve estalo de ar.

Nada assustador aqui. Só as ferramentas e varas de pesca do papai.
Peguei o equipamento de *camping* que queria e fechei a porta com um empurrão do quadril. Dei uma olhada rápida no quintal, depois me virei e carreguei o equipamento até o carro.

Levaria mais dez anos até que pisasse naquele quintal de novo, e se eu soubesse, teria feito as coisas com mais calma.

Eu teria caminhado até cada uma das quatro árvores altas, que eu sempre tinha amado, para poder me despedir, sobretudo daquela cujos grandes galhos sombreavam o balanço da varanda localizada no pátio de tijolos vermelhos que meu pai havia construído. Era a melhor árvore para escalar e eu havia passado horas deitada nela, lendo.

Eu teria visitado a casa na árvore e poderia até ter sido corajosa o suficiente para subir a escada de madeira cinza e bamba, ainda apoiada na porta, e olhar pelas janelas em direção à valeta. Aquela casa da árvore era mágica para mim quando criança e grande o suficiente para papai, eu e meu irmão dormirmos lá em grandes aventuras noturnas.

Não me ocorreu naquele dia, enquanto arrumava as coisas de papai e me preparava para a venda da casa, agora próxima, que eu estaria perdendo outra coisa — um lugar que eu amava. Como pode acontecer com as coisas que perdemos, só iria me atingir mais tarde, depois que já não existisse mais.

PARTE 6
BTK: MEU PAI
LONGE DE COISAS RUINS
KERRI / RAWSON

CAP. 6/35

MAIO DE 2005
MISSOURI

Mamãe e eu partimos alguns dias depois para o Michigan no carro verde-azulado; ela queria estar fora da cidade quando fosse o dia da acusação formal de papai e não queria que eu fizesse a longa viagem sozinha. Como ela estava com o pé quebrado, eu dirigi pela maior parte do tempo. Em uma parada para abastecer na I-70, entre Kansas City e Saint Louis, eu me dei conta do quanto nossa família havia mudado em tão pouco tempo.

Mamãe, papai e Brian haviam feito esse mesmo trajeto um ano antes para nos visitar. Agora éramos apenas eu e mamãe, e eu dirigindo por longas distâncias e reabastecendo o carro.

Era sempre papai quem dirigia. Papai quem colocava combustível. Papai quem conhecia o melhor caminho para não passar dentro das cidades grandes. Papai quem carregava e descarregava o carro. Papai quem carregava as malas pesadas para o hotel.

Papai.

O peso da ausência desse homem em nossas vidas se instalou nos meus ossos. Tudo havia mudado e nada jamais voltaria a ficar bem.

Papai não existia mais.

MAIO
DETROIT

Na acusação, no início de maio, uma declaração de inocência foi apresentada pelo juiz enquanto meu pai permanecia em silêncio. Disseram que isso poderia acontecer, assim ele ganharia mais tempo para sua equipe jurídica. Não entendíamos por que esperar, se papai ia se declarar culpado em breve, mas confiávamos em seus advogados e esperávamos que ele fizesse a coisa certa.

Tentando avaliar o estado do meu pai, procurei na internet fotos da audiência no tribunal e as observei com atenção. Ele havia aparado a barba, e o cabelo parecia mais arrumado, mas ele continuava a emagrecer, seu paletó azul-escuro agora era um número grande demais.

No final da audiência, meu pai parecia aborrecido ao ser escoltado para fora. Pela dor estampada em seu rosto, percebia que ele tentava se controlar, lutar contra as lágrimas. Tinha ficado triste?

Ele parecia o mesmo da noite em que perdemos Michelle, o rosto sombrio, o semblante arrasado. Sua aparência também era semelhante àquela que ele estava no meu casamento, tomado pela emoção, tentando contê-la.

A primeira vez que vi meu pai chorar foi em maio de 1993, no dia em que tivemos que sacrificar Patches, então com 13 anos. Papai a encontrou no quintal, incapaz de mover as pernas traseiras. Ele entrou em casa com tudo e eu o segui lá para fora. Colocamos um lençol velho embaixo dela e, com gentileza, a colocamos no trenó laranja desbotado e a puxamos para nosso velho Chevrolet.

O veterinário nos disse que não havia nada que pudesse ser feito. As costas de Patches estavam se deteriorando, provavelmente devido a um derrame. Enquanto ele administrava em Patches o remédio para dormir, eu ouvi meu pai fazer um barulho estranho e fiquei chocada ao ver as lágrimas escaparem de seus olhos. Ele olhou para mim com uma leve elevação do rosto e, com um encolher de ombros, tentou limpar a face com a manga da camisa.

No dia em que Patches morreu, meu pai cavou uma sepultura para ela embaixo de uma árvore e a marcou com uma pedra de calçamento. Um mês depois, chegou em casa com um saltitante springer spaniel que havia pegado uma carona na cabine de sua caminhonete de trabalho. O cachorrinho estava solto e, depois que ninguém foi buscá-lo no abrigo de animais, ele se tornou nosso novo cachorro — o Dudley.

2 de maio
Querida Kerri,

Quando você ler isto, o grande dia estará no passado e esperamos que a equipe tenha tomado a decisão certa.

Recebi sua maravilhosa e informativa carta de abril. Ah, fiquei muito feliz por receber sua carta. Li várias vezes. As partes boas e as partes tristes.

Gostei muito das ilustrações coloridas no papel. Você pensa em tudo.

As coisas vão bem, embora eu esteja tão cansado desse Campo de Treinamento para iniciantes. Pra mim já deu, Kerri.

Correspondência que cai na "malha fina", estou tentando ser cuidadoso com o que é dito. Meus poemas vão vir à tona em breve, tudo bem, mas qualquer letra pode ser usada como um "lance".

Meu poema vai aparecer hoje à noite na TV-3. Ontem à noite, eles exibiram uma carta no noticiário, falando sobre como a família desejava um fechamento para o ciclo. Era digitada e aparecia desfocada, então não dava para saber. Acho que era mentira, ou talvez uma das suas cartas que não chegou aqui. Que confusão para nós.

Espero que o Tempo tenha andado bem na estrada. O óleo dele deve estar no porta-luvas. Imagino que você e o Darian tiveram problemas monetários já que não puderam comprar outro carro usado como planeja(do). Espero que não tenha sido por minha causa!

Fico feliz em saber que você e Darian estão trabalhando e levando a vida como deveriam, e o estudo bíblico (versículos) que você me enviou foram muito úteis. Hoje em dia estou encontrando paz na Bíblia mais do que nunca; ela e outros cristãos aqui são meus novos amigos. E as comunicações com a família trazem paz e tornam o desconhecido — conhecido. Sinto falta do Dudley, mas parece que ele se adaptou.

O advogado disse que você falou com a dra. enquanto estava na cidade. Eu conheci ela; Acredito mais confusa sobre mim.

Tenho me mantido ocupado, escrevendo cartas, atividades na sala diurna e pensando muito. Aprendendo mais jogos de baralho, mas o tédio vem se aproximando sorrateiro e estou começando a ficar agressivo ou de pavio curto em relação a toda essa bagunça.

Fiz um Cartão de Dia das Mães e Cartão de Aniversário para sua Mãe. Também preciso fazer um de aniversário de casamento. Me sinto um garoto de escola fazendo isso, mas é a única forma de nós (os presidiários nos expressarmos). Arte, desenho, poemas e cartas de prisão.

Meu amor a vocês, família. Dê carinho à mamãe no aniversário dela, no Dia das Mães e no nosso aniversário de casamento, ela vai precisar de apoio extra e vai adorar essas datas.

Com amor,
Pai

MAIO

Papai escreveu: "Mantenha a mamãe por perto e ajude-a. O coração dela vai se curar algum dia, mas eu o parti; tenho certeza de que nunca vai ficar completo novamente."

Meu coração também está partido, pai. Tenho certeza de que nunca mais vai ficar completo.

"Estou muito orgulhoso de você e de como você se saiu. Você e o Brian. Não há mais nada que um pai poderia pedir."

Lutei muito por duas décadas e meia para ouvir você dizer estas palavras raras e valiosas: "Estou orgulhoso de você".

"Sabia que eles tiraram seu DNA médico dos registros quando eu era suspeito antes da prisão?"

Sim, pai. Estou bem ciente.

Ele também escreveu: "Triste com a casa, todos esses anos de amor lá. Eu a conheço melhor que todo mundo. A polícia alguma vez passou pelo quartinho de depósito? Não se esqueça do livro no quarto SO lá em cima. Que prazo temos: qualquer coisa estranha precisa ser removida e jogada fora da propriedade".

Encontrei o livro. Meu quarto, pai — aquele era o meu quarto.

O narcisismo e a flagrante criminalidade de papai acabava de mostrar sua cara sombria e feia. Como se ele ligasse o interruptor de luz e se deixasse realmente ser visto, em uma das primeiras vezes, por aqueles que ele deixara viver.

Trinta e um anos. Dez assassinados.

Algo estranho nisso? Sim.

Os xingamentos começaram. E não pararam por um bom tempo.

17 de maio
Querido pai,

Oi, desculpe, já faz um tempo desde que escrevi pela última vez. Envio também páginas de passatempo que eu tinha — enviei todos os criptogramas.

Achamos que agora não seria uma boa ideia enviar fotos de família; tínhamos medo de que fossem roubadas e acabassem na mídia. Seus advogados concordaram com a gente. Ainda nenhuma das nossas fotos saiu na mídia e gostaríamos que permanecesse assim.

Brian está indo bem e se mantendo ocupado com as aulas e as tarefas.

Mamãe recebe muita ajuda dos parentes para encaixotar as coisas. Ela também está recebendo ajuda para cuidar do quintal. As tulipas que você plantou estão lindas!

Eu vi o Dudley; ele agora tem um lar permanente com nossos amigos. Ele queria ficar perto de mim o tempo todo. Parecia bem quando saímos; ele nos observou pela porta de vidro, mas não ficou muito perturbado.

Mamãe e eu fizemos uma boa viagem de volta para o Michigan, e o Tempo andou bem na estrada. Fizemos a viagem em dois dias e eu dirigi por quase todo o trajeto. Mamãe fazia cerca de uma hora por dia para que eu pudesse descansar. Ela ficou aqui durante uma semana e nos divertimos. Saímos muito para fazer compras e comer. Fomos para Greenfield Village no complexo Henry Ford. Reservamos um voo sem escalas para ela voltar do Michigan para casa e foi tudo bem.

Colocamos pneus novos no Tempo e verificamos os freios. O carro está funcionando bem agora e deve durar pelo menos mais alguns anos. Dedos cruzados! Achamos que não poderíamos pagar prestações de um carro agora.

Mamãe e eu fomos ver a vovó Dorothea enquanto eu estava em casa. Ela gostou do lar de idosos e está tudo bem com ela por lá. Ela estava bem quando a vi, mas acho que ela não está comendo direito e caiu algumas vezes desde então.

No final deste mês, Darian e eu vamos de carro a Nova York para visitar a avó dele e vamos passar em Connecticut para ver Brian. Estamos ansiosos por umas férias; estou sempre pronta para ver algo diferente. Herdei isso de você — querer viajar, explorar, estar ao ar livre, ter uma estrada pela frente.

Sinto saudades daquela viagem entre Wichita e Manhattan. Não temos nada como Flint Hills por aqui — o espaço aberto e o céu lindo.

A polícia retirou tudo de que precisava, também revistou os carros, galpões e o depósito alugado. Não acho que você tenha que se preocupar com a possibilidade de encontrarmos outra coisa.

Não ficamos muito felizes em ler sua entrevista por escrito para a emissora de TV local. Também não gostamos de ver seus poemas e cartas na TV. Sabemos que você pode e fará o que quiser, mas gostaríamos de verdade que você pudesse controlar melhor essas coisas.

Qualquer publicidade é ruim para a família, sobretudo para os que moram no Kansas. Brian e eu temos a misericórdia de viver em lugares onde não somos conhecidos; e isso tem sido uma bênção nos últimos três meses. Mamãe e todos os outros não têm a mesma misericórdia.

Em nosso nome, pedimos que você interrompa esse tipo de comunicação. Manifestei essa vontade para os seus advogados, e disseram que iam falar com você a esse respeito.

Mamãe é quem está enfrentando a barra maior por tudo o que aconteceu. Brian e eu temos com você um tipo de vínculo diferente do dela. É mais fácil para os filhos amarem os pais incondicionalmente (e vice-versa) do que para os cônjuges. Para o seu próprio bem, pode ser que ela precise começar a se distanciar de você, e você vai ter que tentar ser compreensivo.

Ela é mais forte do que todos nós pensávamos e vai conseguir superar. Nós também. Nós nos recusamos a deixar as coisas ruins vencerem. Mamãe passou 34 bons anos com você, Brian passou 29 anos e eu passei 26. Estamos tentando nos apegar a isso — não deixar que as outras coisas definam você ou a nós. Você também não deve deixar que isso te defina. Você é mais forte e melhor do que isso.

Eu te amo e sei que está tentando fazer as coisas certas. Lamento de verdade que sua vida tenha acabado assim. Quero que saiba que é amado e que tem o nosso cuidado. Você é amado por seus filhos, pela família e, o mais importante, por Deus, cujo amor e perdão são muito maiores e mais poderosos do que qualquer pessoa na Terra. Volto a escrever de novo em breve.

Com amor,
Kerri

PARTE 6

BTK: MEU PAI

OS BONS MOMENTOS

KERRI / RAWSON

CAP. 6 / 36

21 de maio

Querida Kerri,

Olá e como VC está hoje? Sei que você está muito ocupada e o tempo voa para aqueles que estão fora das 4 paredes.

Está tranquilo aqui nesta manhã de sáb. Na sala diurna, um momento raro hoje em dia devido aos Doze Condenados "originais" terem sido substituídos por presos diferentes. Alguns são barulhentos, mais jovens e não são de um tipo muito sério. Uso esse tempo de silêncio fora do meu quarto para cuidar das correspondências e de assuntos mais sérios antes do começo do barulho. Meu quarto é frio e não muito confortável.

Recebo carta de Brian. Fiquei animado, qualquer carta da família é sentimental e calorosa. Parece que ele está indo bem e gostando da carreira na Marinha.

Como perdi tanta coisa no começo, desde a prisão, tendo a colocar os presos novos sob minha proteção até que tenham dinheiro para a cantina. Tenho sido abençoado com amigos por correspondência que me ajudam. Esta semana, comprei um calçado aprovado pela Saúde para os meus pés. $42, mas gostei muito deles. Antes eu tinha sandálias, feitas de plástico barato e com pouco suporte. Enfim, eu tomo café, como aveia e divido papel, caneta e envelopes com Jolly Ranchers. Minha missão de caridade!

Eles me veem estudar a Bíblia às vezes e vêm conversar. Expliquei que estou no meio da estrada, encontro um clima de paz nas Escrituras e nos versículos.

Fiz um corte rápido de cabelo em troca de uma barra de Snickers, um corte com navalha. Nossa máquina de cortar cabelo quebrou e só temos um conjunto 3 em 1 por mês. Então, meu cabelo vai ficar mais comprido. Um bom corte de cabelo me custou 2-3 barras de Snickers.

Exercício Manhã: 30 voltas na sala diurna, 30 flexões de parede e 9 flexões verticais na barra da escada.

Recebi carta da Vovó Dorothea. Menciona a sua visita. Ela esperava que eu escrevesse com mais frequência. Escrevo, mas acho que o irmão está sentado em cartas. Talvez precise enviar diretamente para ela. Espero que não haja um problema com meus irmãos, entre mim e eles agora. Sem amor ou você acha que é como muitos parentes estão se sentindo neste momento. Não desejam se comunicar e nem mesmo pensar em mim. Não é uma atitude muito cristã.

Fico feliz que [vocês] filhos estejam pelo menos abertos [a mim]. Entendo que vocês não têm que aceitar os problemas que criei, mas se abrirem para mim como ser humano.

Tenho muitas pessoas que me escrevem, me aceitam, não toleram o que aconteceu, mas são amigos. É assim que trato as pessoas aqui. Aceite, mas não coadune com eles!

Estou começando a entrar em uma fase da vida em que sua Mãe pode não me aceitar, e a lealdade dela pode começar a enfraquecer. Enviei a ela um cartão de aniversário, cartão de Dia das Mães e nenhuma carta ou agradecimento. A última carta foi há um mês. Percebo que parti o coração dela e que a ferida é profunda. Você acha que ainda deveria escrever, doeu escrever e não ter nenhuma reflexão? Você pode falar com ela e descobrir o que ela sente? Ou você vai falar? Ou vai escrever?

Estou anexando uma foto dos bulbos de flor de tulipa que compramos no ano passado em Holland, Ml. Adorei aquela viagem. Tenho uma reprodução na minha mesa. Vizinho tirou a foto.

A propósito, a polícia levou coisas que são itens da família e precisam ser devolvidos. Quero de volta meu diário, as armas antigas, computador. Eles podem estar com as joias da sua mãe. Tenho uma lista de itens que levaram de casa, trabalho e quartinho de depósito.

Se eu for para a prisão, no começo vai ser como aqui. Solitário no início, meses sem contato, exceto visitantes. Sem recursos monetários, a menos que alguém se manifeste. Vou precisar de livros, revistas, coisas para hobby, material de correspondência, blocos, caneta, lápis, produtos de saúde e lanches. Gasto agora uns 25 dólares por semana em produtos. 25 x 52 semanas = 1150 por ano x 10 anos = $ 11.500

Pode ser que consiga trabalhar, mas na minha idade não sei. Estou tão perto da aposentadoria que os empregos na prisão podem não pagar bem ou nem pagar nada. Resumindo, ou a família me apoia, visita, cartas, monetário, ou terei que criar outro sistema de apoio!

Vou fazer um apelo, por favor, mantenha isso em segredo. Vai fazer parte do fechamento de ciclo para mim e para o Condado de Sedgwick.

Tudo está indo bem. Tenho uma rotina, fico sozinho boa parte do tempo, mas socializo um pouco e faço amizade com todos que cruzam meu caminho ou tentam. Os guardas gostam de mim e agora não uso correntes na barriga, só no tribunal ou fora da área principal. Sento à Mesa A, a mesa de hierarquia mais alta, e melhor assento agora, melhor controle das minhas costas e boa visão dos outros. Minha arte está melhorando e todo mundo quer um poema, de mim. Meus amigos infinitos ou pessoas que falam comigo. Manda lembranças pro Darian.

Com amor,
Pai

JUNHO

Joias? Por que a polícia estaria com as joias da minha mãe? Será que papai tinha dado a ela colares roubados de casas que invadiu? Ai, Deus do céu — será que ele tinha presenteado ela com joias das mulheres que assassinara? Será que tinha me dado alguma coisa que pertencia a outra pessoa?

Com o estômago embrulhado, larguei a carta, fui até meu porta-joias e comecei a mexer entre colares e brincos.

Não vai acabar nunca, não é?

Sempre argumentei que ele é 95% meu pai e 5% algo que não sei — não conheço esse homem. Nunca o conheci. Meu próprio pai disse: "Eu era um homem bom que simplesmente fazia coisas ruins"

7 de junho
Querido pai,
  Acabei de receber sua carta de 21 de maio. Darian e eu estávamos de férias e eu peguei a correspondência hoje. Se você não recebeu aquela minha última carta, os advogados podem a estar segurando; eles não andam felizes com os vazamentos da mídia.
  Darian e eu acabamos de voltar da viagem que fizemos para visitar a avó dele e Brian. Fomos de carro a Groton, Connecticut, para passar o fim de semana com Brian. Caminhamos pelo porto de Mystic com ele, olhamos os navios e comemos mexilhões no jantar, de frente para o rio.
  No dia seguinte, fomos para Boston e vimos o *USS Constitution* (Old Ironsides) e um destroier naval da Segunda Guerra Mundial. Caminhamos pelo centro de Boston ao longo da Freedom Trail, paramos na igreja

em que Paul Revere* pendurou lanternas e visitamos a casa onde morou. Brian estava de serviço no Memorial Day, então Darian e eu caminhamos por Groton e New London e fomos ao museu *Nautilus*. Vimos o estuário de Long Island, visitamos um forte dos anos 1800 e caminhamos ao longo do cais. Enfim consegui colocar os pés no Atlântico quando caí de uma pedra e fui parar dentro da baía.

Darian e eu, então, seguimos viagem para Nova York. Ficamos na casa da avó dele até sábado. Ela foi para uma casa de repouso, mas o tio John estava lá e ficamos com ele e Dave, que pegou um voo para passar a semana com a gente.

No sábado, voltamos para as cataratas do Niágara e nos hospedamos em um hotel próximo às quedas, do lado canadense. Vimos as cataratas iluminadas à noite. No domingo, pegamos o barco *Maid of the Mist* e fizemos o passeio até elas. Ficamos encharcados, mesmo com capa de chuva.

Pegamos o Tempo, tivemos que colocar um litro de óleo naquele primeiro sábado e Dave verificou e adicionou outros fluidos que estavam baixos quando chegamos à casa da avó dele, mas o carro andou bem.

Fico feliz que tenha comprado sapatos melhores, parecem ser mais confortáveis para os seus pés.

Por favor, tome cuidado com os outros presos, com o que você diz ou dá a eles. Sob nenhuma circunstância nossas informações pessoais devem ser fornecidas a outros presidiários ou à mídia.

Quanto aos objetos que a polícia pegou, seus advogados ou os detetives podem entrar em contato comigo quando for a hora de devolver, se assim a lei permitir.

Seus irmãos mais novos estão enfrentando dificuldades com tudo. A forma de lidarem é não pensar, não falar — agir como se nada tivesse acontecido. Se alguém começa a se comunicar com você e a te visitar, esse ato torna tudo real ou pelo menos mais real. As pessoas lidam com

---

* [NT] Paul Revere (1735-1818) foi um artesão e industrial norte-americano, conhecido pelo grande patriotismo e por ser mensageiro nas batalhas da Guerra de Independência dos Estados Unidos (1775-1783).

o luto e com o estresse de maneiras diferentes. Paul, sua mãe, seu tio, além do pastor Mike, se dispuseram a ir ver você, mas não use isso contra o resto da família, que não foi.

Sua família não o está condenando; só estamos tentando lidar com nossos próprios pensamentos e sentimentos. Estranhos podem escrever e visitar ou conviver socialmente com você na prisão, porque não têm o apego emocional. Sua família tem — e às vezes é muito difícil.

De certa forma, é como se você tivesse morrido em 25/02. Não está mais por perto para conviver com a gente, e isso é algo com que temos de lidar. Estamos passando por um processo de luto, como se você tivesse morrido, porque estamos de luto pela perda do marido, pai, irmão e filho.

Não haverá mais nada disso com você: viagens para acampar e para pescar, férias, manhãs de Natal, reuniões familiares de Natal, caminhadas ao redor da escola, fogos de artifício. A lista pode continuar indefinidamente. Você perdeu muito, mas nós também, e precisamos de tempo para assimilar.

Você manteve esses segredos, viveu essa vida dupla, por 31 anos; nós, por outro lado, tomamos conhecimento há apenas três meses. Nos dê um pouco de tempo e tente ser paciente com a gente. Esta família não está "sendo anticristã"; só estamos tentando lidar com a situação e sobreviver. Essa é a única maneira que conhecemos de fazer isso.

Você ainda é marido, pai, irmão, filho e amigo. No entanto, mentiu para nós, nos enganou — fomos feridos mais do que eu poderia imaginar — e você precisa enxergar. A vida não é a mesma para você, mas também não é a mesma para nós.

Nossas vidas também mudaram para sempre em 25/02, e não foi escolha nossa. Você separava as duas vidas que levava, nunca deixava que se cruzassem. E pareceu não se abalar e parece não entender por que estamos todos abalados.

Mamãe, Brian e eu estamos tentando nos agarrar a todos os bons momentos — todos os anos que passamos juntos, mas agora até isso está um pouco manchado, porque tudo mudou depois das 12h do dia 25/02.

Você fez coisas na vida que não faziam jus ao seu caráter — coisas impensáveis para alguém tão bom, confiante, moral e amoroso quanto você — o homem que conhecíamos. Você não parece entender o que é ter que tentar reconciliar o homem que conhecemos e amamos, o homem que admiramos, o marido, o pai, o irmão e o filho — com esse outro.

Eu nem mesmo acho que é mentalmente possível fazer a separação.

Tentei não ficar chateada ou zangada com você nas outras cartas, mas você parece confuso sobre a família, parece confuso sobre nossos sentimentos. Talvez seja parte da sua doença mental, se é que você tem uma, não consegue entender por que não estamos agindo da mesma forma de sempre, por que não somos tão amorosos, compreensivos e atenciosos como éramos antes de 25/02.

Me desculpe se eu te chateei, mas você precisava ouvir isso de alguém. A vida não está às mil maravilhas, nem tudo está bem, mas a família está tentando fazer as coisas voltarem a ficar bem da única maneira que sabe.

As coisas nunca voltarão totalmente ao normal — pergunte a Andrea e aos pais dela sobre a perda de Michelle. Mamãe está tentando recomeçar a vida, Brian e eu tentamos fazer o melhor possível, e todos os outros estão lidando da única maneira que sabem, mas você também terá que ser um pouco compreensivo conosco.

Talvez o pastor Mike ou os psicólogos possam ajudá-lo a entender parte dessa situação, mas precisava ser dito. Me desculpe se eu te chateei. Obrigada por escrever e me dizer como você está.

Com amor,
Kerri

BOLETIM DE NOTÍCIAS DE ÚLTIMA HORA

Dez vezes culpado

SEGUNDA-FEIRA, 27 DE JUNHO DE 2005
WICHITA

O suspeito de ser o BTK, Dennis Rader, chegou ao tribunal esta manhã em Wichita, Kansas, vestindo paletó esporte de cor creme e gravata preta. Ele logo se declarou culpado de dez acusações de assassinato em primeiro grau e, na sequência, na presença das famílias das vítimas, passou a descrever seus crimes em detalhes horríveis, que aterrorizaram a comunidade de Wichita por décadas.

Sob direção e interrogatório do juiz, a declaração de Rader durou mais de uma hora. O depoimento foi transmitido ao vivo pela TV e relatado com atualizações frequentes na internet. Alguns dizem que o tom de Rader era neutro, monótono e não demonstrava emoção. Às vezes, Rader ficava confuso e misturava endereços de cenas de crime e até nomes de vítimas.

A família de Rader não estava presente, nem disponível para declarações posteriores. A próxima aparição de Rader no tribunal está marcada para meados de agosto, quando ele receberá a sentença.[1]

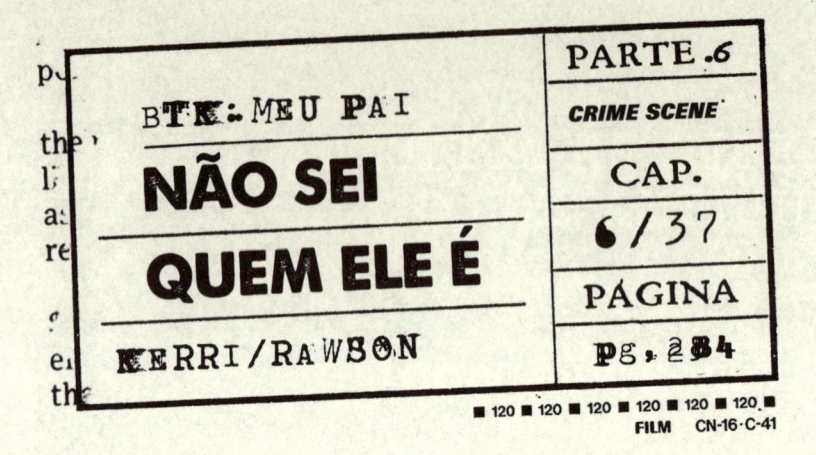

PARTE 6
BTK: MEU PAI, NÃO SEI QUEM ELE É
KERRI RAWSON
CAP. 6/37

Depois da prisão do meu pai, o detetive da polícia de Wichita, Tim Relph, o interrogou. Relph disse: "As pessoas devem achar que 90% dele é Dennis Rader e 10% é o btk, mas é o contrário".[1]

Sempre argumentei que ele é 95% meu pai e 5% algo que não sei — não conheço esse homem. Nunca o conheci. Meu próprio pai disse: "Eu era um homem bom que simplesmente fazia coisas ruins".[2]

Qualquer que seja o caso do meu pai, ainda não descobri por completo quem ele é de verdade.

27 DE JUNHO DE 2005
DETROIT

Sabíamos que a confissão de culpa estava chegando, mas não sabíamos que o juiz solicitaria ao meu pai que descrevesse os assassinatos ao tribunal. Acho que meu pai também não sabia.

Não assisti ao vivo. Em vez disso, vi alguns clipes curtos do meu pai falando e li a transcrição do tribunal na internet. Era o máximo que eu poderia suportar.

Junto do resto do mundo, no dia em que papai se declarou culpado, fiquei sabendo muitos detalhes horríveis de seus crimes. Porém, ao contrário do resto do mundo, fui capaz de ligar muitos dos detalhes do meu pai à minha própria vida. Suas palavras haviam causado destruição na minha vida por anos, embora eu tivesse perdido algumas dessas memórias.

Autopreservação. Sobrevivência. Dissociação. Negação. Chame do que quiser.

Existem várias coisas que eu sabia em 2005, sabia no fundo da minha alma quebrada, sabia nos mínimos detalhes, mas que esqueci e não seria capaz de lembrar até que as enfrentasse outra vez. Levei os dez anos seguintes para reunir os fragmentos do que sei agora.

DEZEMBRO DE 1973

Enquanto levava minha mãe para o trabalho em uma manhã de inverno, no final de 1973, papai viu Julie e Josie Otero saindo de casa. Mamãe ficava nervosa com o gelo e com as estradas cheias de neve desde que tinha sofrido seu acidente, e papai, que havia sido despedido do trabalho, naturalmente se ofereceu para levá-la.

Papai perseguiu a família Otero pelo mês seguinte e cometeu seus primeiros quatro assassinatos enquanto mamãe estava no trabalho, a alguns quilômetros de distância. Papai também roubou o relógio de pulso prateado de Joseph e o rádio portátil preto de Joey.

Foi apenas em 2015 que percebi que a casa dos Otero — um bangalô branco com acabamentos e venezianas pretas e, ainda, uma grade preta de ferro fundido na varanda — parecia muito semelhante à casa dos meus avós. A casa dos Otero ficava perto do Edgemoor Park, onde fica a unidade de Rockwell da biblioteca pública, um lugar que às vezes eu visitava com meu pai. Lembro-me de passar de carro na rua deles, mas não consegui dizer se papai diminuía a velocidade quando passávamos.

Sei que quando eu era criança, havia um rádio portátil ao lado da cama do meu pai. Ainda não sei se pertencia a Joey ou não.

ABRIL DE 1974

Em abril de 1974, depois de assassinar Kathryn Bright e quase matar seu irmão, Kevin, papai escondeu as roupas ensanguentadas e as armas do crime no galpão branco de ferramentas e no galinheiro dos meus avós. Ele se livrou delas mais tarde. Brinquei de esconde-esconde com meus primos naquele galpão dez anos depois.

Kevin deu uma boa descrição do meu pai para a polícia, incluindo que ele usava parca da Força Aérea, verde com pelos ao redor do capuz, e um relógio de pulso prateado com uma pulseira extensível no braço esquerdo. Eu não sabia dessa descrição feita por Kevin até 2015.

Usei uma das camisas da força aérea do meu pai no Halloween quando estava no ensino médio. Era verde, de manga curta, e dizia Rader no bolso, mas não me lembro de ter visto a parca quando era mais jovem. Meu pai sempre usava um relógio de pulso prateado quando eu era criança, embora ainda não sabia se o relógio que associei tão intimamente ao meu pai era o relógio de Joseph; também não sei qual relógio Kevin viu.

Em 1974, a descrição feita por Kevin para a polícia serviu como referência para um retrato falado que foi divulgado no *Eagle*. No desenho, o suspeito tinha rosto redondo, pequenos olhos escuros e bigode também escuro. Papai disse mais tarde que achava que o desenho impresso em seu jornal era "desconfortavelmente parecido comigo, mas ninguém vai vir me buscar".[3] Eu não vi o desenho até a noite em que meu pai foi preso.

MARÇO DE 1977

Em março de 1977, papai, carregando uma pasta e se passando por detetive, mostrou uma foto da minha mãe e do meu irmão de 1 ano a um menino, perguntando se tinha visto a criança da foto em algum lugar, e, logo depois, seguiu o menino até em casa. Papai bateu na porta da casa dele, falou com sua mãe, Shirley Vian Relford, então forçou seu caminho para dentro da casa e a matou depois de trancar seus três filhos aos gritos no banheiro. Não sei qual foto meu pai mostrou ao menino naquele dia.

DEZEMBRO DE 1977

Em dezembro de 1977, papai avistou Nancy Fox trabalhando em uma joalheria no Wichita Mall. Ele seguiu a mulher e a estrangulou com o cinto dentro de casa.

Às vezes, eu fazia compras ou assistia a filmes no mesmo shopping com papai. Lembro-me de ficar esperando naquele shopping um dia quando o Oldsmobile estava no Montgomery Ward para uma troca de pneus. Eu tinha uns 10 anos. Caminhamos pelo estacionamento até o Taco Bell para almoçar, e me lembro de ter visto papai preencher uma pilha de formulários de emprego enquanto dividíamos um saquinho de churros. Ele havia sido dispensado da ADT não fazia muito tempo.

Foi só em 2015 que desenterrei da memória uma imagem de papai tirando o cinto e estalando-o para mim quando eu tinha cerca de 4 anos. Ainda posso vê-lo, emoldurado pela luz fraca em nosso corredor, assomando, ameaçador, querendo me bater. Quando me lembrei disso, entendi o que, às vezes, parecia sinistro na nossa casa.

Não muito tempo após resgatar a memória do cinto, derramei um pote de pregos na minha casa. Enquanto eu recolhia os pregos, meu monstro pessoal do estresse pós-traumático ergueu a cabeça feia. Lembrei-me de ter visitado a loja de ferragens com meu pai quando era pequena. Será que ele comprava objetos para usar em assassinatos quando eu estava junto?

Papai tinha roubado algumas joias de Nancy e, anos depois de sua prisão, ele fez um comentário sobre aquela época: "Eu pensei, não, eu não vou dar isso para minha esposa; seria muito cruel. Pensei em dar as joias para minha filha uma vez. E talvez eu tenha dado para ela".[4]

ABRIL DE 1985

Papai disse ao tribunal no dia de sua apelação que havia deixado de comparecer a um "compromisso" na noite de sexta-feira, 27 de abril de 1985, para invadir a casa de nossa vizinha, a sra. Hedge. Meu pai foi um líder escoteiro por anos, e a sra. Hedge frequentava a igreja em Park City, onde o grupo de escoteiros do meu irmão se encontrava.

Eu disse ao agente do FBI em fevereiro que meu pai não estava em casa na noite em que a sra. Hedge desapareceu — ele estava em um acampamento de escoteiros com meu irmão de 9 anos. Essa foi a noite em que tivemos uma tempestade e eu fiquei aconchegada com minha mãe em sua cama.

Papai não queria dizer abertamente no tribunal que tinha usado o acampamento do meu irmão como um álibi; mas, naquela noite, ele deixou os escoteiros, dirigiu até uma pista de boliche, passou um pouco de bebida na boca, fingiu que estava bêbado e pegou um táxi para nossa vizinhança, carregando consigo uma bolsa de boliche como seu kit de ferramentas. Ele caminhou pelo parque atrás da casa dos meus avós, cortou a linha telefônica da sra. Hedge e invadiu a casa dela. Uma casa com planta idêntica à nossa.

Ele esperou em um armário até que ela retornasse e, então, a estrangulou. Ainda não sei em qual armário a aguardou. Qual era o quarto dela? O equivalente ao meu? Não sei.

Tenho vaga lembrança de, quando ainda era criança, ter visto uma velha bolsa de boliche marrom com uma listra branca. Não sei se foi a mesma bolsa que papai usou. Eu também cheguei a jogar boliche no mesmo lugar quando estava no ensino fundamental.

Na audiência de confissão, meu pai contou ao tribunal que embrulhou o corpo da sra. Hedge em um cobertor e usou o carro dela para levá-la à nossa igreja. Ele carregou o corpo, vestiu-a e tirou Polaroids. Então, ele dirigiu para o leste e jogou o corpo da sra. Hedge numa zona rural. Papai voltou para a pista de boliche, deixou o carro dela e dirigiu de volta para o acampamento em seu próprio carro.

Talvez eu tenha ido à igreja naquele domingo com minha mãe e talvez eu tenha brincado entre os pinheiros altos e oscilantes após o término do culto.

O corpo da sra. Hedge foi encontrado uma semana depois, com estranhas agulhas de pinheiro por perto que não pertenciam àquele lugar. Pelo que entendi, essas agulhas ficaram grudadas quando papai deitou o corpo dela no chão da igreja.

Algumas semanas depois, mamãe me repreendeu por escalar os pinheiros altos da igreja e, minutos depois, quebrei o braço ao correr para dentro. Papai me carregou para fora da igreja e me colocou no banco de trás do nosso Oldsmobile prateado.

Percebi, depois de enfim descobrir a verdade na audiência de confissão, que meu pai talvez estivesse aborrecido por ter perdido nossa viagem a Padre Island porque isso significava que ele teria que ficar na cidade enquanto a polícia procurava o assassino da sra. Hedge.

Apenas na audiência de apelação fiquei sabendo a respeito da ligação do meu pai com a sra. Hedge e das fotos na igreja. Em algum momento durante os dez anos seguintes, eu suprimi esse conhecimento. Ele só voltou a mim depois que li sobre essa história em 2015 e, também, aos 36 anos, quando li sobre as estranhas agulhas de pinheiro encontradas no corpo da sra. Hedge, depois disso me vi devastada pela dor — aos prantos.

SETEMBRO DE 1986

Um mês depois de a minha família tirar férias na Disneylândia, enquanto eu estava sentada na minha sala de aula do terceiro ano, papai usou o horário de almoço na ADT para se disfarçar de técnico de telefonia e forçar a entrada na casa de Vicki Wegerle. Papai assassinou a mulher enquanto o filho de 2 anos dela chorava e a filha mais velha estava na escola primária. Meu pai jogou as evidências em uma lata de lixo próxima de uma sorveteria Braum's ali perto, antes de retornar ao trabalho.

Em 2015, descobri que a sra. Wegerle tinha sido voluntária como babá na Igreja Luterana de Saint Andrews, o mesmo lugar onde mamãe e eu tínhamos ficado encarregadas das crianças durante as aulas de aeróbica, antes de eu ter idade suficiente para ir à escola. Não tenho ideia se algum dia conhecemos pessoalmente a sra. Wegerle ou se meu pai sabia dessa possível conexão.

JANEIRO DE 1991

Papai disse outra vez na audiência de apelação que deixara de estar presente em um "compromisso" na noite em que assassinou a sra. Davis, em janeiro de 1991. Na verdade, ele estava no *Trappers Rendezvous*, um encontro de inverno dos escoteiros ao norte de Wichita, com meu irmão de 15 anos. Ele saiu, estacionou na igreja em Park City, onde os escoteiros tinham se reunido, e caminhou dois quilômetros no frio até a casa dela. Ele jogou um bloco de concreto na porta de vidro deslizante, assassinou a sra. Davis, usou o carro dela para transportá-la até um lago de pesca, escondeu objetos pessoais dela sob o velho galpão branco na igreja e, em seguida, transportou o corpo outra vez, usando nosso Oldsmobile prateado. Depois disso, ele voltou para o encontro dos escoteiros.

Nós pescamos algumas vezes naquele lago ao longo da l-135 e, quando eu era criança, brincava no galpão branco da igreja, onde eu acariciava cavalos por cima do arame farpado.

Ele usou nosso carro. O mesmo carro que ele usou para me ensinar a dirigir. O carro no qual eu acidentalmente pisei no freio com muita força em um sinal amarelo, fazendo papai e eu darmos uma volta de 180 graus cantando os pneus. O carro que eu dirigia para ir à escola no ensino médio com um adesivo de para-choque do *K-State Wildcat* que zombava da rival *University of Kansas*, declarando: "Jayhawk* no porta-malas". Fiquei mortificada quando descobri sobre o carro e sobre a sra. Davis.

* [NT] Os times atléticos da University of Kansas, rivais da Kansas State — os Wildcats —, são conhecidos por Kansas Jayhawks. O termo "Jayhew" é provável referência histórica aos militantes seguidores de John Jay (1745-1829), um dos Pais Fundadores dos Estados Unidos, cujo papel foi importante no Kansas.

Quando papai mencionou na audiência de confissão ter atirado o bloco de concreto pela porta de vidro da sra. Davis, eu me lembrei da conversa que tive ao telefone com ele em 2001 sobre o aluguel de um apartamento com porta de vidro. Ele me disse que era seguro.

JUNHO DE 2005

Tenho lutado muito nos últimos quatro meses para não entrar em colapso total, lutando para conservar meus restos esfarrapados. No dia da audiência de apelação do meu pai, o peso do que ele tinha feito, a enormidade de tudo aquilo, me esmagou mais uma vez.

Papai tinha zombado da comunidade de Wichita e da polícia com suas comunicações de BTK, mas também escarneceu da igreja que a minha família frequentava e os meus avós — usando esses lugares amados como cobertura para seus crimes.

Perseguindo pessoas, depois arrombando e entrando em residências. Torturando e matando dez pessoas de forma violenta. Quase matando uma décima primeira. Profanando seus corpos. Parte de uma família: pai, mãe, dois filhos. Deixando três filhos órfãos. Aterrorizando crianças em lares onde suas mães tinham sido assassinadas. Filhas, irmãs, esposas, mães, avós.

Sete famílias foram destruídas pelo meu pai, para nunca mais serem as mesmas. Oito: sua família — a minha família — também. A *minha* família — não a dele, não era mais dele.

Não era mais dele.

PARTE 6
CRIME SCENE

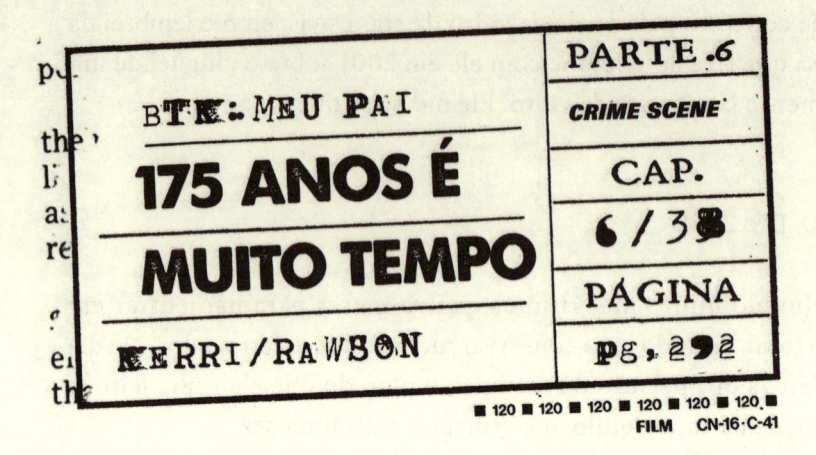

BTK: MEU PAI
175 ANOS É MUITO TEMPO
KERRI / RAWSON

CAP. 6/38

PÁGINA pg. 292

JULHO DE 2005
WICHITA

Em 11 de julho, minha antiga casa foi leiloada em um evento que mais parecia um circo. A polícia barricou a rua e as pessoas ficaram assistindo ao show. A mídia local e nacional, os potenciais compradores e os curiosos pisotearam minha casa e quintal, agora esvaziados de tudo, exceto dos eletrodomésticos.

Eu estava em Wichita naquela semana, mas hospedada com meus avós e minha mãe na mesma rua. Peguei um voo no dia em que os caminhões satélite chegaram, gargalhando alto enquanto olhava para a rua, o show de palhaços que tentava conseguir um grande furo. A mídia nacional parecia não estar ciente de que as entrevistas que eles buscavam com tanta urgência estavam a um quarteirão de distância. Fiquei aliviada ao partir para o Michigan algumas horas depois.

No leilão, uma mulher arrematou nossa casa por 30 mil dólares a mais do que valia, dizendo que queria ajudar minha mãe. Mais tarde, a venda ficou emperrada quando os processos foram abertos, um por três das famílias das vítimas e um pelo estado do Kansas. Enquanto lidava com os processos judiciais, mamãe continuou pagando a casa velha a fim de evitar dívidas com banco. Ela também começou a alugar uma casa nova. Nada disso era culpa da minha mãe, é claro, mas ela estava presa aos custos e consequências dos atos de papai.

Em 26 de julho, mamãe conseguiu o divórcio emergencial. Ela chegou inclusive a se desculpar comigo por seu divórcio ter finalizado no dia do meu aniversário de casamento. Não me lembro se ri ou chorei quando ela me contou.

Trinta e quatro anos, um casamento. Chegando ao fim desse jeito. Dois anos, outro casamento, passando dificuldades e resistindo contra imensas probabilidades de término. Parecia que muitas vidas haviam se passado entre o dia do meu casamento e 26 de julho de 2005.

Naquele mesmo dia, mais tarde, escrevi para o meu pai.

26 de julho
Querido pai,
Oi — desculpe, já faz um tempo que não escrevo.

Mesmo sabendo o que estava por vir no dia da apelação, mesmo assim fiquei um pouco surpresa — como quase todo mundo. Disseram-nos que você era culpado desde aquele primeiro fim de semana, porque o FBI nos disse que você ia confessar. E também conversamos com alguns policiais de Wichita depois, que confirmaram o que o FBI nos disse.

Não havia como refutar as provas que eles tinham, então, racionalmente, fomos capazes de começar a aceitar a verdade. Sabendo que você ficaria na prisão pelo resto da vida, então começamos a lidar com essa nova realidade logo de cara.

Mesmo que do ponto de vista racional a gente entenda a verdade, emocionalmente, é muito mais difícil e confuso. Não sei se algum dia seremos capazes de aceitar tudo isso nesse nível.

Mamãe está indo bem e começando a seguir em frente com a vida dela. A escola de Brian está indo bem, não vai demorar muito mais, até o outono, quando ele estará pronto e partirá para a frota.

Com amor,
Kerri

No final de julho, recebi uma carta de papai depois de escrever e enviar a minha.

> 27 de julho
> Querida Kerri,
> Me perdoe por perder seu aniversário de casamento em 26 de julho. Eu tinha anotado e tinha boas intenções, mas não consegui fazer. Então, este cartão (feito por outro interno) que me custou uma barra de Snickers, será os meus votos.
> Neste domingo à tarde, depois do jantar, estou no meu quarto com uma xícara de café fresco e terminando cartas e correspondência. Escrevi pro Brian na semana passada para desejar a ele os votos de aniversário. Bem, estou contente por você, Brian e Darian se divertirem na Costa Leste. A última carta de Brian mencionou que foi positivo. Ele é sempre tão positivo e otimista.
> O penhor da casa causou uma cisão entre mim e a defesa. Eles não mencionam nada sobre isso antes, quando tentamos decidir sobre a alegação de inocência. Eu queria sua Mãe fora de perigo desde o início. Eu cooperei com a polícia, cooperei com o tribunal, para economizar milhões dos contribuintes e desejos de famílias com processo. E então eles me ferram com um penhor. Está fora da minha mão. Ainda estou muito chateado. E não confie mais em ninguém no mundo jurídico.
> Fiquei sabendo que sua Mãe se mudou. As cartas dela são breves e ela pode não me ver por um longo tempo. Eu posso escrever, mas escreverei para uma parede de tijolos? Kerri, vai ser igual com você? Espero que não!
> Só algumas linhas já ajuda, para me informar o que está acontecendo. Talvez depois da sentença e a poeira baixar, sua Mãe e o resto da família escrevam.
> O crime fez você pular fora e o resto também, mas ainda sou família e preciso de uma pequena carta de apoio, se nada mais.
> Vou ficar fechado aqui todos os dias. Limpando o quarto etc. Em breve, El Dorado, "casa do velho soldado!".

Sempre espero uma carta aberta da sua Mãe, mas acho que já era, ela foi aberta até o apelo, depois desistiu.

Por favor, escreva, no mínimo, obrigado.

Amo você!
Pai

JULHO
DETROIT

Papai escreveu: "A propósito, você deve entrar em contato com um advogado e processar WICHITA-KBI-FBI, por obter seu DNA sem permissão. Eu não tenho raiva de você por esse aspecto do crime/evidência".

Nenhuma palavra chegaria perto de descrever o quanto me deixou brava: Ele não tinha raiva do que o meu DNA tinha feito por ele? Nossa, quanta generosidade.

"Esse aspecto do crime/evidência."

Ah, seus crimes. Suas evidências.

"Por favor, escreva, no mínimo, obrigado."

Não. Não vou te agradecer por se declarar culpado do que você era culpado. De ceifar dez vidas.

Guardei suas cartas desse período por dez anos. Eu nem sabia que essas palavras ainda existiam até que, sem querer, as encontrei no verão de 2015:

> Quero que saiba que não te odeio ou deixo de te amar. Os problemas que tenho estão longe do amor familiar. Sei que eles machucam e espero que algum dia seu coração se recupere e que você possa me perdoar. Você sempre será a garotinha que criei, correta, orgulhosa, independente e agora é uma adulta crescida com muitos anos de amor para oferecer... Estou muito feliz por aquelas nossas férias de família em maio de 2004. Tantas lembranças! A vida antes da prisão foram bons momentos, e o lado sombrio me levou embora.

AGOSTO

Em agosto, arranjei um emprego de tempo integral como barista no café de uma livraria Borders próxima de casa. Não era o ideal, mas pagava um salário.

Não me preocupei em contar a ninguém que era filha do assassino em série que aparecia nos jornais e revistas empilhados no balcão da frente.

Mas eu voltava para casa cheirando a grãos de café *espresso*.

> **Na audiência de confissão, em junho, o relato do meu pai sobre seus crimes foi horrível, mas ele encobriu aspectos dos assassinatos, minimizando a tortura das vítimas. Era uma visão unilateral e narcisista.**

17 DE AGOSTO

A audiência de dois dias de sentenciamento do meu pai em agosto foi quase a minha morte. Achei que seria uma simples declaração do juiz a respeito de quantos anos meu pai receberia de pena.

Eu estava terrivelmente despreparada.

Na audiência de confissão, em junho, o relato do meu pai sobre seus crimes foi horrível, mas ele encobriu aspectos dos assassinatos, minimizando a tortura das vítimas. Era uma visão unilateral e narcisista.

Considerando suas palavras estreitas, a necessidade do público de ouvir toda a verdade e, além disso, os direitos das famílias das vítimas a uma conclusão, os promotores decidiram prosseguir com a divulgação completa do reinado de terror do meu pai. Eles consultaram as famílias das vítimas antes de prosseguir, para se certificarem de que estavam de acordo com a divulgação integral das provas. Nenhuma delas objetou.[1]

Mas a acusação não investigou esta família. A oitava família.

Mais tarde, descobri que outros tinham vindo em defesa da nossa família inocente, perguntado se havia uma necessidade real de fazer tudo aquilo. Não ia nos envergonhar ainda mais?[2] Nos constranger? Nos magoar?

Ninguém nos perguntou ou avisou que isso aconteceria.

Durante um período de dois dias, os detetives que trabalharam nos casos fizeram descrições angustiantes de cada assassinato a partir do banco das testemunhas. Eles mostraram armas reais dos assassinatos, fotos da cena dos crimes e trouxeram à luz fotos do meu pai em *self-bondage*.*

Eu não tinha estômago para assistir a esse horror ao vivo, no entanto, mais tarde, li todas as transcrições do tribunal no *Eagle* e assisti a vídeos na internet. Uma enorme audiência nacional assistiu pela televisão, apenas por curiosidade mórbida.

Mas eu não era o público. Eu sou filha dele. Eu conheço as meias dele. Eu conheço as pernas dele.

E eu sei onde algumas das fotos foram tiradas. Por exemplo, o porão dos meus avós, onde eu corria com meus primos e comemorávamos feriado após feriado.

Continuo a me perguntar: depois que Brian e eu desmaiamos na nossa barraca para três pessoas montada em um banco de areia no Lago Cheney, será que meu pai cavou um buraco e se amarrou?

Não tenho nenhuma resposta sólida para esse pensamento horrível. Nem tenho respostas para o que ainda me causa terrores noturnos.

Em retrospecto, entendo por que a promotoria — os detetives — fizeram o que fizeram. Meu pai degradou dez pessoas, incluindo duas crianças, para além da compreensão, mas ainda era meu pai e eu o amava — não importava o que tivesse feito.

---

* [NT] *Self-bondage* se refere ao uso de amaras e restrições em si mesmo a fim de obter prazer erótico. Denis Rader também usava *bondage* em suas vítimas.

18 DE AGOSTO

As famílias tiveram a oportunidade de prestar declarações após o encerramento da acusação. (Ainda não li essas transcrições. Tentei uma vez, dez anos depois; percorri algumas linhas e quase vomitei.)

Depois que as famílias deram suas declarações, meu pai teve a chance de fazer uma declaração final — uma oportunidade para mostrar remorso. Em vez disso, ele tagarelou de forma bastante egoísta por vinte minutos, em um discurso apelidado de "Globo de Ouro" em Wichita. Escutei parte dele e li uma transcrição do restante.

Papai se levantou no tribunal e nos chamou — minha mãe, meu irmão e eu — de contatos sociais, piões em seu jogo.

Papai ensinou xadrez a mim e ao meu irmão usando um conjunto de belas peças esculpidas que ele havia trazido da Ásia enquanto estava na Força Aérea. Paciente, ele nos mostrou como cada peça se movia, e ainda me lembro do cheiro terroso do tabuleiro xadrez, marrom e branco. Quando abria a caixa, a gente se deparava com cavalos, bispos, torres, reis e rainhas e, sim, piões, repousando em um forro de feltro vermelho e macio.

Minha família vivera com — e amara — esse homem por décadas. Nós o alimentávamos, lavávamos sua roupa e cuidávamos dele quando ele estava doente e ferido. Eu o adorava. Mesmo que ele pudesse ser um bruto.

E agora ele nos chamava de "contatos sociais".

Como ele se atreve?

Ele poderia apodrecer no inferno.

* * *

Foi nesse discurso que ouvi sua voz pela última vez.

Cortei todas as comunicações com ele e tentei me distanciar das notícias.

Estavam dizendo que BTK — meu pai *serial killer* — era um psicopata sexual e sádico.

Mas eu não estava em condições de saber por onde começar a entender o que aquilo de fato significava. O que eu entendia era que papai tinha mentido para nós, nos traído, todos os dias desde que meu irmão e eu havíamos nascido.

Todos os dias desde que minha mãe o conhecera — ele sabia do que era capaz, do que ele era.

Ele nunca deveria ter se casado ou tido filhos.

Eu não deveria estar viva.

Ele deveria ter se internado em um hospital psiquiátrico e nunca mais saído.

Ele deveria ter se entregado antes de tirar a vida da família Otero.

Depois de assassinar, ele deveria ter se entregado à polícia.

Ele deveria ter passado os últimos 31 anos na prisão.

As pessoas ainda deveriam estar vivas.

Mas meu irmão e eu não estaríamos.

Eu aceitaria numa boa — eu trocaria minha vida pela deles.

19 DE AGOSTO
WICHITA

Na manhã seguinte ao sentenciamento, meu pai foi conduzido pelo departamento do xerife ao Centro Correcional El Dorado, trinta minutos a leste de Wichita.

Era um caminho que meu pai conhecia bem, mas era a última vez que ele o faria.

As pradarias do Kansas tinham uma coloração verde inesperada para o fim do verão, o céu estava azul, e a vida do meu pai, como qualquer coisa que ele já conhecera ou desejara, havia acabado.

Papai chegou à sua última morada vestido em um macacão vermelho, sandálias baratas e correntes na cintura, nos pulsos e nos tornozelos. Estava muito longe do belo terno que havia usado no tribunal no dia anterior. Parecendo cansado, magro e como se estivesse envelhecendo da noite para o dia, se arrastou em direção às paredes com arame farpado.

Meu pai foi condenado a 175 anos de prisão. Dez sentenças de prisão perpétua. Vinte e três horas por dia, sozinho em uma cela de concreto na ala de segurança máxima, ao lado de presos condenados à morte. Com certeza essa não era a aposentadoria com a qual ele havia sonhado.

Nos anos seguintes, pessoas bem-intencionadas perguntariam: "Quanto tempo seu pai ficará na prisão?" Eu responderia: "Pelo resto da vida dele e pelo resto da próxima vida também".

BK

EXPOSED
EXPOSED
EXPOSED
EXPOSED
EXPOSED
EXPOSED

撮 影 済
EXPOSED

15

RADER

CNK-4 C-41   120

EXPOSED 撮 影 済
内に折ってシールしてください。
FOLD UNDER
BEFORE SEALING

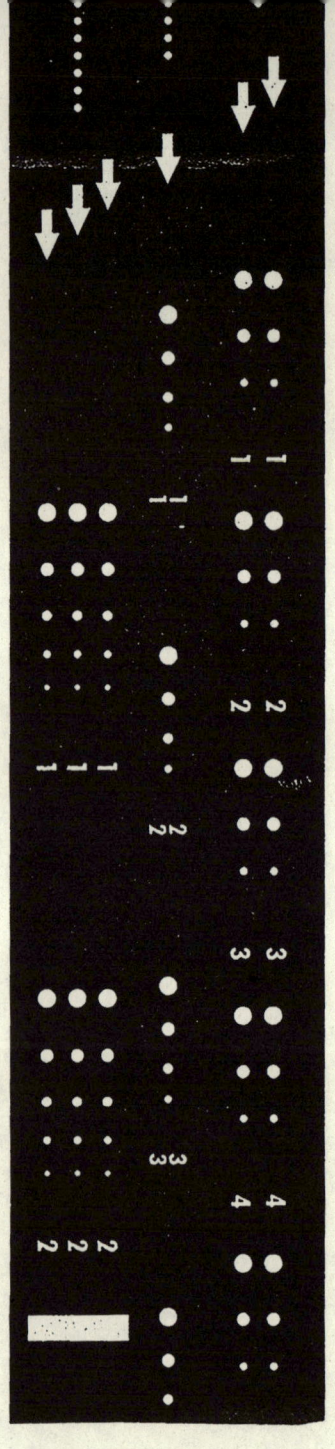

1 1 1
1
1 2
2
2 2
1 1
2
3 3
3
3 4
2 2 4
2

BK

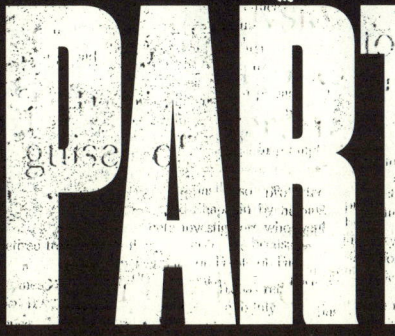

PARTE 7
CONSERTAR UM CORAÇÃO PARTIDO

ELE SARA OS DE CORAÇÃO QUEBRANTADO
E LHES PENSA AS FERIDAS.
— SALMOS 147:3

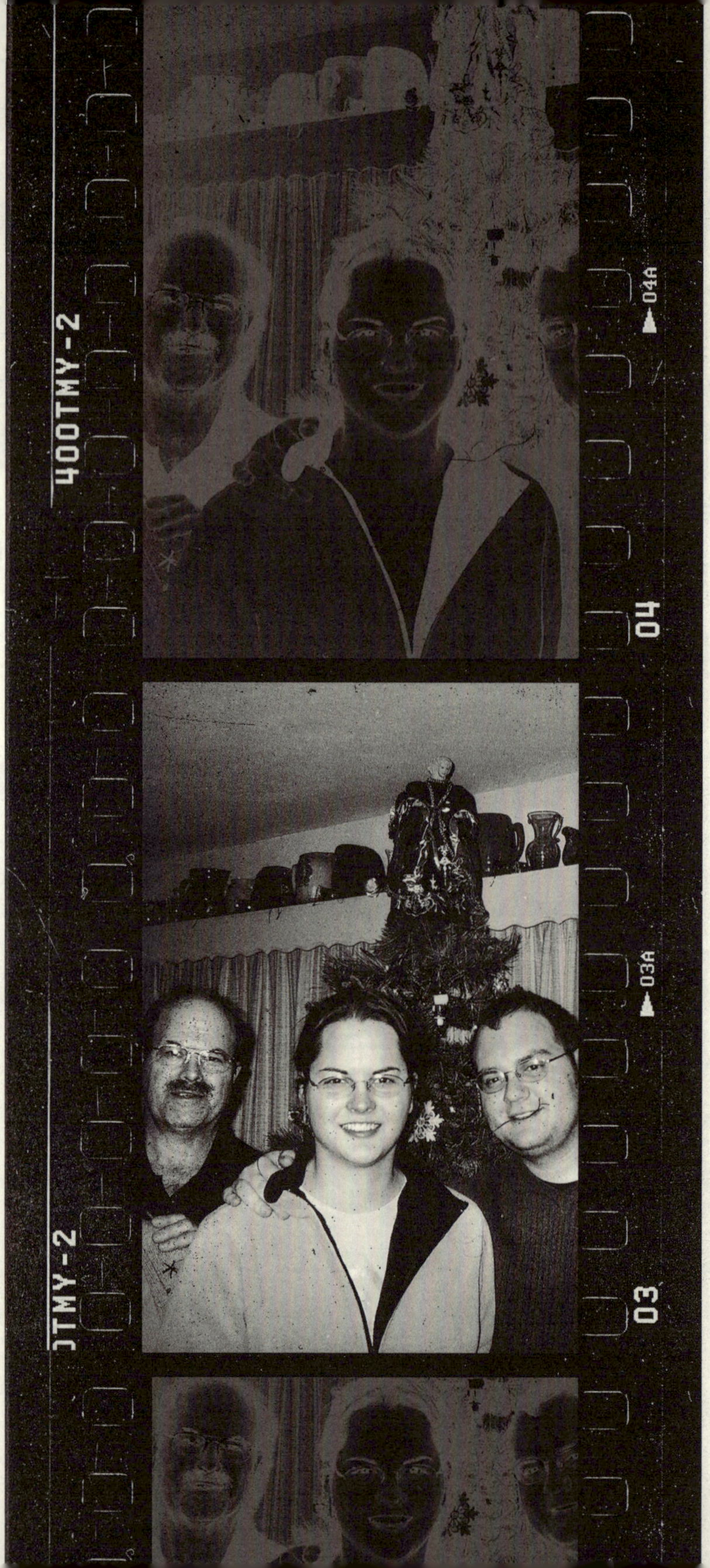
400TMY-2
04
04A
TMY-2
03
03A

BTK: MEU PAI

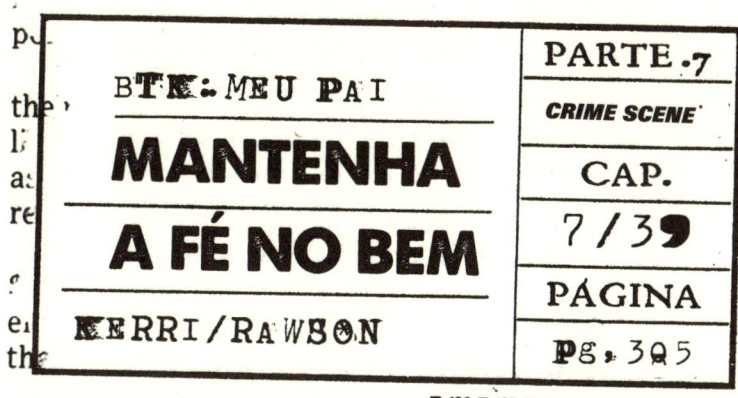

MANTENHA A FÉ NO BEM

KERRI/RAWSON

PARTE .7
CRIME SCENE
CAP. 7/39
PÁGINA pg. 305

```
AGOSTO DE 2005
DETROIT
```

Havia acabado. Papai estava trancafiado.

E eu já estava farta.

Depois do sentenciamento, os últimos seis meses brutais da minha vida desabaram sobre a minha alma. Um portão denso e escuro barrava minhas memórias.

O tempo e a maneira como eu falava sobre ele para sempre divididos: antes da prisão do meu pai — depois da prisão do meu pai.

Antes do papai. Depois do papai.

Existia o antes, mas agora tinha um tom cinzento e turvo: nada era realmente o que parecia. Papai nunca havia sido *apenas* papai.

E agora havia o depois, esperando do outro lado da sentença: uma esperança, um futuro, uma vida, mas como eu poderia continuar com minha própria vida, sabendo que tantas outras tinham sido destruídas por alguém que eu amava?

Eu tinha o resto da vida pela frente — a deles havia sido tirada. Não era justo. Eu não sabia como lidar com a vergonha que sentia pelos atos do meu pai — o que ele tinha tomado das pessoas. Cheia de culpa, qualquer escolha que eu fizesse a fim de tentar encontrar a normalidade parecia falsa, vazia.

Eu não tinha nenhuma resposta, mas ansiava por espaço e tempo para me recuperar: curar minhas feridas, me curar. Cansada de sofrer, cansada daquela dor tão grande, eu não conseguia respirar.

Não tenho ideia de como as pessoas do cinema sabiam que papai gostava de beber leite com gelo, mas foi brilhante — e eu caí de tanto rir, até doer o lado do corpo.

Determinada a não lidar mais com nada disso, tentei reunir tudo o que havia acontecido nos últimos seis meses e, de qualquer jeito, empurrar para um lado da minha mente, um lado da minha vida. Percebi que se eu enfaixasse a dor imensa dentro de mim com força suficiente, ela acabaria curando com o tempo. E presumi que o *ciclo* de memórias desde o dia da prisão do meu pai acabaria assim que nosso contrato de aluguel acabasse e pudéssemos nos mudar daquele lugar onde eu tinha sofrido tanto.

Mas esconder a dor apenas fez com que ela infeccionasse. E o *ciclo* me seguiu até nosso novo apartamento, onde a porta de vidro deslizante de acesso ao pátio externo multiplicava meus temores.

SETEMBRO

No Dia do Trabalho, estávamos razoavelmente instalados em nosso novo apartamento. Lá, havia uma máquina de lavar e secar roupa e um endereço que meu pai e a mídia não tinham, graças a uma caixa postal.

Se você tivesse nos conhecido, teria visto um jovem casal tentando encontrar o caminho na vida. Mesmo que você parasse para falar com a gente ou fosse nosso colega de trabalho, provavelmente não teria notado nada de errado. Você não saberia que estava ao lado da filha de um *serial killer*.

No entanto, eu sabia, e isso continuava a me traumatizar por dentro, mesmo que poucas vezes eu mostrasse qualquer sinal externo.

Deus?

Uma vidinha tranquila e pacífica.

Eu orava sem parar.

Uma semana depois do sentenciamento, fiz uma entrevista em uma escola autônoma que estava passando dificuldades. Eu pleiteava a vaga de professora de primeiro ano, com a intenção de assumir uma classe que outro professor havia abandonado depois de dois dias.

Eles me pediram para dar uma aula de matemática de improviso, da minha cabeça. Eu me saí bem, fui contratada na hora e fiquei o resto do dia como a nova professora. No mesmo dia, larguei o emprego do café.

Fiquei tão feliz por enfim ter minha própria sala de aula e um salário decente que quase não percebi o árduo desafio externo que havia empilhado por cima dos meus já enormes desafios internos. Eu deveria ter ouvido minhas próprias orações. E possivelmente ter ficado com os grãos de café *espresso*.

Não havia nada de pacífico em lecionar para alunos de primeiro ano, mesmo em uma escola bem administrada. E aquela não era uma escola bem administrada. Em retrospecto, não tenho ideia do que estava pensando — me lançar em um ambiente de ensino onde até mesmo veteranos experientes ao meu redor enfrentavam enormes dificuldades.

As paredes eram nuas, então comprei uma pilha de pôsteres coloridos, mas a sala ainda parecia desolada, mesmo depois que Darian me ajudou a decorá-la. Comprei a maior parte do material de aula de que precisava; meus alunos quebraram rapidamente a maioria dos gizes de cera. Eu me debatia procurando manuais de ensino e implorava por mais duas cópias das folhas diárias de matemática. Eu ficava fora por doze horas, quebrava a cabeça para juntar assunto suficiente na tentativa de manter a classe ocupada no dia seguinte e desabava na cama às 2h.

Essa insanidade não era sustentável, mas eu não queria desistir das minhas crianças — a vida já era instável para muitas delas. Eu ficava tão ocupada durante o dia e tão exausta à noite que papai e a tristeza dos seis meses anteriores acabaram ficando para trás.

Papai continuou mandando cartas, mas eu não respondia.

>22 de setembro
>Querida Kerri,
>
>Espero que esta carta encontre você e Darian de bons ânimos e saúde. O sentenciamento estava muito vivo na minha mente, tentando deixar fechado lá.
>
>No meu nível, não posso pedir muitos selos. Fala-se de penhora da nossa conta da prisão para ações judiciais, restituição e custas processuais. Nesse caso, as cartas para a família serão raras e espaçadas. Recebo apenas quatro envelopes e selos por mês.
>
>Então, eu tenho que escrever, talvez, a cada três meses ou mais. Você pode escrever com frequência e, se escrever, por favor, entenda por que não respondo.
>
>Processo, divórcio, venda da casa — confusão contínua, causou estresse na sua Mãe, tenho certeza. Eu gostaria que ela me escrevesse, pelo menos para me dizer se ela está bem e se a família também está. Se você escrever, por favor me diga o que está acontecendo.
>
>Sem TV, rádio ou jornal no nível um — onde estou agora. Não aceita visitantes, só na tela da TV, fins de semana, só com hora marcada.
>
>Por favor, você e Darian tenham cuidado redobrado devido a todos os meus crimes. Eu não desejaria nenhum mal a vocês, mas algum indivíduo louco pode tentar alguma coisa. Você está preparada para o inverno? O Tempo ainda está funcionando bem? Brian já foi para a frota?

Agora tenho rotina, isso ajuda, e podemos tomar banho e fazer a barba 3X por semana. Posso sair por uma hora, 5X por semana, mas ainda não fui. Existe uma área como um canil, com grades, dá para exercitar ou puxar a barra. Eu leio muito e penso em boas lembranças do passado. No momento, estou lendo *Centennial*, de James Michener. Amo os livros dele, lembro que você também gosta.

Se eu morrer, desejo ser cremado e que minhas cinzas sejam espalhadas nas Flint Hills. É bom saber onde a gente vai ficar e nas mãos de Deus.

Desejo-lhe boa sorte no trabalho e no dia a dia. Mande lembranças pro Darian. Deus abençoe.

Com amor,
Pai

OUTUBRO

Papai escreveu: "Lembre-se, eu te amo, você sempre será minha garotinha, minha moleca e melhor amiga. Muitas e muitas boas lembranças de você e da família. Mantenha a fé no bem: vida, esperança e amor".

Chorando de gritar, aos soluços, essas palavras penetraram meu coração endurecido. *"Agora, pois, permanecem a fé, a esperança e o amor, estes três; porém o maior destes é o amor."*[1]

Na noite de 9 de outubro, Darian e eu nos sentamos para assistir a um filme na TV a cabo: *The Hunt for the* BTK *Killer* [Caçada ao assassino BTK]. Tive que desviar o olhar durante as partes violentas, e ainda me encolho quando vejo o ator que interpretou meu pai em qualquer outra coisa, mas também foi um alívio surreal do estresse. Em algumas partes era tão diferente da minha casa e da minha mãe, mas em outras, tão revelador — sobretudo no que diz respeito às esquisitices do meu pai —, que não restava nada a fazer a não ser rir.

A risada mais imprópria de todas.

A melhor cena foi meu pai de uniforme marrom de agente de *compliance* sentado atrás do balcão de uma lanchonete, pedindo leite com seu almoço e fazendo questão de pedir gelo à garçonete, algo bastante específico. Não tenho ideia de como as pessoas do cinema sabiam que papai gostava de beber leite com gelo, mas foi brilhante — e eu caí de tanto rir, até doer o lado do corpo.

No outono, adotamos dois gatinhos de um abrigo. Chamamos de Hamlet a bolinha de pelo cinza que se enrolava nos nossos braços e ronronava. Molly era escaminha, preta e laranja, agarrada na vertical na gaiola, claramente precisando de um novo lugar para morar. Hamlet logo se tornou Hammy, e Molly passava zunindo pela nossa nova casa, trilando para nós e para os pássaros nos comedouros que eu pendurava no pátio.

Esses gatinhos eram vida. Eles trouxeram alegria aos nossos corações partidos, deram-nos um propósito.

Algumas partes da minha rotina de professora ficaram mais fáceis, mas na maior parte do tempo era exaustivo — e alguns aspectos inesperados me apavoravam completamente.

Os funcionários da escola guardavam os carros em um estacionamento cercado, mas dois professores mesmo assim tiveram seus belos SUVs roubados durante o horário escolar. Eu só estava com o Tempo, mas ficava desconfiada ao ir buscar meu carro nos dias em que ficava até mais tarde.

Certa vez, houve uma ameaça de violência na escola e tivemos uma reunião de equipe. Percebi que não tinha uma chave para trancar a porta da minha sala de aula, nem havia qualquer tipo de plano de trancarmos todas as premissas a fim de nos abrigarmos do lado de dentro. Contemplar maneiras de empurrar uma mesa e cadeiras para bloquear a porta da minha classe e onde colocar as crianças revirava minhas entranhas.

Durante meu estágio de professora, eu havia passado por treinamento — mas tudo havia mudado dentro de mim desde então. Violência. Trauma. Crime. Morte. Isso tudo tinha me alterado. Eu não era a mesma pessoa e não conseguia entender a necessidade de implementar meu próprio plano de segurança escolar.

Não muito depois disso, em uma tarde quente, adormeci ao volante enquanto voltava da escola, presa em um engarrafamento na I-96. Acordei assustada com uma buzina atrás de mim e dirigi os trinta minutos seguintes com o ar frio no máximo, balançando a cabeça para clareá-la. Na manhã seguinte, a caminho da escola bem cedo, com lágrimas escorrendo pelo rosto, pedi ajuda a Deus.

Deus? Se eu tiver que ficar, vou ficar. Mas se não tiver, o Senhor pode me enviar um sinal?

Naquela tarde, o diretor me disse que precisavam me dispensar — eu fazia parte de uma dúzia de funcionários que estavam sendo demitidos naqueles primeiros meses.

Foi rápido, Deus.

Eu respondi: "Eu estava mesmo pensando em me demitir".

Arrumei minhas coisas, alternando entre a raiva de mim mesma por me colocar em uma posição desesperadora e o choro de tristeza por ter que deixar as crianças e a minha sala de aula. Outra professora do primeiro ano tentou me consolar e, enquanto eu falava com ela, tudo desmoronou.

Trêmula, nervosa, prestes a sucumbir, perguntei bruscamente: "Você quer saber quem é meu pai?". Sem esperar por uma resposta, pesquisei meu pai no Google e toquei na tela sobre a foto dele com o macacão laranja.

"Ah. Eu vi algo sobre ele na TV. Não admira que você esteja passando por dificuldades. Você precisa de tempo para descansar e se curar."

Sim, sim, eu preciso.

Fui para casa, caí no chão e chorei por horas enquanto os gatinhos cuidavam de mim e de meu espírito quebrantado.

Tentei com tudo o que havia em mim — com tudo o que sabia — ser uma boa professora para aquelas crianças. Eu fracassei com elas. *Fracassei comigo.*

Algumas semanas depois, no meio da noite, encontrei Hammy enrolado em sua cama azul-turquesa com sangue saindo do nariz e da boca. Dormi com ele o resto da noite e levei-o ao veterinário assim que a clínica abriu. Eles fizeram um teste simples e os resultados deram positivo para o vírus da leucemia felina. Era fatal e ele teria uma expectativa de vida média de três anos.

Arrasada, liguei para Darian e voltei para casa a fim de buscar Molly e fazer um exame nela também. Ela também era uma portadora positiva.

O veterinário me disse que algumas pessoas optavam por sacrificar os gatos quando sabiam que eram portadores de uma doença fatal, mas ele também disse: "Esses carinhas não sabem que vão morrer e também não vão morrer hoje".

Não pretendíamos sacrificar nossos gatinhos. Eu os levei para casa e me esparramei no chão da sala outra vez, chorando de soluçar.

Não vão morrer hoje. Pensei muito nessas palavras.

Você pode ficar deitada neste chão e chorar o quanto quiser, mas esses dois carinhas — e você — não vão morrer hoje.

Fiquei um pouco mais forte depois disso.

17 de novembro
Queridos Kerri e Darian,

Saudações calorosas de mim. Espero que estejam aquecidos, porque eu sei que agora provavelmente é inverno frio.

Acabei de assistir ao nosso pôr do sol no Kansas, eles são tão bonitos no inverno; com tons de roxo, rosa e creme, e o sol é uma bola laranja gigante. Tenho uma janela para o oeste, com vista para além da casa. Às vezes, posso observar os pássaros e as estações mudam, o que realmente ajuda no espírito.

Kerri, você sempre foi assim, observou e valorizou a natureza em sua plenitude. Tantas pessoas nunca desaceleram para aproveitar a vida tão simples, os belos tesouros.

Minha esperança é que me escreva algum dia. Meu amor de pai ainda existe, e não sabe quantas vezes penso em você, em Darian, na sua Mãe e em Brian; todo dia. Se a traição é o que a impede de escrever, por favor, me perdoe.

Muito orgulho do seu irmão, agora um homem da Marinha! Ele escreveu uma longa carta, contando sobre suas aventuras de costa a costa. Guarde-o nos seus pensamentos e nas suas orações. Eu sei que ele ia se reportar ao submarino dele em breve.

Uma coisa que faço é estudar a Bíblia e trabalhar em direção à luz de Cristo. É a única maneira de Deus me perdoar. Pedi a Ele que intercedesse entre mim e as vítimas. Elas se foram, sinto muito e peço a Ele para explicar.

Confessei antes do sentenciamento, dia do julgamento.

Mas, estou trabalhando com Deus, amigos por correspondência cristãos, e espero que esteja caminhando na direção da luz. É minha grande esperança poder encontrar você, sua Mãe, Brian e outros parentes do "outro lado do rio", no meu dia derradeiro.

Por favor, tome cuidado, as melhores festas para você e Darian.

Deus abençoe, amo vocês dois,
Pai!

NOVEMBRO

Cuidamos de Hammy até ele ficar bem de novo, e Molly nunca ficou doente enquanto era filhote. Em novembro, voltei a lecionar como substituta — era flexível e eu ainda podia descansar nos dias em que não tinha forças para enfrentar o mundo.

Meus terrores noturnos eram uma companhia constante, e, certa noite, fugindo do que quer que estivesse tentando me matar, eu pulei da cama, caí em um cesto de roupa suja e torci o joelho esquerdo. Esse joelho estava ruim desde 1998, quando pulei para apanhar um *Ultimate Frisbee*, mas, em vez disso, colidi com um menino inconveniente.

Acabei mancando até um ortopedista — que me encaminhou para fisioterapia e disse que talvez eu precisasse de uma cirurgia.

Ei, Deus, o Senhor está aí?

Vida pacata, fácil e tranquila?

Tá?

17 de dezembro
Kerri,

Sei que não pode ser um "Feliz Natal" ou um "Boas Festas" devido às circunstâncias minhas e familiares. Você está profundamente magoada e pode nunca entender ou aceitar o que aconteceu.

Quero que saiba que encontrei a Paz com Deus e que um dia nos encontraremos de novo, do outro lado do Rio.

Você sempre será e lembra[da] com ternura em meu coração e amor.

Tenho dois filhos incríveis e estou feliz por você ter conhecido Darian. Foi ótimo lembrar que todos nós nos conhecemos no Natal de 2004. Foi um ano especial, obrigado por ter vindo passar em casa. Por favor, passe mais tempo com sua Mãe este ano. Vai ser difícil para ela. Seu mundo, que ela ama[va] profundamente se foi.

Espero que esteja tudo bem aí. Nevando aqui hoje! Um abençoado e melhor 2006.

Com amor,
Pai

> BTK: MEU PAI
> # LÁGRIMAS
> # E SAUDADE
> KERRI / RAWSON

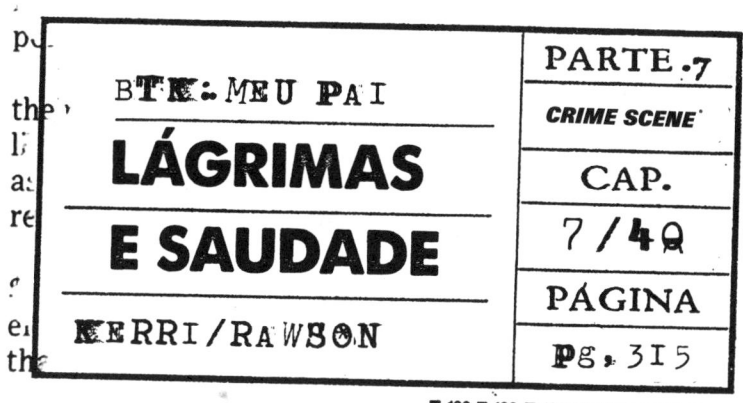

PARTE .7
CRIME SCENE
CAP.
7/40
PÁGINA
pg. 315

25 DE FEVEREIRO DE 2006
PHOENIX, ARIZONA

O tempo estava para sempre marcado: antes de 25 de fevereiro — depois de 25 de fevereiro.

Antes do papai. Depois do papai.

Já fazia um ano. Tínhamos conseguido; tínhamos sobrevivido.

Acordei na manhã de 25 de fevereiro de 2006, com o sol forte passando através das janelas da casa da minha prima Andrea. Darian e eu estávamos em Phoenix, dormindo no sofá-cama na sala de estar. Meu joelho doía, meu estômago ardia de ansiedade — lembranças —, mas meu coração estava bem. A casa estava cheia de barulho, do melhor tipo, e minha mãe estava acordando no quarto de hóspedes ao nosso lado.

Vida. Esperança. Paz.

Darian também estava em busca de paz. Sua avó Pearl falecera na véspera do nosso voo, a consequência de um derrame no verão anterior. Ficamos felizes por termos ido a Nova York nos últimos anos para vê-la.

A família queria estar reunida para o aniversário — e longe de qualquer equipe de notícias —, por isso minha mãe e meus avós foram de carro até Phoenix para que pudéssemos nos encontrar com um grupo de outros parentes. Darian e eu pegamos um voo de Detroit até lá.

No início daquela semana, Darian e eu tínhamos viajado para o norte a fim de visitarmos a represa Hoover, assim como eu tinha feito com meu pai quando estávamos no Oeste, em 1986. Pegamos estradas de terra até a extremidade oeste do Grand Canyon, e eu respirei fundo quando vimos o sol laranja encoberto pela neblina se pôr nas encostas púrpura-avermelhadas que encimavam o rio Colorado.

Papai e eu teríamos chegado bem até aqui se tivéssemos feito aquela viagem de rafting *com a qual estávamos sonhando.*

Enquanto Darian e eu viajávamos pela Rota 66, enchi o carro com histórias sobre minha antiga vida com meu pai. Outra parte de mim retornou à vida entre as planícies de areia, as escarpas quentes e as montanhas escuras. Em um ano, esse foi o mais perto que cheguei de me sentir em casa.

Na manhã do aniversário, minha prima deu a mim e à mamãe colares de cruz de prata; eu prontamente coloquei o meu. Ansiando por tranquilidade, Darian, mamãe e eu fomos separados dos demais, rumo ao norte.

Em Sedona, escalamos uma íngreme passagem de pedra até a espetacular Capela da Santa Cruz, que se projeta de enormes pedras vermelhas com vista para o deserto. Estávamos ali entre muitos turistas, mas quando entrei no santuário, uma paz que eu não conhecia havia muito tempo desceu sobre mim.

Lar.

Deus.

Fileiras de velas votivas vermelhas tremeluziam nas paredes de pedra marrom-alaranjada, e eu poderia ter ficado debaixo da enorme cruz de pedra olhando para os montes crescentes ao longe pelo resto dos meus dias.

Deus?

Mais dias como este.

Vagamos por lojas e um mercado de arte e dirigimos para o norte através da Floresta Nacional de Coconino ao longo do Oak Creek Canyon, vislumbrando a água escorrer por seus estreitos acobreados. No alto de uma estrada de montanha, paramos em um lugar recuado, e Darian e eu caminhamos até a borda para olhar por sobre um vale de pinheiros.

Papai deveria estar aqui. Ele teria adorado isso.

Quando soltei um suspiro, percebi que mesmo em um dos melhores dias, eu fiquei no limite, antecipando algum acontecimento terrível. Meu corpo, meus pulmões, meus ossos — tudo sentia o peso do dia, sabia o que era.

Voltamos para Phoenix no final da tarde e encontramos uma mesa cheia de familiares reunidos para o jantar. Tinha sido um bom dia, mas à medida que a noite avançava, uma tristeza desceu sobre mim e eu chorei. Senti vergonha de chorar em um restaurante na frente de um bando de parentes.

Em voz baixa, eles perguntaram como eu estava, e eu disse: "Pai... saudades dele. Hoje o dia foi longo...".

Dor. Era engraçado como ela vinha e depois ia embora.

Eu sentia saudades do meu pai. era uma das primeiras vezes que eu admitia. Será que estava tudo bem admitir que eu sentia falta de um *serial killer*? Que eu amava um?

Eu não sentia falta de um *serial killer*, não amava um —eu apenas sentia falta do meu pai. Eu amava meu pai.

Eu não tinha ideia do que as pessoas daquela mesa, pessoas que eu também amava, pensavam de mim.

Mas foi só isso. Naquele dia ele era apenas meu pai, alguém que eu amava e de quem sentia falta. Sempre seria assim tão simples e, ao mesmo tempo, tão difícil.

JUNHO
DETROIT

Não me lembro de ter recebido nenhuma carta do meu pai na primavera de 2006, mas uma chegou quatro dias antes do meu vigésimo oitavo aniversário. Não havia nada de ruim na carta, mas me provocou um ataque de ira. Não era o que ela dizia — era a ausência do que deveria dizer.

Pairando sob a superfície da minha raiva havia uma fossa preta repleta de dor que eu raramente reconhecia. A dor vinha sem qualquer razão. Meu luto não se encaixava perfeitamente nos estágios de que você ouve falar: negação, raiva, barganha, depressão, aceitação. O meu quicava como uma bolinha de *pinball*, de modo a desencadear seja lá o que desejasse, quando desejasse.

Enquanto as memórias fluíam pelos meus ouvidos, outra lasca de dor foi arrancada da minha alma. Milhares de metros acima das montanhas que eu amava, com a cabeça encostada na janela fria, recuperei outro pedaço de mim.

Acordada por um terror noturno e incapaz de voltar a dormir, saí mancando da cama para o meu computador, apoiei a perna em uma lixeira plástica virada para baixo e, pela primeira vez em quase um ano, digitei uma carta para meu pai.

Eu estava usando uma joelheira preta com dobradiças desde março, depois de ter feito uma cirurgia nos ligamentos a fim de realinhar a rótula. No dia seguinte à cirurgia, parecia que meu joelho estava pegando fogo — a pior dor física que já sofri. Quando liguei para o cirurgião para conversar sobre aumentar a dose dos meus analgésicos, ele disse: "Ah, puxa vida, esses tipos de cirurgia doem mesmo".

Hammy e Molly acharam muito divertido correr para cima e para baixo sobre a espuma que imobilizava minha perna naquela primeira semana. Eu mal conseguia chegar ao banheiro e voltar de muletas. Darian deixava o almoço, as bebidas e os pacotes de gelo no refrigerador ao lado do sofá antes de sair pela manhã. Ele trouxe para casa um box com os três DVDs do *Jurassic Park* para me animar e ainda colocava uma cadeira na banheira antes de me ajudar a tomar banho.

Na alegria e na tristeza, na saúde e na doença. O amor nunca falha.

Pouco a pouco recuperei força e mobilidade com fisioterapia e tempo, mas passaram-se vários meses antes de eu ficar curada. Chegou um momento em que me vi livre da dor, exceto em dias de tempestade, depois de sofrer por oito anos.

Havia lições nisso: tempo, eu precisava de mais tempo. Terapia, eu acho, era uma lição que eu também poderia aprender, mas eu não queria voltar a passar por isso outra vez. Mesmo sabendo que provavelmente era o que eu deveria fazer. Em vez disso, escrever uma carta raivosa teria que bastar.

Não enviei a carta. Não queria magoar meu pai.

> Junho de 2006,
> Pai,
> São quatro horas da madrugada, acredite se quiser, e acabei de redigir as milionésimas linhas de abertura para você enquanto estava deitada ao lado do meu marido adormecido. Não consigo voltar a dormir, então decidi ir em frente, me levantar, beber um copo de leite frio (sem gelo) e digitar o que eu estava gritando na minha cabeça agora mesmo.
>
> A diferença é que digitar parece tão mundano, tão normal, mas tudo o que eu realmente quero fazer é pegar uma lata de tinta vermelha e jogar minhas palavras na parede bege semi-limpa aqui na minha frente e falar um monte delas pra você.
>
> Ir em frente, escrever e dizer... o quê? Devo dizer que cresci te adorando, que você era o raio de sol da minha vida, a menina dos meus olhos e todas aquelas outras porcarias dos cartões de datas comemorativas?

É verdade, mesmo que isto esteja saindo agora desconexo e cheio de amargura; mas, de verdade, quem poderia me culpar? Ei, está tudo certo querer gritar com seu pai se ele é um assassino em série.

Devo dizer de uma única vez que desejo dizer que não quero mais nada com você e que você pode simplesmente apodrecer no inferno? Ser chamada de "contato social" pelo pai na frente do mundo inteiro faz esse tipo de coisa com uma garota.

Ou talvez eu deva dizer, logo a seguir, estou com saudades. Eu vi *Carros* esta noite, o novo filme da Pixar. Nele, há uma cena em que eles estão dirigindo pela Interestadual 40, descendo para as vistas e colinas chapadas vermelho-alaranjadas do deserto do Novo México. Pensei em você e nas nossas viagens para o Oeste. Lembrei do quanto você queria dirigir pela velha Rota 66 e só queria que você estivesse sentado ao meu lado naquele cinema, dividindo um pote de pipoca com manteiga.

Mas você não está. Você está sentado no seu quarto de concreto. (Como você gosta de chamá-lo: seu quarto! Alô! É uma cela de prisão, não um quarto! Como se você estivesse hospedado em alguma pousada onde servem café da manhã na cama, com uma flor recém-colhida na bandeja — em vez de onde você realmente está, onde servem mingau de farelo moído em uma bandeja de metal fria deslizada por uma fresta na porta.)

E você nunca mais se sentará ao lado de ninguém.

Às vezes, aquele pote de pipoca com manteiga me lembra que eu só quero sair e comprar o maior pote com manteiga que eu puder encontrar e balançá-lo na sua cara e dizer: "Rá, você nunca mais vai ter isto" e perguntar: "Valeu a pena?". Comer um hambúrguer gostoso de verdade também me dá vontade de fazer isso. Por acaso esses pensamentos fazem de mim uma pessoa má? — apreciar um hambúrguer realmente gostoso e ter prazer com o pensamento de que você nunca mais vai comer um deles?

Ou você deveria saber, no meu próximo fôlego, que eu desejo perguntar se você vai ficar aquecido à noite, se você ganhou chinelos de ficar em casa e um cobertor extra ou dois?

Está se sentindo solitário? Lamento muito que você esteja sozinho nessa cela pequena, fria e de concreto, e às vezes eu só queria poder dar um abraço em você.

Mas [na] maioria do tempo eu me sinto parte de uma citação de Elie Wiesel que li um tempo atrás: "O oposto do amor não é o ódio, é a indiferença".[1] Eu costumava te amar, mas agora estou do lado oposto, não é que eu te odeie, eu só não me importo.

— Sua filha amorosamente indiferente

AGOSTO DE 2006
LAS VEGAS, NEVADA

Em agosto, voei para Las Vegas e passei alguns dias com Darian, que estava lá em uma viagem de negócios. Tentei a sorte nos caça-níqueis, enquanto Darian me observava jogar seus vinte dólares fora. Caminhamos pela Strip à noite e fiquei maravilhada ao ver o quanto ela havia mudado desde que eu visitara o *Circus* com meus pais na nossa viagem para o Oeste, em 1986.

Tínhamos voos separados na volta para casa, e eu sobrevoei o Grand Canyon e as Montanhas Rochosas, dos quais eu tinha alguns vislumbres através das nuvens.

Sobrevoar dois dos meus lugares favoritos me levou a tentar ouvir o álbum *Greatest Hits* de John Denver no meu MP3 player. Eu não tinha ouvido muita música desde que havia perdido meu pai, e não tinha chegado perto de nenhuma canção que me lembrasse dele.

Assim que as primeiras notas bateram, comecei a chorar.

Era meu álbum favorito de quando eu era mais nova. Papai colocava o disco no toca-discos e dançava "Take Me Home, Country Roads". Ele girava com seus chinelos marrons de ficar em casa ao mesmo tempo em que estalava os dedos no ritmo. Eu ria tanto que meu rosto doía, vendo-o brincar de maneira tão livre.

"Sunshine on My Shoulders."

Havíamos feito várias viagens para o Colorado quando eu era criança; ficávamos em uma cabana em Lake City e pescávamos trutas em um riacho próximo. Ainda consigo imaginar meu pai em sua camisa xadrez, verde e branca, com as mangas arregaçadas, jogando iscas coloridas na água cintilante, o sol refletindo nos seus ombros.

"Rocky Mountain High."

Tínhamos saído para andar de jipe apenas uma vez, perto de Ouray, subindo a Engineer Mountain. Minha porta caiu do carro alugado quando passamos em um buraco na estrada, o que me assustou. Papai deu risada ao encaixar a porta de volta no lugar. Nós passamos de carro acima da linha das árvores e, embora fosse verão e estivéssemos de shorts, topamos com neve em um vale alto. O sol, brilhante e forte debaixo de um céu azul-claro surpreendente, estava tão próximo que eu queria estender a mão e tocá-lo.

Eu tinha uma memória para cada música daquele álbum. A imensa perda que eu sofri bateu com força.

Eu estava sentindo tanto a falta dele que sentia dor até para respirar.

Enquanto as memórias fluíam pelos meus ouvidos, outra lasca de dor foi arrancada da minha alma. Milhares de metros acima das montanhas que eu amava, com a cabeça encostada na janela fria, recuperei outro pedaço de mim.

No entanto, ainda faltavam outros milhares para acabar.

NOVEMBRO DE 2006

DETROIT

No outono, comecei a trabalhar como professora substituta em um distrito próximo. Só precisava fazer um trajeto de alguns quilômetros em alguns dias e, assim, eu podia unir mais dias de trabalho seguidos — foi meu momento profissional mais feliz. Também substituímos o Corsica, que ficava engasgando, pelo enorme Mercury Grand Marquis prateado da vovó Pearl. Tio John o trouxe para nós em um fim de semana.

Ele tinha a altura de Darian e seu único objetivo na vida parecia ser tentar descobrir como nos fazer rir. Nós o levamos para jantar em nosso restaurante italiano favorito, e ele dormiu no chão ao lado dos gatos, que o adoraram. Nós o deixamos no dia seguinte no aeroporto para pegar o voo de volta a Nova York.

Em meados de novembro, voltamos à igreja. Quando atravessei as portas giratórias para um saguão bem iluminado, senti paz e sabia que tinha retornado para casa. Deus estava esperando por nós.

No auditório, havia porta-copos para café com leite da cantina, e "Fix You" do Coldplay estava explodindo do palco.

Lágrimas escorreram pelo meu rosto na igreja ao longo das semanas seguintes, enquanto eu ouvia nosso pastor pregar sobre misericórdia e sobre o amor infinito de Deus. À medida que mais fragmentos despedaçados do meu espírito eram reparados, eu encontrei a graça mais uma vez, a graça que eu tinha certeza que havia perdido para sempre.

PARTE 7

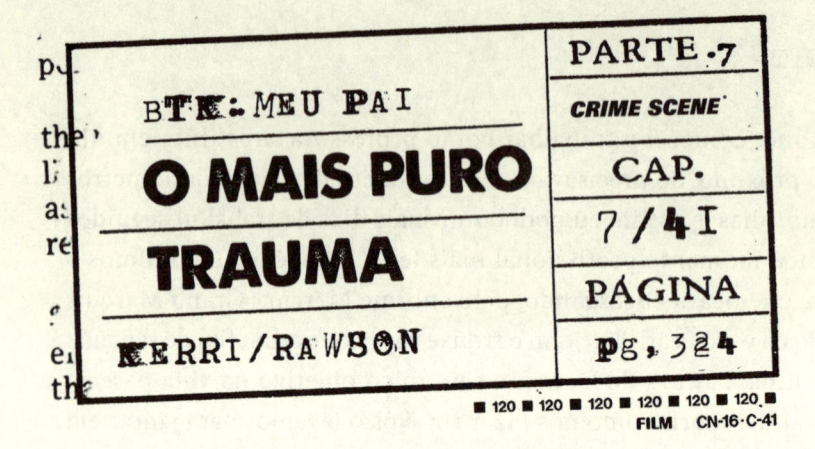

BTK: MEU PAI — O MAIS PURO TRAUMA

CAP. 7/41

KERRI / RAWSON

JUNHO DE 2007

"Darian acompanhou o agente até a porta e eu me levantei e tirei a foto do meu pai e da minha mãe da parede. Apoiei a moldura no chão, encostada na lateral do closet."

"Que bom. É quando termina — quando o agente sai. Acho que só precisamos passar por isso mais uma vez", disse a calma voz feminina. Estávamos em uma sala pequena e tranquila. Tocava uma música instrumental suave, e eu estava sentada em um sofá (não aquele cor de berinjela). "Tudo bem, inspire e expire devagar, como temos praticado. Agora me conte outra vez."

Lentamente abri os olhos e a espiei com incerteza, enxugando as lágrimas do meu rosto, torcendo um lenço de papel úmido e destruído em volta dos dedos. "Tenho mesmo que fazer isso?"

"Tem. É assim que conseguimos fazer as memórias saírem do *ciclo*. Agora me conte outra vez." Era o meio da manhã de junho de 2007 e eu estava sentada no sofá da minha terapeuta. Pelos últimos quatro meses, todas as semanas, eu vinha fazendo sessões com uma psicóloga, uma especialista em traumas. Ela estava me ajudando.

Estávamos trabalhando sobre o maior problema: o ciclo que não parava de se repetir no meu cérebro, começando quando eu havia notado o carro velho perto da lixeira até o homem com o distintivo deixar meu apartamento. De novo e de novo.

Desde quando notei o carro velho e desgastado...
Por dois anos e quatro meses, sem parar.
...até que o homem com o distintivo ia embora.
Isso estava me impedindo de viver.

Era uma memória intensa, com uma tonalidade cinza-avermelhada ao redor, como uma aura. Forte. E eu estava repleta de medo. Estava aprisionada em 2005, em 25 de fevereiro. Não conseguia me livrar desse momento. Não conseguia escapar. Não conseguia sair de debaixo dele. Aquilo estava me matando.

Eu parecia bem quando era vista de fora, se a pessoa não tivesse me conhecido antes, mas eu não estava bem. Minhas costas eram curvadas; meu peito, apertado — espremido. Era difícil para mim olhar nos olhos das outras pessoas; eu não queria. Enrolada em posição fetal dentro de mim, me fechando, dormindo muito, me movendo devagar, cinza-turvo — nada. Em seguida, fervia de raiva incandescente, queria descontar em tudo e em nada. Me odiando. Querendo que acabasse — tudo.

Trauma.

Aquilo me transformou física, emocional e espiritualmente. Não ia embora de jeito nenhum. De novo e de novo, em frequentes repetições, eu revivia o dia em que o mundo explodira debaixo dos meus pés, e nada mais havia sido igual ou jamais seria outra vez.

Chamava-se transtorno de estresse pós-traumático.

Eu tinha sido diagnosticada quatro meses antes, quando enfim decidira arrastar meu traseiro de volta para a terapia. Não sei exatamente por que fui parar de volta no sofá de uma terapeuta. Eu queria apontar para o último ano e meio como uma prova de que eu estava conseguindo lidar com tudo aquilo. Embora eu achasse que ficar pulando de emprego em emprego, tentar superar a tristeza no deserto e choramingar em restaurantes, aviões e igrejas pudessem depor contra mim. Ah, e a carta raivosa. E o *ciclo* idiota que não parava nunca.

Ou talvez fosse devido aos inúmeros pensamentos que estavam girando na minha cabeça, como quando papai havia cometido seus primeiros assassinatos alguns meses antes de completar 29 anos, e eu faria 29 em breve. Será que talvez algo também fosse mudar em mim?

Quando toquei no assunto, Darian disse: "Não. É sério, você não liga um interruptor e, em um único dia, se torna um serial killer".[1]

Sim, mas e se for desse jeito?

Acho que também se pode argumentar que tenho lutado contra a depressão e a ansiedade há vários anos, mas definitivamente não pretendia admitir isso em voz alta.

Sim, isso também.

* * *

Em fevereiro, algumas semanas antes do segundo aniversário de prisão, fui parar em um hospital após dias de náusea inexplicável e dor perto do estômago. O pronto-socorro me serviu duas garrafas nojentas de bário com gosto de giz, para que eu acendesse feito uma árvore de Natal e passasse por uma tomografia computadorizada. Não encontraram nada conclusivo, mas me mantiveram em observação durante a noite, com suspeita de apendicite, ao lado de uma companheira jovem de quarto que não largava o celular. Graças às bebidas chiques, passei a maior parte da noite no banheiro, agarrada a um suporte de soro, me vingando da colega de quarto.

Na manhã seguinte, um padre apareceu e perguntou se poderia orar por mim. Murmurei em concordância e chorei ouvindo suas palavras pairarem sobre mim. O que eu realmente precisava era de um exorcismo.

Não muito depois dessa estadia no hospital, entrei na internet, pesquisei terapeutas especializados em trauma, encontrei uma profissional cujo consultório ficava próximo e — lutando contra tudo em mim — me forcei a ir. Com o estômago embrulhado e um grande desejo de sair correndo, sentei-me na sala de espera da terapeuta e outra vez fiz um X no quadradinho idiota de "pensamentos suicidas".

Malditos formulários que ficam julgando a gente. Malditos consultórios de terapeuta.

"Eu preciso de ajuda."

"É por isso que estou aqui."

"Sim, bem, minha questão é incomum. E eu tenho problemas de privacidade." Eu disse isso para a moça simpática com o bloco de notas amarelo e caneta que estava me ouvindo com paciência, empoleirada em uma cadeira perto da porta. A porta que eu estava olhando como se algo ruim fosse explodir a qualquer segundo.

"Vou ser a única a ver seus arquivos; vou trancá-los no meu armário, tudo bem?"

"Tudo. Os médicos da minha mãe fazem isso por ela, em Wichita. É de lá que eu venho..."

"Então, o que está acontecendo?"

"Bem, uh, veja bem, meu pai, está... é, está na prisão. Ele está preso por assassinato."

A terapeuta nem vacilou.

"Ele é conhecido como B... T... K. Talvez a senhora já tenha ouvido falar dele? Aparecemos no noticiário há algum tempo. Meu nome de solteira é Rader. Papai é..."

Ainda sem vacilar. E ela estava tentando me olhar nos olhos, embora eu estivesse fazendo o meu melhor para evitar os dela.

"Eu não gosto de dizer B... T... K."

"Por que não?"

Oh, diabos, essa aqui não brinca em serviço.

"Por causa do que a sigla significa e porque esse não é o meu pai, o homem que eu conheci."

Eu disse a ela: "Há algo preso na minha cabeça. Parece um *ciclo*. Não entendo. Acho que estou ficando louca. Desde o dia em que meu pai foi preso. Eu sinto perigo quando vejo estranhos: homens uniformizados, homens de manutenção, entregadores. Até mesmo ver um policial me faz pular e pode me jogar em um estado de alerta. Como se eu estivesse à espera de que alguma coisa muito ruim fosse acontecer comigo. Me preparando para isso.

"Meu estômago está doendo muito — acabei no hospital algumas semanas atrás. E meu peito está apertado o tempo todo, como se estivesse sendo espremido. Estou trabalhando pouco, dormindo muito. E às vezes fico com muita raiva. Não gosto disso. Tenho terrores noturnos horríveis — tipo, eles me apavoram totalmente. Tenho isso desde que era uma garotinha.

"Não quero mais viver assim. A senhora pode me ajudar?"

"Posso", disse ela. "Parece que você está lidando com ansiedade e depressão. Muito comum, principalmente relacionadas a trauma. Esse aperto no peito pode ser ansiedade — podemos trabalhar algumas técnicas para ajudar na respiração. Às vezes dormimos muito porque isso bloqueia por algum tempo a dor que sentimos. Não é?"

Certo. Ansiedade e depressão. Alguém enfim estrava declarando isso em voz alta. Ia e voltava desde Michelle — no meu primeiro ano de faculdade. Demorou dez anos, mas agora tinha um nome.

"E o corpo pode muitas vezes reagir — saber coisas, sentir coisas que a mente não sabe ou ainda não está pronta para enfrentar. Seu estômago pode estar reagindo a uma velha memória, a um antigo trauma."

Ah.

"O aniversário de prisão do meu pai foi há pouco tempo." Recebi um sorrisinho de compreensão da terapeuta com essa admissão.

"Além disso, parece que o que você está descrevendo — as coisas presas na sua cabeça — são Transtorno de Estresse Pós-traumático. TEPT para simplificar. E certas memórias, situações, estranhos, podem estar funcionando como gatilhos para você. Seus terrores noturnos podem ser do TEPT ou podem ser um distúrbio do sono mais geral."

"Ah, TEPT, então é isso que está errado. Eu não sabia que tinha nome. Achei que estava ficando louca."

"Não. Eu posso te ajudar."

"Mas ninguém morreu, como no acidente da minha prima, que foi em 1996. Fiquei travada nisso por um tempo, que ficava se repetindo na minha cabeça, quando eu estava no primeiro ano de faculdade."

"Você estava no acidente?"

"Não. Apenas me contaram e eu li um pouco a respeito. Mesmo assim, eu conseguia visualizar. Imaginar, sabe? Foi isso que me deixou travada."

"Como você destravou?"

"Conversei com uma conselheira no campus. Ela me fez passar em detalhes pelo dia em que minha prima morreu, para me dessensibilizar. Ela falou que a repetição do acidente era uma reação comum ao trauma."

"Certo. Dessensibilizar ao trauma — inteligente. Parece que sua mente — seu corpo — perceberam a visita do agente do FBI como uma ameaça. E você, o que é compreensível, entrou em choque ao ouvir notícias tão devastadoras. Isso tudo é trauma."

Ela fez uma pausa para me permitir absorver as informações.

"O que seu pai fez, o que você sabe a respeito disso — é tudo traumático. O que você passou desde que ele foi preso — tudo trauma, e parece que isso pode remontar até a sua infância, então?

"É." Murmurei quase para mim mesma, baixando a cabeça.

"Vamos dar um tempo para nos conhecermos melhor. Vamos esperar que você se sinta confortável aqui, confortável comigo e, quando estiver pronta, vamos trabalhar nisso. Eu posso te ajudar. Venho sendo capaz de ajudar outras pessoas."

Ajudar. Ela repetia essa palavra — quando eu não desejava jamais pronunciá-la eu mesma: *preciso de ajuda.*

* * *

A terapia veio com dever de casa. Pedidos para os quais eu fazia caretas e revirava os olhos.

Eu deveria andar regularmente, para ajudar meu corpo a lutar contra o que o estava atacando. Caminhar ao ar livre era uma opção fria no início de março, e estar sozinha na rua podia aumentar minha ansiedade, então eu tentava caminhar no shopping. Caminhei algumas vezes, seguindo o pessoal elegantemente vestido que fazia caminhada, mas meus instintos de preguiçosa anularam minhas tentativas de me exercitar. Nem mesmo parar no quiosque de biscoitos era incentivo suficiente.

Fui a um psiquiatra, que me prescreveu um antidepressivo e um comprimido para dormir, mas o remédio para dormir me fazia ver coisas flutuantes e esbarrar em paredes, o que não ajudava muito.

Contei à minha mãe que tinha voltado para a terapia e ela disse: "TEPT. Foi isso que meu terapeuta me disse também. Do dia em que seu pai foi preso".

No dia anterior ao meu 29º aniversário, foi lançado um livro sobre o BTK. Escrito por quatro jornalistas do Wichita Eagle, falava sobre os crimes do meu pai e sobre a investigação de décadas em torno deles. Feliz aniversário para mim.

Tínhamos o mesmo trauma, com um intervalo de dezesseis horas.

Mamãe estava envolvida no processo; havia um advogado fazendo o serviço *pro bono* para ela. O processo contra ela foi arquivado. Mesmo com tudo limpo, mamãe continuou sem conseguir encontrar um comprador para a casa, até que alguém anonimamente se prontificou, pagou a hipoteca e doou a casa para Park City, a fim de que ela fosse demolida. Foi uma coisa impressionante, imensamente gentil e generosa de alguém fazer pela minha família.

Ficamos gratos por mamãe não ter mais que pagar a hipoteca, mas era triste saber que a casa seria demolida. Era melhor, porém, do que gente fazendo filmes de terror de terceira categoria nela ou despedaçando-a para vender no eBay.

Em 7 de março, dois dias antes do 62º aniversário do meu pai, nossa antiga casa foi demolida. Trinta e quatro anos de memórias se foram assim. O terreno supostamente seria transformado em uma entrada para o parque, mas nunca foi. Da vez seguinte em que estive no Kansas, passei por ela devagar, mas não parei. Minhas árvores foram as únicas coisas que ficaram de pé.

ABRIL

Na primavera, eu estava trabalhando como substituta em uma classe de sexto ano e fui usar a copiadora durante meu horário de planejamento. Na secretaria havia detetives com distintivos brilhantes nos quadris e armas nos coldres.

Tentando esconder o medo, fiz minhas cópias e tentei não olhar. Um dos detetives notou meu rosto e disse em tom gentil: "Está tudo bem. Encontramos um bilhete com ameaça de violência na escola, mas atuamos com bastante antecedência".

Voltei para a classe e lecionei pelo resto da tarde, tentando silenciar os rumores desenfreados que voavam pela minha sala e manter meus próprios medos sob controle. Fui para casa e pensei que estava bem.

Eu não estava.

Poucos dias depois, após aceitar outra substituição na mesma escola, eu não fui. Não liguei para ninguém na tentativa de explicar meu TEPT. Eu nem liguei para avisar minha ausência até o fim do dia — quando inventei uma desculpa esfarrapada em uma secretária eletrônica.

Fiquei deitada na cama, congelada, repleta de medo por horas, vasculhando meu cérebro e me sentindo péssima por ter faltado. Na verdade, nunca me disseram que eu tinha perdido o emprego — eu só não aceitei mais nenhum cargo de substituição naquele distrito.

Na minha sessão de terapia seguinte, comecei chorar, contando à terapeuta sobre os homens fardados, sobre as armas e sobre não conseguir mais voltar ao trabalho.

Trauma. Era real.

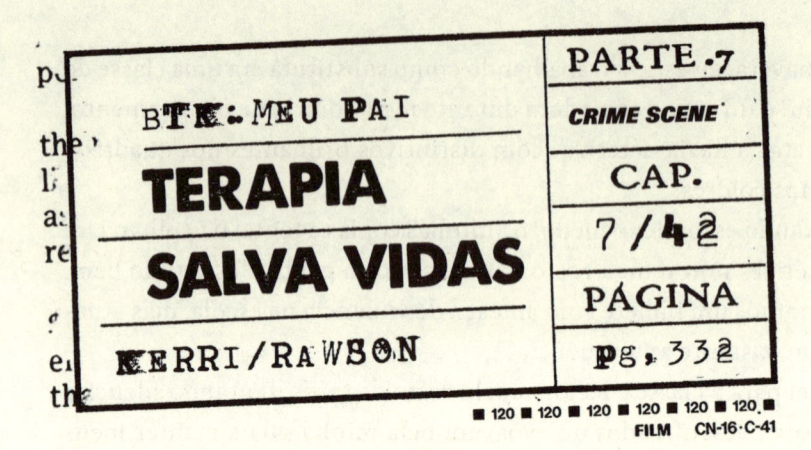

```
BTK: MEU PAI          PARTE·7
                      CRIME SCENE
TERAPIA               CAP.
                      7/42
SALVA VIDAS           PÁGINA
KERRI/RAWSON          pg.332
```

MAIO DE 2007

Em maio, dez anos depois de entregar minha vida a Cristo no desfiladeiro, eu estava diante de um auditório cheio de aplausos e vi Darian ser batizado. Então ele se levantou e me observou fazer a mesma coisa. Eu usava uma camiseta preta, shorts e os brincos de prata minúsculos que minha tia Donna havia me dado para o dia da confirmação quinze anos antes. Eu sentia que era o certo a fazer. Era o fechamento de um ciclo.

"'*Enquanto se diz: Hoje, se ouvirdes a sua voz, não endureçais o vosso coração, como foi na provocação.*'"[1]

Quando fui mergulhada na água límpida, um imenso calor de compreensão me atingiu bem no peito — lar.

Deus.

Saí da água com um sorriso enorme no rosto.

Uma paz, uma esperança, um futuro.

Meu batismo foi como uma marca de lembrança — daquilo que Deus tinha me feito passar. Também era uma prova do futuro que eu desejava: o caminho de Deus sempre sob meus pés. E para nos unirmos à igreja e à comunidade que conhecíamos e com quem nos importávamos.

JUNHO

No dia anterior ao meu 29° aniversário, foi lançado um livro sobre o BTK. Escrito por quatro jornalistas do *Wichita Eagle*, falava sobre os crimes do meu pai e sobre a investigação de décadas em torno deles.

Feliz aniversário para mim.

Como a maior idiota de todos os tempos, encomendei um exemplar na Amazon em pré-venda. Nos anos seguintes, a Amazon ficou me perguntando se gostaria de ver mais livros como aquele a respeito do meu pai, com imagens na capa de pessoas torturadas.

Eu deveria ter percebido que comprar pela Amazon iria desencadear esse tipo de coisa. A empresa já vinha me perguntado nos últimos três anos se eu gostaria de comprar mais ferramentas de jardinagem como as que eu havia encomendado em 2004 e enviado de Dia dos Pais.

Não. Acho que não. Não posso enviar ferramentas para a prisão.

Quando o livro chegou, alguns dias depois do meu aniversário, folheei-o casualmente. Grande erro. Belas fotos de pessoas sorridentes que meu pai havia assassinado depois. Fotos de cenas do crime. Fotos do tribunal. Meu pai amarrado. Encontrei meu nome no índice: Rader, Kerri. Tentei ler pequenas seções, mas logo fechei o livro e me desliguei.

Tudo estava girando dentro de mim — minha cabeça, minhas entranhas, meu coração.

Levei o livro para a terapia e balancei-o ligeiramente na direção da terapeuta; com o rosto vermelho e lívido, li trechos para ela. Ao chegar em casa, virei o livro ao contrário a fim de deixar a lombada ilegível e o coloquei na minha estante.

Uma ou duas sessões depois, abordamos o ciclo, usando a terapia de exposição: contando a história em voz alta e repetindo-a em detalhes até que ela parasse de me dominar.

"Você está segura aqui. Respire, inspire e expire. De novo. Respire. Bom. Agora me conte de novo, desde o início."

"No dia 25 de fevereiro, eu acordei tarde..."

Essa foi a última vez que eu tive que contar a ela.

Conseguimos. Tinha acabado. Daquele dia em diante, o que aconteceu em 25 de fevereiro não teve o mesmo poder sobre mim. Ele se acomodou em seu lugar correto. Minha terapeuta foi um gênio enviado por Deus.

JULHO

Depois que o *ciclo* foi vencido, parei de tomar o antidepressivo. Ele vinha me ajudando, mas agora Darian e eu queríamos tentar engravidar — eu não tinha muito desejo sexual enquanto tomava a medicação.

Falei para Darian que precisávamos começar a tentar porque minha mãe tinha levado três anos para conseguir engravidar de cada filho. Duas semanas depois, estava grávida.

Fiz as contas, comprei testes de farmácia e fiz. Deitada no chão ao lado da cozinha com um sorriso estupefato, pressionei as mãos de leve sobre a barriga.

Grávida.

Uau.

Os gatos pensaram que eu enfim tinha ficado maluca. Darian também pensou isso quando chegou em casa e eu joguei um teste usado na cara dele.

"Achei que você tinha falado que poderíamos levar anos tentando?"

Sim, bem. Surpresa!

Assim que eu soube que estava grávida, saí correndo e comprei roupas de gestante — eu tinha certeza de que já dava para ver minha barriga.

Pouco depois de descobrirmos sobre o bebê, Molly adoeceu. Nós a levamos à um pronto socorro veterinário e fomos informados de que a leucemia felina a tinha acometido — a medula óssea de Molly estava diminuindo. Nós a trouxemos para casa e eu abri um espaço para ela no nosso armário de roupas de casa, um lugar onde ela nunca quis entrar para dormir antes. Nos dias seguintes, passávamos em silêncio na frente do armário e nos deitávamos ao lado dela no chão do corredor; Hammy ficava por perto — os dois gatos dormindo enrolados nas nossas toalhas de banho.

Menos de uma semana depois de ela ter ficado doente, nós a levamos ao nosso veterinário, nos despedimos e a deixamos dormir. A tristeza me paralisou mais uma vez.

Perda demais, morte demais.

AGOSTO

Passei seis meses em terapia, trabalhando sobre determinadas partes da minha dor, uma parte de cada vez, falando muito sobre crescer com meu pai. Contei a história de quando papai gritou de raiva com minha mãe em Jackson Hole, Wyoming, em agosto de 1995.

Estávamos visitando os Teton e mamãe caiu do caminho, o que lhe causou um tornozelo torcido e um joelho arranhado. Papai ficou maluco. Não me lembro de tê-lo visto tão louco: gritando com ela, culpando-a por cair e arruinar o dia dele.

Com sangue escorrendo pela perna da mamãe, Brian e eu ajudamos ela a se levantar e a levamos para a cabana de um guarda florestal, onde ela se deitou em uma maca de primeiros socorros. Fiquei sentada junto dela e me lembro do guarda-florestal olhando gentilmente para nós e espiando meu pai com cautela. Papai estava andando de um lado para o outro do lado de fora, com o rosto vermelho, soltando fogo pelas ventas.

Mais tarde, papai se desculpou e nos levou para almoçar em um restaurante chique, um lugar de que minha mãe gostava. Mamãe ficou nos hotéis ainda mais tempo durante aquela viagem. Achei que ela precisava descansar a perna e queria ler — ela não gostava muito mesmo de fazer essas explorações com a gente, almas aventureiras. Lembro de papai me perguntando mais tarde na viagem: "Não sei o que há de errado com a sua mãe. Você acha que é por causa da queda?". Não me lembro do que eu respondi, mas em 2015 ela me disse: "Seu pai arruinou minha viagem".

Pensando nisso em retrospecto, eu me pergunto se o guarda pensava que meu pai era violento. Ele olhava para o meu pai — através dele — de uma forma que outras pessoas não olhavam. Na época aquilo doeu em mim, e dói ainda agora se penso a respeito. Ao lidar com esses incidentes, percebi que eu sofri abusos emocionais do meu pai, provavelmente durante toda a minha vida — da vida de mamãe e Brian também. Brian também havia sofrido abusos físicos. Eu sabia disso — dentro de mim. Não era fácil ouvir esse tipo de coisa em voz alta, até mesmo com a minha própria voz, mas pelo menos agora eu poderia trabalhar isso, no sentido de lidar com todas essas questões.

Fui uma vítima de abuso desde pequena. Sou vítima de trauma desde o dia em que descobri que fui vítima de crimes. Sou vítima de crimes desde antes de nascer.

Crime. Abuso. Trauma.

Vítima.

Eu?

Eu.

Ansiedade, depressão, TEPT.

Eu.

Minha terapeuta me encorajou a escrever para o meu pai, mas eu fiquei procrastinando. Quando descobri que estava grávida, fiquei dividida. Eu queria que ele soubesse que seria avô, mas estava me sentindo cada vez mais superprotetora com meu bebê e, sendo bem sincera, comigo mesma.

Ainda havia muita dor dentro de mim e eu deveria ter persistido na terapia para continuar a removê-la, mas eu não tinha forças para continuar. Eu não tinha capacidade de me dissecar e levar a gravidez ao mesmo tempo. Depois de escrever para meu pai pela primeira vez em dois anos, abandonei a terapia.

> 8 de agosto de 2007
> Querido pai,
> Sei que já se passou muito tempo desde que escrevi.
> Não escrevi antes porque fiquei muito zangada com o comentário que você fez no sentenciamento sobre "contatos sociais" e "piões no seu jogo", entre muitas outras coisas. Suas palavras e ações doeram, e ainda estou em conflito sobre quanto contato desejo manter com você.

Você foi um bom pai na maior parte do tempo e nos criou bem, e não sabemos em que acreditar — quem você foi para nós ou quem você foi para os outros. Talvez estivesse tentando nos proteger no tribunal quando fez aqueles comentários ásperos. Eu realmente não sei. Você poderia ter optado por nos deixar a qualquer momento, mas não o fez. Você cuidou de nós, fez coisas junto da gente, então espero que você não acreditasse naquilo de verdade.

Mamãe opta por não escrever porque ela não pode mais permitir que você faça parte da vida dela. Ela lê suas cartas, porém, e não acho que ela se importe em ter notícias suas. Não sei por que outros familiares e amigos não escrevem, mas você precisa respeitar a decisão deles de não se comunicar. Todo mundo lida com as coisas de forma diferente.

Vovó Dorothea está definhando mais a cada mês; ela perdeu muita memória e não consegue escrever. Agora é difícil tirá-la de casa, então não acho que ela poderá visitá-lo de novo.

Brian está indo bem e vai continuar no mar até o fim do outono.

Darian e eu descobrimos há duas semanas que estamos esperando nosso primeiro filho! Vai nascer na primavera. Estamos fazendo planos para o futuro e toda a nossa família está animada.

Fiquei feliz em saber que você tem uma Bíblia e a está estudando. Filipenses é meu livro favorito, Paulo o escreveu da prisão, e acho que pode lhe trazer algum conforto. Eu sei que Deus perdoa todos os pecados; tudo que você precisa fazer é pedir.

Não é culpa sua se você sofreu abusos ou maus-tratos quando criança, mas ainda é responsável por suas ações como adulto, independentemente do que pode ou não ter acontecido com você.

Estou aceitando muitas coisas que aconteceram nos últimos dois anos. Estou começando a seguir em frente ou a "voltar" a ser quem eu era antes.

Tenho gostado de observar os pássaros na nossa casa. Neste verão, 18 espécies diferentes visitaram nosso comedouro de pássaros. Estou com seus livros sobre pássaros, para identificá-los, e vários de seus livros de acampamento e trilha.

Neste verão, também plantei flores em caixas suspensas e no pátio. Algumas delas estão se saindo melhor do que outras; este é meu primeiro ano plantando flores, e ainda estou aprendendo o que cresce melhor aqui. Plantei as minhas um pouco cedo, até mesmo no verão, aqui faz frio no fim do dia.

Tentarei escrever de novo em breve.

Com amor,
Kerri

Pouco depois de enviar a carta que informava a papai da minha gravidez, algo dentro de mim mudou e decidi proteger meu filho ainda não nascido como se nossas vidas dependessem disso. Eu cobria com as mãos a barriga, que estava cada vez maior, quando pensava no meu pai, e a dor atingia em cheio meu útero — onde eu sentia pontadas leves e vibrantes de esperança.

Meu pai assassinou Nancy Fox quando minha mãe estava grávida de três meses. Papai assassinou parte de uma família: pai, mãe e dois filhos. Órfão de três filhos. Papai assassinou três mães na frente de seus filhos. Filhas, irmãs, mães, avós.

Sete famílias destruídas. E a minha família também.

Incapaz (de novo) de me conformar com o que papai tinha feito, eu cortei todas as comunicações com ele.

PARTE 7

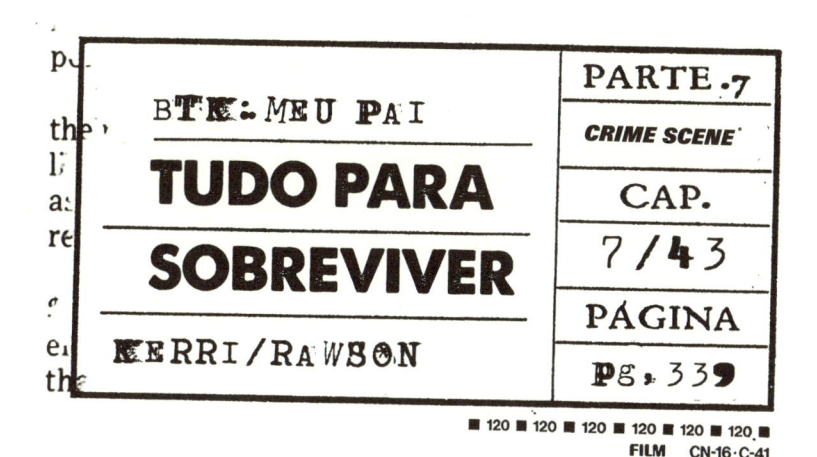

BTK: MEU PAI — TUDO PARA SOBREVIVER
KERRI / RAWSON

CAP. 7/43

AGOSTO DE 2007

Nos últimos seis meses, passei a confiar na minha terapeuta e no processo estável de cura dirigida — o bastante para que eu mesma, de forma consciente, tirasse o curativo das minhas próprias feridas.

Minha mente foi curada do pior do TEPT e meus terrores noturnos haviam diminuído. Eu sentia o peito menos comprimido; o estômago não doía mais. Eu estava andando de cabeça um pouco mais erguida, um pouco mais ereta, mas com o bebê crescendo no meu ventre, eu queria envolver com segurança a dor remanescente dentro de mim e afastá-la dos crescentes sinais de vida que estava sentindo.

Eu estava me fechando outra vez depois de fazermos tantos avanços na terapia.

Volte outra hora — eu tenho uma bebê dentro de mim, e a loucura do meu pai não vai chegar perto dela.

O bebê era apenas um minúsculo amendoim, mas esse amendoim era meu, e eu o amava muito. Eu faria qualquer coisa para proteger o meu bebê — até de mim mesma. E meu coração estava endurecendo de novo em relação ao meu pai — eu não queria que mamãe me enviasse a última carta dele. "Espere", eu disse a ela. "Vou ler da próxima vez que estiver aí. Talvez."

Meu pai me deixou — ele me abandonou. Sua filhinha, mas Deus havia me ensinado no desfiladeiro — e me dito várias vezes desde então — Ele *não vos deixará, nem vos desamparará*.[1] E eu também era sua filha. Deus estivera comigo desde o início, antes de eu ser abrigada no ventre da minha mãe.[2]

Meu pai terreno tinha me deixado, mas Deus, meu Pai lá em cima, nunca havia partido. Ele sempre estivera ao meu lado — ao longo de todo esse processo. Mesmo quando meu coração estava duro, fechado e longe de perdoar meu pai.

SETEMBRO

A vida estava se expandindo exponencialmente desde que tínhamos nos unido à nossa igreja. Papai e tudo o que havíamos suportado ainda estava de um lado, mas, do outro, tínhamos novos amigos, almoços aos domingos com um grupo das aulas de casais e minha barriga cada vez maior. Se bem que tentar caminhar na fé, estar em comunidade depois do papai, do trauma, da dor, era como colocar roupas novas que ainda não serviam de forma confortável o suficiente.

Nossos amigos do Kansas, que conheciam Darian e eu antes da prisão do meu pai, sabiam o que estávamos suportando. Não tínhamos que explicar a eles, não precisávamos contar nossa história pregressa. Não precisávamos responder a perguntas esquisitas. Eles apenas mantinham esse conhecimento para si e caminhavam ao nosso lado.

Era tudo mais difícil com as pessoas novas, do Michigan, que entravam nas nossas vidas. Passamos por uma curva de aprendizado sobre como falar sobre meu pai. Sobre a possibilidade de sequer mencioná-lo.

DICA DE SOBREVIVENTE:

O que não dizer a alguém que está enfrentando sofrimento profundo:

Essa é a vontade de Deus para a sua vida.

- Deus só dá o que a gente consegue suportar.
- Você precisa orar mais.
- Você deve estar pecando.
- Você precisa parar de viver no passado.
- Tudo acontece por uma razão!
- Escolha a esperança!

Darian disse mais tarde: "Existem dois tipos de amigos. Do tipo que quando contávamos a eles a respeito do pai de Kerri, diziam: 'É muito esquisito, mas não muda o que pensamos sobre vocês'. E então há o outro tipo, que talvez pense que essa situação nos defina".[3] Aqueles que nos aceitavam por nós mesmos eram um dom da graça de Deus.

No início, muitas vezes era mais fácil não dizer nada. Ou permanecer vaga durante o momento de pedir preces, em vez de lançar uma bomba sobre uma mesa de mulheres que se reuniam às terças-feiras para fazer um estudo bíblico de seis semanas. Sobretudo quando você era nova, já sentia que se destacava como o tipo mais estranho de cristã e, em nossa enorme igreja, não necessariamente encontraria essas mulheres outra vez.

No máximo, dizia: "Não mantenho contato com meu pai, *somos distantes*, melhor dizendo, eu acho". Se me perguntassem a razão, respondia: "Ah, ele está na prisão". Eu recebia em troca uma cara de luto perplexo — aquela que as pessoas fazem nos funerais. Elas diziam: "Sinto muito" e paravam de fazer perguntas. Se continuassem perguntando, poderiam receber respostas desastrosas pelas quais não estavam esperando.

Outras vezes, era difícil me conter quando eu queria gritar para as vigas do teto: "Eu não estou bem!". Em um grupo, uma mulher compartilhou que o pior dia de sua vida tinha acontecido quando uma máquina de lavar louça quebrou e inundou sua cozinha. Saí da sala às pressas, esperando chegar ao banheiro antes que as lágrimas rolassem. Eu poderia ter contado sobre qual tinha sido o pior dia da minha vida, mas por onde começaria?

Também estava surtando porque o bebê nasceria na data do aniversário do meu pai.

Em dias mais corajosos, eu dizia: "Passei por situações difíceis e não sabia se conseguiria sobreviver, mas Deus me ajudou e *continua* me ajudando". Percebi que até mesmo esse pequeno testemunho ressoava nas pessoas ao meu redor em qualquer mesa em que eu estivesse.

OUTUBRO

No outono, depois de percebermos que precisávamos de mais espaço para a chegada do bebê, nos mudamos para um apartamento maior dentro do mesmo complexo. Tinha uma entrada privativa e uma grande janela panorâmica pela qual Hammy adorava olhar.

Fizemos nosso ultrassom de dezoito semanas, mas o bebê não cooperou para nos mostrar se era menino ou menina. Assim, optamos por tons neutros: Darian pintou o quarto de amarelo-dourado, colou grandes adesivos do Ursinho Pooh nas paredes e pendurou luminárias de lua e estrelas.

Em outubro, minha avó Dorothea faleceu. Fiquei triste por ela não chegar a conhecer o bisneto ou bisneta. Foi difícil perdê-la, mas eu estava grata por ela não sofrer mais. Ela agora estava em paz e na companhia do vovô.

Decidi ser corajosa e falar sobre meu pai com nosso pequeno grupo de casais, no último encontro de domingo à noite antes do Natal. Minha voz tremeu um pouco, e eu olhava muito para o tapete, mas permiti àquelas pessoas que entrassem mais plenamente em nossas vidas.

Uma das minhas fotos favoritas de todos os tempos é do Dia de Natal de 2007: recostada no sofá da tia Sharon com meu suéter vermelho de gola alta para gestantes, encostada na minha mãe, com as mãos no barrigão. Tio John estava hospedado com os pais de Darian, e eu ri ao vê-lo caído no chão, perdendo o cabo de guerra disputado com seu cachorro, Skipper.

No caminho de volta para o Michigan, Darian e eu estávamos com o voo atrasado em O'Hare. No terminal, apoiei os pés inchados na cadeira à minha frente, fiquei bebericando meu café com leite e observei com prazer minha barriga se mexer.

MARÇO DE 2008

"Então, uh, eu tenho que ir para o hospital." Era início de março e eu estava em pé no estacionamento do meu obstetra, surtando no telefone com Darian. O bebê era esperado para dali a três semanas, mas eu estava mostrando sinais de pré-eclâmpsia.

No início da gestação, eu tinha batalhado contra enjoos que duravam o dia inteiro e, nos últimos meses, lutei contra diabetes gestacional. Nos primeiros meses, todas as comidas boas me faziam vomitar. Nos últimos, todas as comidas boas aumentavam minha taxa de açúcar. Era uma péssima maneira de estar grávida.

Passei boa parte do terceiro trimestre no sofá com desejo de carboidratos, assistindo a episódios de *Friends* em DVD e tentando escolher um nome para o bebê, que gostava de rolar na minha barriga como um acrobata. Sobrevivi às últimas semanas com ordens médicas para me deitar do lado esquerdo o máximo que pudesse, enquanto o bebê me chutava em cheio nas costelas.

"Preciso ir com você para o hospital?"

Pobre homem, cuja esposa dava os telefonemas mais estranhos e abruptos.

"Ah, sim. O bebê pode nascer hoje. Precisamos levar minha bolsa com a gente."

"Oh! Estou a caminho!"

Pegamos a bolsa e os travesseiros, dissemos a Hammy que o veríamos em breve, passamos pelo *drive-thru* do Arby's e seguimos para o hospital. (Dica de sobrevivente: se a última refeição que você vai fazer antes da comida do hospital por uma semana for Arby's, repense suas escolhas de vida.)

Quando chegamos ao trabalho de parto, minha pressão arterial estava tão alta que quase fizemos cesariana, mas pedi para me deixarem deitar do lado esquerdo e ver se conseguíamos fazer baixá-la. Funcionou.

Houve momentos em que desejei permitir que fizessem a cesariana. Eu tinha estudado meu livro de gravidez de quinhentas páginas com muita atenção nos últimos meses, mas ainda estava surpresa por ter que ficar no hospital por um longo período, constantemente ligada a uma máquina que fazia um sopro suave. Eu também não estava muito interessada em ter que recolher meu xixi por 24 horas em uma garrafa de plástico que estava no gelo dentro do banheiro.

Também estava surtando porque o bebê nasceria na data do aniversário do meu pai.

Fiquei aliviada quando 10 de março chegou e eu ainda estava grávida, e ainda mais aliviada ao ver minha mãe, que tinha vindo com semanas de antecedência para ficar conosco.

Fiz um ultrassom 3D todo *high-tech* e pude ver nossa bebê com uma clareza mágica. O técnico imprimiu fotos e as marcou como "*É menina!*".

Ela possuía olhos grandes e calmos e olhava diretamente para nós como se dissesse: *Vamos sobreviver a isso juntas — você e eu.*

Uma amniocentese seguiu o ultrassom a fim de determinar se os pulmões da nossa garotinha estavam desenvolvidos o suficiente para o parto. Fiquei ali apavorada enquanto eles enfiavam uma agulha gigante na minha barriga, desejando poder segurar a mão de Darian. Em vez disso, eles o colocaram em um canto, bloqueando a visão do que estavam fazendo com sua esposa muito grávida.

Quando foi determinado que ela estava pronta, o parto foi induzido.

Eu estava em trabalho de parto havia 37 horas, sem nada para comer e apenas pedaços de gelo — que secretamente deixava derreter — para beber. Em algum lugar, tudo isto aconteceu: eu vomitando, uma epidural que não fez efeito nenhum, oxigênio no meu nariz, eu fazendo força por duas horas enquanto Darian segurava uma das minhas pernas e uma enfermeira segurava a outra, eu tentando não gritar palavrões na frente da minha mãe e fracassando miseravelmente, a cabeça de nossa menina virada para o lado oposto, uma episiotomia e, enfim, nossa menina, Emilie.

Ela pesava 3,400 quilos, tinha grandes olhos e cabelos castanhos, e veio forte, lutando — como a mãe. Uma nova vida. Minúsculos dedos de esperança envolveram um dos meus. Olhos cheios de nada além de amor. Um presente absoluto direto dos céus.

Deus?

Obrigada e amém.

Eu a segurei por alguns minutos, gritando, hipnotizada. Então eu a entreguei ao pai dela, que estava sorrindo de orelha a orelha e logo a chamou de Pêssego. Eu queria tanto poder entregá-la ao meu pai também.

Eu estava completamente exausta, mas de alguma forma encontrei forças para pedir um café da manhã do menu não diabético.

Um banquete para todas as idades chegou pouco depois; incluía até um donut.

Emilie e eu ficamos dois dias no hospital e, assim, duas semanas antes do nascimento esperado, Darian e eu estávamos em casa com uma bebê recém-nascida.

MAIO

Minha mãe ficou por duas semanas e, quando ela estava indo embora, eu chorei: "Por favor, não me deixe com um bebê!".

Em um mês, fui capaz de pegar um voo para Wichita sozinha com minha menina amendoim. Fizemos um raro voo sem escalas, durante o qual ela dormiu o tempo todo, enrolada em seu cobertor marrom-esverdeado, tranquila com sua chupeta verde.

Eu a segurei nos meus braços e me desliguei com fones de ouvido, a cabeça pressionada no vidro, a mamadeira pronta no bolso do assento na minha frente, uma bolsa de fraldas transformada em mala de viagem debaixo dos meus pés. Que salto a vida tinha dado em três anos!

Foi maravilhoso poder entregá-la à minha família e ver o rosto das pessoas se iluminarem, sobretudo depois do que tínhamos passado.

Eu era grata por ter muitas mãos extras se oferecendo para segurá-la, alimentá-la e trocá-la, mas também doía entregá-la: *Aqui, você pode vê-la por um instante, mas vou precisar dela de volta porque ela precisa, e eu preciso, e...* Eu precisava de ajuda, mas tinha a ideia de que, como eu era a mãe, deveria cuidar dela, não importava o quanto ela dormisse pouco sozinha, não importava o quanto ela quisesse dormir em mim.

Acho que Wichita desencadeou meu TEPT, que se agravou com minhas semanas sem sono reparador, o que me jogou em lugares que não desejava ir. E não ia admitir para ninguém que eu estava caindo. Eu faria qualquer coisa para protegê-la — até mesmo de mim mesma.

Emilie e eu voamos de volta para o Michigan no final da tarde do Dia das Mães. Ela estava agitada, eu estava exausta, então comecei uma briga terrível com Darian poucos minutos após a chegada.

Depois de horas de berros ininterruptos a plenos pulmões, e eu tentando ansiosa e freneticamente fazer Emilie se acalmar, nós a levamos para o hospital, pensando que o voo tinha machucado seus ouvidos. Eles nos disseram que ela estava bem e ela por fim adormeceu enquanto a embalávamos de leve na sala de emergência com a luz baixa.

* * *

Dois dias depois, Darian e eu, ainda sob os impactos do meu primeiro Dia das Mães maluco, recebemos um telefonema de partir o coração do meu sogro — Tio John havia cometido suicídio.

Trauma e dor — essa dupla não conhecia limites, não conhecia fim.

Chocados, despedaçados mais uma vez, Darian e eu nos debatemos ao longo dos dias subsequentes e lutamos para arrumar nossas coisas e as da bebê a fim de nos encontrarmos com Dave em Nova York. Precisávamos cruzar a fronteira canadense, então fui ao cartório do condado para pegar a certidão de nascimento de Emilie. Partimos no início da manhã, fazendo várias paradas para trocas e cócegas nos pés de nossa menina sonolenta de modo a fazê-la acordar o suficiente para se alimentar. Chegamos tarde naquela noite.

Para a angústia de seus pais arrasados, Emilie passou parte de sua primeira noite no hotel dando todos os tipos de gritos felizes e chutando suas longas pernas para cima e para baixo em seu brinquedo com tema de selva.

Passamos uma semana com o pai de Darian, ajudando na casa do tio John, enquanto Emilie ficava sentada em sua cadeirinha azul, tentando pegar as estrelas que pendiam à sua frente, tentando arduamente colocar sorrisos nos nossos rostos aflitos. O pai de Darian nos disse mais tarde que a companhia de Emilie fez toda a diferença no mundo.

* * *

Fui forte por Darian, Dave e Emilie na semana em que estivemos em Nova York, mas o tempo e eu ficaríamos desorientados depois da nossa partida. Não me recordo da viagem de volta ao Michigan. Eu perderia a memória de muitas coisas nos meses seguintes.

Em retrospecto, sabemos que era minha velha algoz, ansiedade, colidindo com meu mais novo algoz, TEPT, combinado com depressão pós-parto — palavras que ainda fazem meu coração apertar de medo. As tarefas mais simples se tornaram opressivas, e Darian se virou nos trinta tentando cuidar de mim e de Emilie. Eu não disse a ele ou a mais ninguém que eu estava me afogando em um abismo de escuridão.

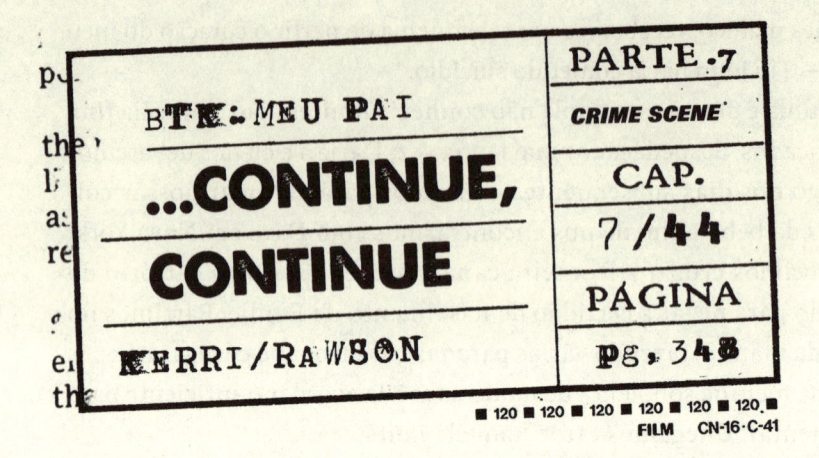

PARTE ·7
CRIME SCENE
BTK: MEU PAI
...CONTINUE, CONTINUE
KERRI / RAWSON

CAP.
7 / 44
PÁGINA
pg. 348

■ 120 ■ 120 ■ 120 ■ 120 ■ 120 ■ 120 ■
FILM CN-16·C-41

MARÇO DE 2009

Posso abrir o livro de bebê da Emilie agora e mostrar a você momentos anotados com esmero e recebidos com alegria: rolar, sentar, engatinhar, ficar de pé, primeiros passos. Que suas primeiras palavras foram: *ma-ma, pa-pa, ga-to, oi, tau.*

Posso mostrar as fotos de seus primeiros banhos em uma pequena banheira que colocamos ao lado da pia da cozinha — ela chorando e eu bastante preocupada no início. Fotos posteriores mostram-na feliz espirrando água, e Darian e eu rindo quando ela começou a amar a água. Há fotos de suas primeiras tentativas melecadas de papinha de bebê e tentativas mais nítidas de biscoitinhos, depois de cereal matinal aos punhados. Posso contar a você sobre ela cochilando em seu balanço com tema de selva aos sons suaves de pássaros e macacos e, mais tarde, ela pulando no *Jumperoo*.

Posso guiar você através das roupinhas, que iam ficando pequenas com o passar do tempo. Passeios de verão ao Zoológico de Detroit, empurrando um carrinho de bebê, Emilie chutando com as perninhas rechonchudas em um macacão florido. Uma noite sufocante de julho em um casamento no Kansas, e Emilie se mexendo tanto no vestido amarelo com babados, que minha mãe comprara para ela, que eu a deixei sentar-se feliz apenas de fralda na festa.

Posso apontar fotos no outono na sua apresentação à Igreja, ela em um vestido azul-pervinca com uma grande borboleta colorida nele, sentada no meu colo, Darian espremido ao nosso lado. Posso mostrar fotos dela usando "meus primeiros" babadores no Halloween, no Dia de Ação de Graças e no Natal. Eu poderia contar sobre seu primeiro aniversário no Red Robin, Emilie com um chapéu de festa cintilante, cercada por nossos amigos e o bolo em forma de ursinho de pelúcia que uma querida amiga tinha feito e decorado com tanto amor para ela.

Eu poderia lhe entregar o livro do bebê e você saberia que ela era uma bebê feliz, que era bem cuidada e amada acima de tudo.

O que você não veria, e eu não contaria, seriam todos os dias sombrios. Momentos entre uma coisa e outra.

Não há fotos das longas e solitárias horas, semanas e meses, de cuidados com uma bebê que precisava dormir em cima da mãe dela, uma mãe que estava sempre passando por dificuldades. Tudo o que a bebê queria era eu, e tudo que eu queria era dormir, porque o sono aliviava todas as preocupações, todas as dores, todos os sofrimentos — era uma trégua ao lugar sombrio que havia dentro do meu peito sufocante e que estava me afogando.

Não há registro das ligações e mensagens de texto diárias de Darian: "O que posso trazer para o almoço? O que posso pegar para o jantar?".

Taco Bell, não, Wendy's — que tal pizza?

Poucas vezes eu era capaz de descer a rua de carro até o mercado ou até mesmo juntar em uma refeição tudo o que fosse comprado quando um de nós conseguia ir até lá em busca de mais do que fraldas, leite em pó e potinhos de papinha de bebê, que às vezes respingava no nosso teto.

Não há fotos minhas apoiada no braço alto do nosso sofá cor de berinjela com paninhos de boca pendurados nos braços que ficaram fortes por segurar Emilie, às vezes por horas, para que ela dormisse.

E tentando, com muito cuidado, colocá-la no berço, afastando-me na ponta dos pés, apenas para ouvir o choro que fazia disparar o pavor direto ao fundo da minha alma.

Não há registro das mamadeiras no meio da noite, orações e súplicas para que ela voltasse a dormir e dos meus medos assustadores de que eu, então, tinha enlouquecido.

A escuridão havia chegado, pior do que antes, porque agora eu me percebia como a ameaça. Crime, abuso, trauma — essas coisas corruptoras tinham acontecido comigo. Ainda não estavam na minha casa, mas estavam ligados à minha ansiedade, depressão e ao TEPT. E essas feras ainda apodreciam dentro de mim.

Andei de um lado para o outro no banheiro, respirando fundo, tentando obter o controle das minhas entranhas totalmente fora de controle. Eu estava tendo um ataque de pânico alimentado pelo tept.

Tentei empurrar tudo para longe, para muito longe, de mim e da bebê, mas tudo apenas se fundia em um poço de desespero vermelho, raivoso e pulsante. Não discriminava e não ia embora.

Não contei ao nosso médico de família nas consultas de acompanhamento da bebê, nem mencionei ao obstetra nos meus próprios exames de rotina. Não contei às mulheres que conhecia no meu pequeno círculo.

Estamos bem, indo bem, nada para ver aqui.

Não contei à minha mesa no grupo das mães do berçário, no outono. Eu era grata por deixar Emilie lá durante um intervalo de duas horas, mas não estava em condições de lidar com uma sala lotada de mulheres em camisetas coloridas correndo de um lado para o outro, animadas pela maternidade, com música alegre tocando.

Isto não vai funcionar.

Eu não tentaria de novo por quatro anos.

Não contei a Darian, que me implorava para deixá-lo ajudar mais, a quem eu respondia com raiva. Eu apenas continuava — um pé arrastando na frente do outro, uma fralda, uma mamadeira, um dia de cada vez.

Ela precisa de mim, e eu preciso dela, e não posso dizer a eles — a nenhum deles — porque vão pensar que sou uma péssima mãe.

* * *

Não sei quando o pior disso passou.

Talvez tenha sido na noite em que me sentei na nossa sala escura, imaginando formas assustadoras rastejando nas paredes, e me lembrei que uma vez antes eu havia lutado contra a escuridão com fragmentos dos Salmos. "O Senhor é a minha luz e a minha salvação; de quem terei medo?"[1]

E talvez não fosse apenas por eu ter me lembrado, mas algo dentro do meu espírito me levou a pronunciar em voz alta. Era loucura, não era? Falar comigo mesma?

Mas a escuridão diminuía enquanto eu falava baixinho, e não me senti tão louca depois disso. "O Senhor é a fortaleza da minha vida; a quem temerei?"[2]

ABRIL DE 2009

Não sei como Emilie, Darian e eu sobrevivemos naquele primeiro ano. Eu deveria ter contado aos meus médicos, ao meu marido. Pedido ajuda. Voltado para a terapia. Tomado remédio. Contratado minha mãe para ficar com a gente em tempo integral. Retrospecto.

Em abril, treze meses depois do nascimento de Emilie, ela e eu pegamos um voo com conexão para Wichita, para que ela pudesse ficar com minha mãe durante uma semana, enquanto eu pegava outro voo com conexão para Fort Lauderdale a fim de me encontrar com Darian para viajarmos em um cruzeiro de seis dias. Brincando, chamamos de lua de mel de seis anos — aquela que veio depois de papai, depois do tio John, depois do primeiro ano do nascimento da nossa filha.

Ficávamos deitados descansando no terceiro convés tranquilo perto da água ondulante, e eu dançava à noite no deque, bebida na mão, enquanto Darian observava e tentava me guiar na direção certa — aquela para a qual todos os outros estavam olhando.

Darian e eu andamos de caiaque em Key West, eu na frente e ele guiando atrás de mim. Mais tarde, diríamos que isso era a prova de que nosso casamento poderia resistir a qualquer coisa. Fizemos um passeio histórico pela Jamaica e mergulhamos nas Ilhas Cayman, onde visitamos um recife cheio de peixes coloridos e roçamos em arraias.

Já havíamos passado por muita coisa, mas o dia em que eu tive oportunidade de nadar no azul brilhante do Caribe sempre se destacará como um dos melhores dias — um dia em que voltei à vida.

PARTE 7

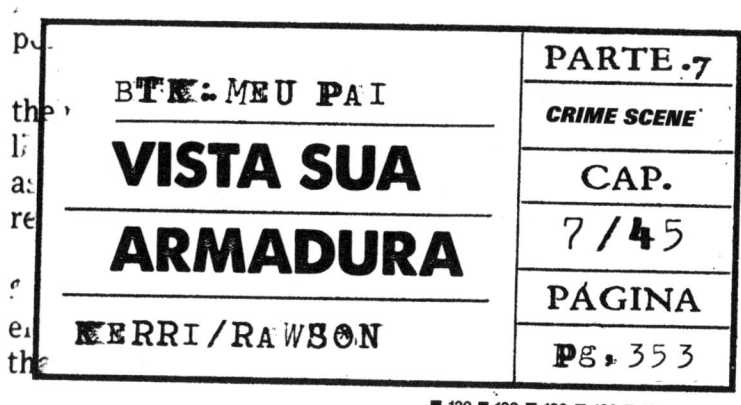

BTK: MEU PAI
VISTA SUA ARMADURA
KERRI/RAWSON

CAP. 7/45

PÁGINA pg. 353

ABRIL DE 2010

A mudança para um local mais silencioso, com grandes janelas que deixavam entrar muita luz, ajudaram a fazer a neblina continuar a se dissipar. Por volta dos 2 anos, Emilie enfim conseguia adormecer sozinha e, em geral, dormia a noite inteira, concedendo a nós e a nossa casa uma boa dose de misericórdia.

Minha oração por uma vidinha pacífica estava sendo atendida, mas algo nunca estava longe de mim — a pessoa que eu era em relação a meu pai. Eu era filha de um *serial killer* e não conhecia ninguém que fosse como eu.

Na primavera de 2010, dei um passo hesitante para as mídias sociais depois de perguntar repetidas vezes a Darian se eu deveria me cadastrar no Facebook. Uma coisa que é comum para a maioria das pessoas foi um verdadeiro ato de coragem para mim.

Darian e eu decidimos não compartilhar fotos de família no Facebook, mas não compartilhar fotos abertamente causou mais dores de cabeça. Algumas vezes, eu entrava apenas para me descobrir marcada em fotos de uma reunião com amigos. Eu tinha que enviar um e-mail para o amigo, pedindo que removessem a foto. Inevitavelmente, eles perguntavam: "Por quê?".

"Procure meu nome no Google."

Cerca de quinze minutos depois, recebia uma resposta. "Ah."

Você pensaria que cinco anos depois da prisão do meu pai, eu não teria que lutar tanto para ter uma vida.

DICA DE SOBREVIVENTE

O que não dizer para a filha de um serial killer:

- Meu Deus, não brinca! Ele fez o quê?
- Você sabia que está no Google?
- Você acha que vai matar alguém?
- Você tem um gene serial killer?
- Eles dizem que os traços genéticos pulam uma geração. Você não está preocupada com seus filhos?
- Por favor, pare de falar. Você vai me dar pesadelos.
- Você ainda não superou isso?
- Seu pai deveria fritar.

Naquela primavera, lembro de afundar na minha cadeira no estudo bíblico de terça-feira quando uma mulher mencionou que visitaria uma prisão: macacões laranja; muros altos de arame farpado; guardas armados; prisioneiros confusos e algemados.

Minhas entranhas deram um nó apertado, meu rosto ruborizou, minhas mãos tremeram. A sala girou em um branco ofuscante, resplandecente. Senti o aperto no peito — eu não conseguia respirar.

Era 25 de fevereiro... Eu acordei tarde... Bateram na porta...

Eu me levantei e fugi para o banheiro antes que o grupo pudesse ver as lágrimas que escorriam pelo meu rosto em pânico.

O ciclo *deveria ter desaparecido — o fizemos desaparecer na terapia há três anos.*

Andei de um lado para o outro no banheiro, respirando fundo, tentando obter o controle das minhas entranhas totalmente fora de controle. Eu estava tendo um ataque de pânico alimentado pelo TEPT.

Deus?

Com as mãos em punhos cerrados, voltei para a sala e me deparei com duas mulheres no corredor que perguntaram: "Você está bem?".

Meu corpo inteiro tremendo, eu me desfiz. "Não. De jeito nenhum." Agitada, minha boca voando a toda, contei a elas quem eu era — quem era meu pai e por que eu estava pirando em uma manhã de terça-feira.

Respire.

Elas ouviram com gentileza e seguiram seu caminho.

"O SENHOR é a minha luz e a minha salvação; de quem terei medo?"[1]

Peguei Emilie no berçário, coloquei-a no assento do carro, entreguei-lhe uma tigela de biscoitinhos em formato de peixe e um copo com tampa, beijei sua testa, sentei e afundei no volante.

Respire.

"O SENHOR é a fortaleza da minha vida; a quem temerei?"[2]

Seria de pensar que, depois de cinco anos, eu não teria que lutar tanto para permanecer viva.

Não voltei para o meu grupo naquela estação; com o TEPT, era demais para pensar na sala.

Em 2007, não muito depois de comprar o livro sobre BTK do *Eagle*, eu o tinha colocado virado para trás em uma prateleira. Quando nos mudamos, coloquei-o em um container de plástico. Algum tempo depois do *flashback* do TEPT, eu desenterrei o livro de lá e o joguei no lixo.

Vá e não volte mais, pai!

Em seguida, vasculhei meus álbuns, removi todas as fotos do meu pai, coloquei-as em um saco plástico, agarrei a pá do lixo, joguei coisas por cima e joguei fora.

Adeus, pai.

Seria de pensar que — depois de cinco anos — não estaria mais com toda essa raiva.

MARÇO DE 2011

"Nós temos filhos?", perguntei, confusa pela névoa induzida por um medicamento na veia. Era março de 2011 e Darian estava sentado em uma cadeira de hospital ao lado de uma janela congelada e coberta de neve.

A isso, ele deu uma boa pausa cômica, seus olhos brilhando, esperando pela minha resposta. "Sim. Temos uma filha em casa; ela tem 3 anos." Ele apontou para minha barriga enorme. "Nós também temos um filho."

Dei uma risadinha. "Temos um pomar de maçãs?"

"Não. Por favor, fique quieta e tente descansar."

"Por favor, silêncio" — *eu apenas estava tendo o filho desse homem.*

Só fazia alguns meses que Emilie dormia a noite toda e, então, eu comecei a desejar ter outro bebê — e engravidar. Passei a primeira metade da segunda gravidez vomitando, comendo waffles Eggo — uma caixa de cada vez —, e sem saber se deveria rir ou chorar quando Emilie cumprimentava Darian à noite com "A mamãe blé nela toda".

No outono, minhas náuseas cederam um pouco e descobrimos que teríamos um menino. Ele estava mais do que disposto a nos mostrar suas partes no ultrassom. Compramos tudo em tons de azul, e Darian montou de novo o balanço com tema de selva e o saltador com o arco de estrelas suspensas..

Pensando que o bebê nasceria mais cedo, minha mãe voou para Detroit no final de fevereiro. Ela acabou ficando conosco por um mês, período no qual o aniversário do meu pai passou com segurança e nós celebramos o terceiro aniversário de Emilie. Duas semanas depois da data esperada, o menino ainda se recusava a sair, e eu fui andando feito uma pata para o hospital a fim de fazer uma indução. Prontamente me perguntaram: "Trabalho de parto?".

Cinco horas depois, apoiada nas mãos e nos joelhos, com dor intensa, recebi do obstetra os bons medicamentos enquanto esperávamos por uma epidural. Depois que a anestesia fez efeito, eu me perdi em "Moon River", cantada por Frank Sinatra, que estava tocando por horas nos meus ouvidos.

"É hora de fazer força." Fui desperta pelo obstetra, que estava verificando meu progresso. *Esses remédios eram dos bons.*

Trinta minutos mais tarde, depois de fazer força, deixar os palavrões voarem, receber oxigênio e fazer outra episiotomia, nosso filho estava no mundo.

Por que não o ouço chorar?

Meu coração parou.

O médico logo limpou a boca do nosso bebê, virou-o de cabeça para baixo e deu-lhe um tapinha nas costas.

"Uaah!"

Foi o melhor som que já ouvi. Nosso filho, Ian, nasceu um lutador como sua mãe. Quando o pesaram, Darian perguntou: "É quatro quilos *e* quatrocentos gramas?"

Não. Podemos chamar de quatro quilos e meio?

Poucos minutos depois, Ian disse ao mundo que ia dar trabalho: quando a enfermeira não colocou uma fralda nele rápido o suficiente, ele regou toda a sua papelada oficial em um grande arco de xixi.

Na noite em que Ian nasceu, recebi um grande pacotinho de olhos azuis e cabelo loiro-acobreado que queria me apertar o máximo que pudesse e beber uma mamadeira pelo máximo de tempo que alguém permitisse. Na noite em que Ian nasceu, outro pedaço do meu coração voltou à vida.

Deus?

Obrigada e amém.

Eu estava apavorada que, com o nascimento de Ian, eu caísse de volta no mesmo abismo em que caíra com o nascimento de Emilie, mesmo que agora já conseguisse encarar e declarar minhas dificuldades anteriores. Darian respondeu com firmeza: "Você tem que me deixar fazer mais, levantar à noite com ele".

E meu obstetra disse com a voz gentil: "Vamos ficar de olho em você e podemos ajudá-la. Medicação, se for preciso".

Ok. Não foi tão assustador contar a eles.

Medo e pânico tentaram se apoderar de mim no primeiro dia em que fiquei sozinha com os dois, quando Ian acordou berrando a plenos pulmões e Emilie puxou minha camiseta, pedindo "Cereal, suco e George".

No entanto, Darian já tinha preparado o café da manhã dela e tinha uma mamadeira pronta para o menino, e logo estávamos vendo na Netflix um certo macaco curioso se metendo em todos os tipos de problemas.

Obrigada, homem excelente.

No início, eu podia sentir aquele peso escuro tentando pousar em mim, sobretudo nas longas tardes, enquanto tentava fazer com que todos na casa tirassem uma soneca, mas uma amiga me garantiu que todas as mulheres passam por uma fase de tristeza depois que o bebê nasce, então ela costumava vir me visitar o tempo todo com a intenção de verificar se eu tinha já melhorado. Recebi a sua visita e, em algumas semanas, o problema desapareceu.

Obrigada, meu Deus.

MARÇO DE 2012

Ian havia nascido de uma mãe mais estável: em vez de a vida cessar com seu nascimento, ele se juntou à nossa vida em andamento. Seus olhos ficaram castanhos, seu cabelo ficou castanho bem clarinho, e seu nome poderia muito bem ser "Alegria".

Ele já estava rolando no chão antes que eu piscasse e, logo no primeiro mês, já saiu da cadeirinha de balanço. Então nós o colocamos em um cobertor debaixo do arco com tema de selva que rangia e rugia. Ele estava engatinhando aos 6 meses e andando aos 10. O berço desceu e os portões subiram. Darian prendeu os móveis, instalou tampinhas extras de tomada à prova de bebês e eu ficava tensa esperando a próxima queda.

Por favor, Deus. Deixe-o chegar aos 2 anos.

Na primavera de 2012, Darian e eu demos mais um passo em direção à normalidade, compartilhando fotos nossas e de nossos filhos no Facebook.

Voltei ao grupo de mães do berçário e conduzi um estudo bíblico para mulheres, *James: Mercy Triumphs*, de Beth Moore.[3] Senti Deus me cutucando durante o estudo, perguntando: *Para que serve a sua fé? Qual é a sua vida?*

A fé dá o testemunho.

Naquela primavera, ouvi Priscilla Shirer falar sobre a guerra espiritual — o Inimigo. Puxei Rebecca de lado; ela era uma de nossas mentoras, cheia de calor humano e risos. Sussurrei a ela: "Existe alguma razão para chamar o Diabo de 'o Inimigo'?".

Rebecca e eu conversamos sobre como repreender, em voz alta, o inimigo caído, que "anda por aí...procurando alguém para devorar."[4]

"Ah", disse eu. "Tenho feito isso há anos. 'O Senhor é a minha luz e a minha salvação; de quem terei medo?'[5]"

Ela sorriu como quem entendia bem e acenou com a cabeça positivamente.

Um mês depois, os líderes pediram a algumas mulheres que se levantassem e dessem testemunho sobre determinados temas. Uma era a armadura: guerra, batalhas.

Eu senti o chamado de Deus: *Você poderia dar testemunho disso.*

Não, não. Minha cabeça balançou internamente de um lado para o outro enquanto meu coração acelerava.

A cutucada de Deus ficou mais alta. *Está na hora.*

Meu coração estava prestes a sair do peito, mas eu sabia — não havia sentido em discutir com ele. Suas batidas ficariam mais altas até que eu cedesse.

Algumas semanas depois, transbordando de nervosismo, eu me sentei em frente à Rebecca em uma cafeteria.

Isso vai doer.

Eu disse baixinho: "Meu pai é um *serial killer*", e franzi o rosto, esperando pelo que me aguardava.

O que recebi foi graça sobre graça. Minha voz foi ficando mais forte em resposta ao encorajamento sutil de Rebecca e eu coloquei tudo para fora — os motivos pelos quais achava que tinha algo para testemunhar.

Sim, querida menina, você tem.

Em meados de agosto, eu me coloquei diante de uma sala cheia de mulheres na minha igreja e contei minha história. Mesmo com o estômago embrulhado, o papel chacoalhando e as mãos trêmulas, minha voz soou forte e a sala permaneceu em silêncio. Eu disse-lhes:

Vivemos em um campo de batalha, em um mundo decaído, onde coisas ruins podem acontecer a pessoas boas. Meu pai fez escolhas terríveis com consequências que causarão impacto em gerações — ele custou dez vidas dessas pessoas. Onde estava Deus nessa hora?

Mas talvez eu esteja deixando o mal vencer se ficar enrolada no meu buraco, fechada na minha bola de medo, me escondendo sob uma armadura de humor e sarcasmo que eu mesma criei, andando por aí como se nada me incomodasse quando, na verdade, parece que estou morrendo por dentro.

Vivemos em um mundo decaído, mas não temos que viver como pessoas decaídas. O que quer que você esteja atravessando, você é capaz de atravessar. O Inimigo vai tentar arrastar consigo o máximo de pessoas que puder. Até que Jesus volte e o derrote para sempre, nós precisamos colocar nossa armadura concedida por Deus e sair para este mundo e lutar a guerra que Deus colocou diante de nós.

"Portanto, tomai toda a armadura de Deus, para que possais resistir no dia mau e, depois de terdes vencido tudo, permanecer inabaláveis."[6]

PARTE 7

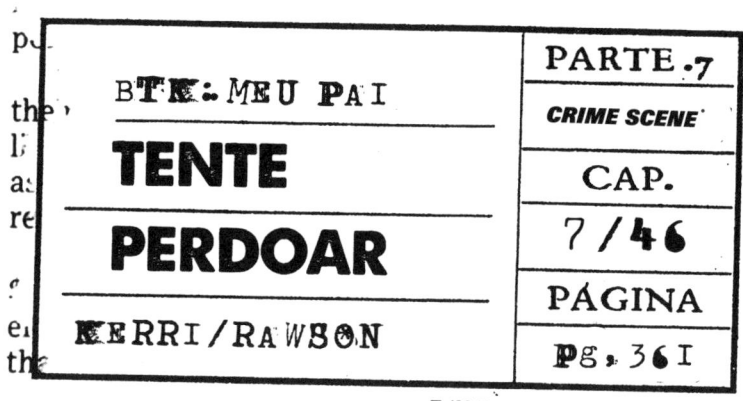

BTK: MEU PAI TENTE PERDOAR

KERRI RAWSON

CAP. 7/46

SETEMBRO DE 2012

No outono, com Emilie começando a pré-escola, nossa vida continuou a se tornar cada vez mais movimentada. Enquanto ela estava na escola, Ian, que tinha 1 ano e meio, ia comigo quando eu precisava fazer coisas na rua e para a academia que oferecia creche gratuita enquanto eu tentava fazer exercícios.

O pior do meu TEPT foi vencido, Darian e eu estávamos criando dois filhos incríveis, eu estava liderando na minha igreja, e eu havia me levantado e testemunhado sobre Deus, que tinha me visto através de tantas coisas.

Por fora, eu parecia bem, mas por dentro, eu ainda estava me deteriorando. Minhas feridas estavam vazando por baixo das bandagens com as quais eu as envolvia com firmeza. Achei que, com tempo, e com distância suficiente do meu pai, eu ia me curar.

Mas eu ainda estava com raiva, ainda sofria. Raiva, dor — elas não queriam ir embora. Eu estava me agarrando a elas, mantendo-as perto de mim, a fim de proteger meu coração de ser partido outra vez.

E me agarrar a elas estava me endurecendo. Era mais fácil ser dura do que amar, porque o amor doía muito, custava muito. Era mais fácil empurrar meu pai para longe do que deixá-lo permanecer na minha vida; afinal, deixá-lo entrar significava amá-lo.

E amá-lo significava perdoá-lo... e eu não o tinha perdoado.

OUTUBRO

"Você tem uma fratura por estresse no topo da tíbia."

Ah.

Eu estava ao telefone com o consultório do meu ortopedista, que tinha me ligado com os resultados da ressonância magnética. Algumas semanas atrás, eu estava correndo na esteira da academia, me esforçando, embora minha perna estivesse doendo, quando senti uma dor aguda e pungente logo abaixo do joelho. Desde então, eu estava de muletas e rastejava sentada pela casa atrás das crianças.

"Queremos que você fique de repouso o máximo possível; a dor é a sua deixa para tentar parar de colocar peso sobre a perna."

A dor é a sua deixa.

Eu sentia dor o tempo todo e agora estava de castigo: nada de encontros durante a semana com amigos da igreja, nada de sair para fazer coisas na rua, nada de fugir da dor profunda que ainda residia dentro de mim. A ocupação que mascarava minhas feridas profundas e abrasadoras cessou de repente.

Passei as semanas seguintes presa no sofá, remoendo minha mais recente situação, gritando de dor enquanto tentava manter meu filho pequeno fora de problemas e lutando com Deus.

Uma vidinha tranquila e pacífica, Deus. Lembra?

Mas Deus não permite que nada seja desperdiçado.

Precisamos trabalhar no seu problema de perdão — não temos nada além de tempo.

Eu não quero, Deus.

Faça mesmo assim.

Sou filha de Deus e deveria perdoar meu pai, mas eu estava com o coração tão duro que se soubesse que nosso pastor iria pregar sobre o perdão, eu pularia o culto ou sairia quando ele chegasse nessa parte.

Eu disse às mulheres na igreja: "Eu não perdoei o meu pai", mas também contei a elas sobre a capacidade infinita de Deus de perdoar: ele perdoa tanto quanto o leste está distante do oeste.[1]

Dois anos depois de perdoar meu pai, dei minha primeira entrevista ao Wichita Eagle.

Deus nos chama para perdoar e eu realmente acredito que todas as pessoas podem ser perdoadas por seus pecados. Escrevi para o meu pai em 2005: "Deus está com você, Ele nunca vai te deixar nem te desamparar.[2] Ele o amou antes mesmo de você ser criado, Ele o ama de qualquer maneira e perdoará todos os seus pecados se você pedir perdão".

Em Isaías, lemos: "Lavai-vos, purificai-vos, tirai a maldade de vossos atos de diante dos meus olhos; cessai de fazer o mal. [...] 'Vinde, pois, e arrazoemos', diz o Senhor; 'ainda que os vossos pecados sejam como a escarlata, eles se tornarão brancos como a neve; ainda que sejam vermelhos como o carmesim, se tornarão como a lã'".[3]

Meu pai escreveu depois do sentenciamento pedindo perdão a Deus. Portanto, embora a maioria das pessoas me olhe com ceticismo, meu pai estará no céu algum dia se tiver aceitado Jesus Cristo — que morreu na cruz por todos — incluindo ele.

Falei da capacidade infinita de Deus para perdoar — para amar, mas eu mesma estava resistindo com teimosia em fazer isso. Eu não sabia se poderia perdoar meu pai.

Deus? O Senhor está me pedindo para perdoá-lo ou também para escrever a ele — deixá-lo voltar à minha vida? Não sei se consigo — não sei se posso confiar nele.

Você pode confiar em mim, Eu sou seu pai também.

Mas o meu pai me magoou.

Sim. Lembra-se de José?

Durante o outono no meu pequeno grupo de casais, estávamos estudando a vida de José, no Gênesis. Os irmãos de José desejavam matá-lo; eles jogaram José em uma cisterna antes de vendê-lo como escravo. Nas duas décadas seguintes, sob a vigilância e orientação de Deus, em circunstâncias extremamente difíceis, José confiou e teve esperança em Deus, e ascendeu ao poder no Egito, supervisionando a colheita e o armazenamento de grãos.

Quando veio a fome, os irmãos de José foram ao Egito em busca de ajuda. Com a família diante dele, buscando abrigo, buscando a vida, José declarou: "Vós, na verdade, intentastes o mal contra mim; porém Deus o tornou em bem, para fazer, como vedes agora, que se conserve muita gente em vida".[4]

A declaração de José à sua família me atingiu de maneira profunda. Tratado com depravação, descartado, vendido, José enfrentou o mal, agarrou-se a Deus, superou seu sofrimento, esbanjou graça sobre os algozes dele — a família — e salvou suas vidas.

Minha identidade não pertencia ao meu pai terreno pecador. Minha identidade deveria descansar nos braços de Deus — meu Pai celestial. Que nunca falha e nunca desiste. Deus estava me pedindo para confiar Nele e segui-Lo.

Você tem um problema de pai — que é um problema de confiança e obediência. Você confiou em seu pai terreno, que a magoou, então agora você está se escondendo de mim. Você esteve me afastando por sete anos. Vamos resolver isso. Você tem um problema de perdão, que é um problema de amor — que é um problema de Deus.

Eu amo o Senhor, Deus.

Então me mostre — faça.

DEZEMBRO

Depois de amolecer durante o outono, pedi à mamãe que me enviasse todas as cartas de papai dos últimos cinco anos, e então li todas elas.

Em uma noite de inverno, eu estava voltando do cinema depois de ver um filme com uma amiga e, de forma inesperada, o sentimento de perdão tomou conta de mim enquanto eu estava parada em um sinal vermelho. Comecei a chorar tanto que precisei até parar o carro.

Uma luz branca ofuscante de purificação banhou minha alma — e me libertou. Não era de mim — era de Deus.

Quando cheguei em casa, corri escada acima e irrompi em nosso escritório, dizendo a Darian que eu tinha perdoado meu pai. Em seguida, sentei e escrevi para ele pela primeira vez em cinco anos. Depois de encher as páginas falando dos últimos anos, terminei minha carta assim:

> Queria ter certeza de que você receberia notícias minhas; espero que receba a carta antes do Natal. Sinto sua falta e penso sempre em todos os bons momentos. Eu me pergunto muito sobre você, sobre como você está. Minha oração desde 2005 tem sido por uma vida tranquila e pacífica, e Deus atendeu minhas preces em abundância. Tenho um marido maravilhoso, dois filhos incríveis.
>
> Aceitei o que aconteceu com você e deixei estar. Nunca vou compreender, mas eu te perdoo.
>
> Eu lamento por tudo isso e tenho saudades de você.
>
> Não sei se algum dia serei capaz de fazer uma visita, mas sei que te amo e espero vê-lo no céu algum dia.
>
> "Sede fortes e corajosos, não temais, nem vos atemorizeis diante deles, porque o SENHOR, vosso Deus, é quem vai convosco; não vos deixará, nem vos desamparará."[5]

Percebi que minha carta estava cheia de notícias dos netos, que meu pai nunca conhecerá, e da minha vida, da qual ele nunca poderá fazer parte outra vez. Eu sei agora que ele pagou o preço, perdendo a própria vida — quando decidiu tirar a vida de outros.

EPÍLOGO

EPÍLOGO

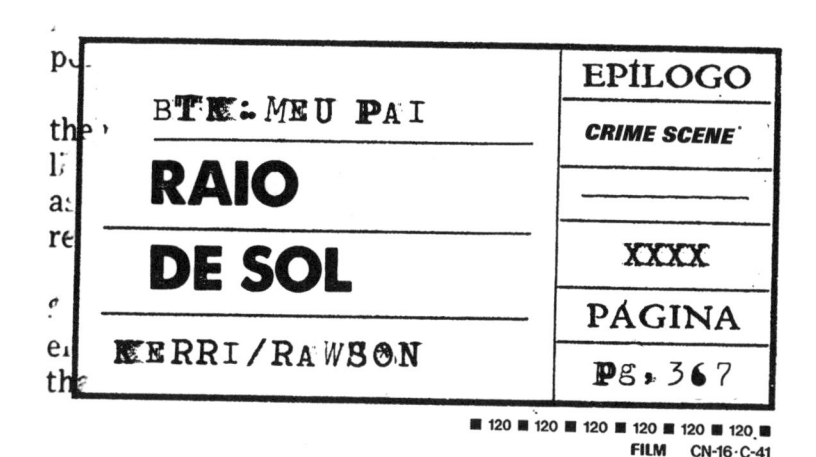

BTK: MEU PAI
RAIO DE SOL
KERRI / RAWSON

Eu vinha segurando com muita força as bandagens que eu envolvera nas minhas feridas anos atrás, usando minha armadura a fim de proteger meu coração de se ferir outra vez. Eu não estava apenas defendendo meu pai e a mim mesma, eu estava defendendo Deus. Eu estava apodrecendo por dentro, então perdoei meu pai por mim mesma.

Depois que o perdoei, a podridão foi removida, a dureza se dissipou e eu voltei a ser quem eu era — minha antiga versão, que pensei estar perdida havia muito tempo, desaparecida para sempre.

Deus me conduziu pelo cânion, um pé na frente do outro, e Deus me viu minuto a minuto, hora a hora, dia a dia, durante tudo o que se seguiu.

Um pé na frente do outro, continuei avançando após o perdão. Comecei a remover os curativos e deixei a luz e o ar entrarem para que minhas feridas pudessem realmente cicatrizar, em vez de apenas ficarem protegidas. Dois anos depois de perdoar meu pai, dei minha primeira entrevista ao *Wichita Eagle*.

Comecei a contar a história da minha vida, quem meu pai era para mim e quem Deus é para todos nós. No verão seguinte, compartilhei minha história com milhares de pessoas na minha igreja; meu pastor ligou a história à de José, a quem ele chamou de um herói improvável.

Também houve muitos momentos difíceis desde que eu perdoei meu pai. Jornadas de volta à terapia, trauma suprimido até enfim encontrar a luz, batalhas quase diárias com os terrores noturnos e o TEPT que ainda pode erguer sua cabeça feia. A ansiedade ainda pode me dominar, e a depressão ainda pode me levar ao fundo do desespero, mas Deus tem andado ao meu lado em tudo isso — me ajudando a atravessar os caminhos, assim como ele fez desde o início.

Agora posso dizer — sem vergonha ou medo — que sou uma vítima de trauma, crime e abuso. Vivo com ansiedade, depressão e TEPT. O que está no meu passado é o que é; não pode ser mudado — papai matou dez pessoas e devastou inúmeras vidas. No entanto, nos dias em que não estou lutando contra verdades duras e terríveis, direi a você: amo meu pai — aquele que, na maior do tempo, eu conhecia. Sinto falta dele.

Nos dias bons, as lembranças enchem minha alma.

Quando eu era uma garotinha, eu deslizava meus pés minúsculos nas botas de couro marrom de papai, que tinham zíperes nas laterais, e pisava para lá e para cá, fazendo um barulho no nosso ladrilho branco da cozinha. Eu quase sempre caía na gargalhada, e papai ria também. Ele me levantava de novo com um "Upa lelê!", suas mãos calejadas de trabalhador gentilmente posicionadas debaixo dos meus braços. Ele puxava uma das minhas marias-chiquinhas, me chamava de Raio de Sol e me deixava pronta para continuar, descalça, o vestidinho amarelo de verão balançando ao meu redor.

Nos dias bons, estou o mais perto quanto posso de ser curada. Nos dias bons, penso em escrever para meu pai — e compartilhar as últimas novidades a respeito da minha vida.

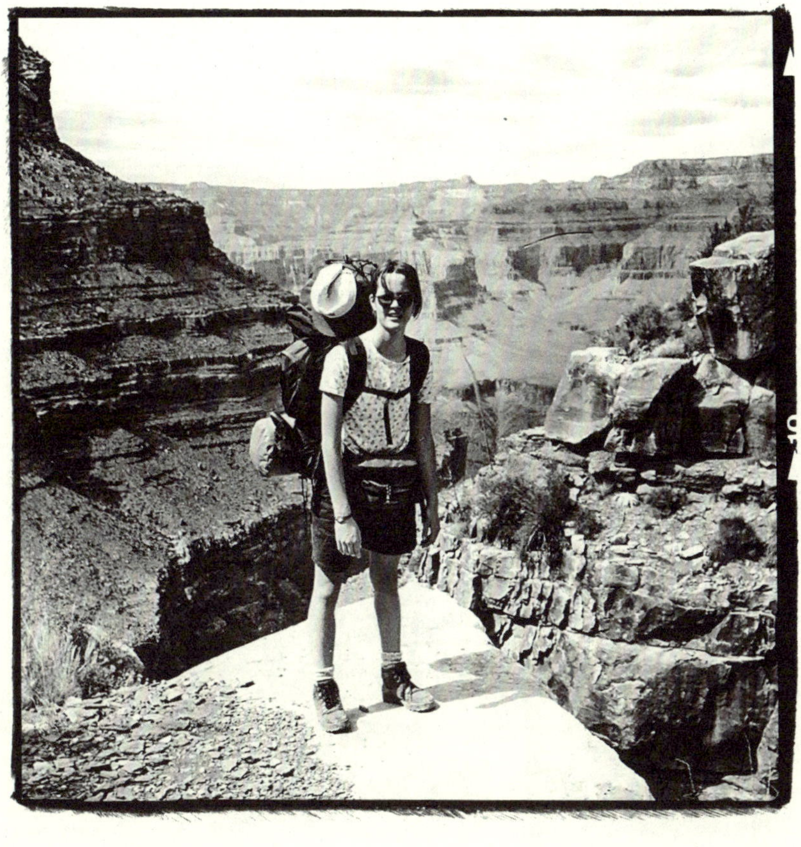

NOTAS

CAPÍTULO 3:
...PARA SEMPRE
1. RAMSLAND, Katherine. *Confession of a Serial Killer: The Untold Story of Dennis Rader, the BTK Killer*. Lebanon, NH: ForeEdge, 2016, p. 52.
2. *Ibid*. p. 4.
3. *Ibid*. p. 24.
4. *Ibid*. p. 92.
5. *Ibid*. p. 104.
6. "The State of Kansas vs. Dennis Rader" (18th Judicial District Court, Sedgwick County, Kansas, 17 Ago 2005), p. 67.

BOLETIM DE NOTÍCIAS
1. WENZL, Roy et al., *BTK Profile: Máscara da Maldade*. Tradução de Eduardo Alves. Rio de Janeiro, DarkSide Books, 2019, p. 104.

CAPÍTULO 4:
TERROR NOTURNO
1. RAMSLAND, Katherine. *Confession of a Serial Killer: The Untold Story of Dennis Rader, the BTK Killer*. Lebanon, NH: ForeEdge, 2016, p. 5.

CAPÍTULO 7:
PERMITA-SE VIVER O LUTO
1. Hebreus 3:15. Todas as citação da Bíblia são da edição Almeida Revista e Atualizada.

CAPÍTULO 8:
O SILÊNCIO DO CÉU
1. João 14:2-3.

CAPÍTULO 10:
OS MEUS LIMITES
1. "Atenção, o calor mata!" foi parafraseado por Kerri Rawson, baseando-se nas placas postadas no início da trilha Hermit e nos folhetos entregues a Dennis Rader pelo National Park Service, em maio de 1997.

2. GERKE, Sarah Bohl. "Hermit Trail", *Nature, Culture, and History at the Grand Canyon*. Arizona State University, 2008. Disponível em: < https://grcahistory.org/sites/rim-to-river-and-inner-canyon-trails/hermit-trail >. Acesso em 27 jul 2018.

CAPÍTULO 11:
A PANELA DE PRESSÃO
1. WHITNEY, Stephen. *A Field Guide to the Grand Canyon*, 2. ed. Seattle: Mountaineers, 1996, p. 168.

CAPÍTULO 18:
UM LUGAR SÓ SEU
1. Salmos 27:1.

CAPÍTULO 19:
CÂNONE EM RÉ MAIOR
1. 1 Coríntios 13:6-8.

CAPÍTULO 21:
DIGA SEMPRE "ATÉ BREVE"
1. WENZL, Roy et al., *BTK Profile: Máscara da Maldade*. Tradução de Eduardo Alves. Rio de Janeiro, DarkSide Books, 2019, p. 272.

BOLETIM DE NOTÍCIAS
1. WENZL, Roy et al., *BTK Profile: Máscara da Maldade*. Tradução de Eduardo Alves. Rio de Janeiro, DarkSide Books, 2019, p. 320.

CAPÍTULO 24:
UM ÁLIBI NO GOOGLE
1. WENZL, Roy et al., *BTK Profile: Máscara da Maldade*. Tradução de Eduardo Alves. Rio de Janeiro, DarkSide Books, 2019, p. 80.
2. Salmos 23:1-3, 4, 6.
3. WENZL, Roy et al., *BTK Profile: Máscara da Maldade*. Tradução de Eduardo Alves. Rio de Janeiro, DarkSide Books, 2019, p. 346.
4. *Ibid*. p. 348.

CAPÍTULO 25:
OS CIRCOS DA MÍDIA
1. WENZL, Roy et al., *BTK Profile: Máscara da Maldade*. Tradução de Eduardo Alves. Rio de Janeiro, DarkSide Books, 2019, p. 355.
2. CNN. "Report: Daughter of BTK Suspect Alerted Police". 26 Fev 2005. Disponível em: <http://edition.cnn.com/2005/US/02/26/btk.investigation/>. Acesso em: 12 Ago 2021.

CAPÍTULO 26:
SEMPRE SEREI A FILHA DELE
1. NBC. "Local Kansas Man, Church Leader and 'Guy Next Door,' Arrested in Decades-Old 'BTK Killings' Case". 27 Fev 2005. Anteriormente disponível em: <www.nbclearn.com/portal/site/k-12/flatview?cuecard=47773>.
2. Salmos 18:2.
3. Salmos 27:1.

CAPÍTULO 27:
JUNTOS E SEGUROS
1. WENZL, Roy et al., *BTK Profile: Máscara da Maldade*. Tradução de Eduardo Alves. Rio de Janeiro, DarkSide Books, 2019, p. 320.
2. *Ibid*. p. 355.
3. *Ibid*. p. 355.
4. Salmos 27:1.
5. Salmos 27:1.

CAPÍTULO 28:
TALVEZ O AMOR BASTE
1. Os excertos vistos aqui foram retirados de originais mais extensos e foram ligeiramente editados.
2. João 1:5.
3. A fim de manter a acurácia, os erros ortográficos e gramaticais nas cartas de Dennis Rader e Kerri Rawson intencionalmente não foram corrigidos, a menos que necessário para fazer sentido.

CAPÍTULO 29:
CRIMES PARA ESPECIALISTAS
1. RAMSLAND, Katherine. *Confession of a Serial Killer: The Untold Story of Dennis Rader, the BTK Killer*. Lebanon, NH: ForeEdge, 2016, p. 212.

CAPÍTULO 30:
A LUZ E A ESCURIDÃO
1. Salmos 27:1.
2. Salmos 18:2.
3. Salmos 27:1.
4. João 1:5.
5. Cânticos 2:4.

CAPÍTULO 33:
O MUNDO NÃO É MAU
1. WENZL, Roy. "BTK's Daughter: Stephen King 'Exploiting My Father's 10 Victims and Their Families' with Movie". *The Wichita Eagle*, 25 Set 2014. Disponível em: <http://www.kansas.com/news/local/article2251870.html>. Acesso em: 12 Ago 2021.

CAPÍTULO 34:
LUTE POR QUEM AMA
1. Salmos 27:1.

BOLETIM DE NOTÍCIAS
1. "Boletim de Notícias: Dez Vezes Culpado" foi escrito por Kerri Rawson e baseado em informações obtidas em: WENZL, Roy et al., *BTK Profile: Máscara da Maldade*. Tradução de Eduardo Alves. Rio de Janeiro, DarkSide Books, 2019, p. 373.

CAPÍTULO 37:
NÃO SEI QUEM ELE É
1. WENZL, Roy et al., *BTK Profile: Máscara da Maldade*. Tradução de Eduardo Alves. Rio de Janeiro, DarkSide Books, 2019, p. 382-383.

2. WENZL, Roy et al., "When Your Father Is the BTK Serial Killer, Forgiveness Is Not Tidy", *The Wichita Eagle*. 21 Fev 2015. Disponível em: <www.kansas.com/news/special-reports/btk/article10809929.html>. Acesso em: 12 Ago 2021.
3. RAMSLAND, Katherine. *Confession of a Serial Killer: The Untold Story of Dennis Rader, the BTK Killer*. Lebanon, NH: ForeEdge, 2016, p. 85.
4. *Ibid*. p. 116.

CAPÍTULO 38:
175 ANOS É MUITO TEMPO
1. WENZL, Roy et al., *BTK Profile: Máscara da Maldade*. Tradução de Eduardo Alves. Rio de Janeiro, DarkSide Books, 2019, p. 373.
2. *Ibid*. p. 373.

CAPÍTULO 39:
MANTENHA A FÉ NO BEM
1. 1 Coríntios 13:13.

CAPÍTULO 40:
LÁGRIMAS E SAUDADE
1. Retirado de um artigo do *US News & World Report*, 27 Out 1986, citado em: "Elie Wiesel", *Wikiquote*. Disponível em: <http://en.wikiquote.org/wiki/Elie_Wiesel>. Acesso em: 5 Abr 2018.

CAPÍTULO 41:
O MAIS PURO TRAUMA
1. WENZL, Roy et al., "When Your Father Is the BTK Serial Killer, Forgiveness Is Not Tidy", *The Wichita Eagle*. 21 Fev 2015. Disponível em: <www.kansas.com/news/special-reports/btk/article10809929.html>. Acesso em: 12 Ago 2021.

CAPÍTULO 42:
TERAPIA SALVA VIDAS
1. Hebreus 3:15.

CAPÍTULO 43:
TUDO PARA SOBREVIVER
1. Deuteronômio 31:6.
2. Salmos 139:13.
3. WENZL, Roy et al., "When Your Father Is the BTK Serial Killer, Forgiveness Is Not Tidy", *The Wichita Eagle*. 21 Fev 2015. Disponível em: <www.kansas.com/news/special-reports/btk/article10809929.html>. Acesso em: 12 Ago 2021.

CAPÍTULO 44:
...CONTINUE, CONTINUE
1. Salmos 27:1.
2. Salmos 27:1.

CAPÍTULO 45:
VISTA SUA ARMADURA
1. Salmos 27:1.
2. Salmos 27:1.
3. MOORE, Beth; MOORE, Melissa. *James: Mercy Triumphs*. Nashville: LifeWay Press, 2011.
4. 1 Pedro 5:8.
5. Salmos 27:1.
6. Efésios. 6:13.

CAPÍTULO 46:
TENTE PERDOAR
1. Salmos 103:12.
2. Deuteronômio 31:6.
3. Isaías. 1:16, 18.
4. Gênesis. 50:20.
5. Deuteronômio 31:6.

VERICHROME

VERICHROME FILM

>EXPOSED<

LABEL PRINTED IN UNITED STATES OF AMERICA
SEAL ROLL WITH THIS PASTER

KODARK

KODARK

ÁLBUM DE FAMÍLIA

2-BROWNIE

120

$2¼ \times 3¼$ - 8 Ex.
$2¼ \times 2¼$ - 12 Ex.
$1⅝ \times 2¼$ - 16 Ex.

120

KODARK

EXPOSED

FOLD UNDER

← START →

Roll Films

32° HP3

29° FP3

30° Selochro[me]

▶

35mm Miniature

32° HP3

29° FP3

23° Pan F

▶

Colour Film 'D'

Colour Fil[m...]
great brilliance and [...]
in daylight but ma[...]
lighting with equal [...]
filter No. 351. Suppl[...]
settes which must [...]
for processing.

Me[...]

Daylight:
Photoflood:

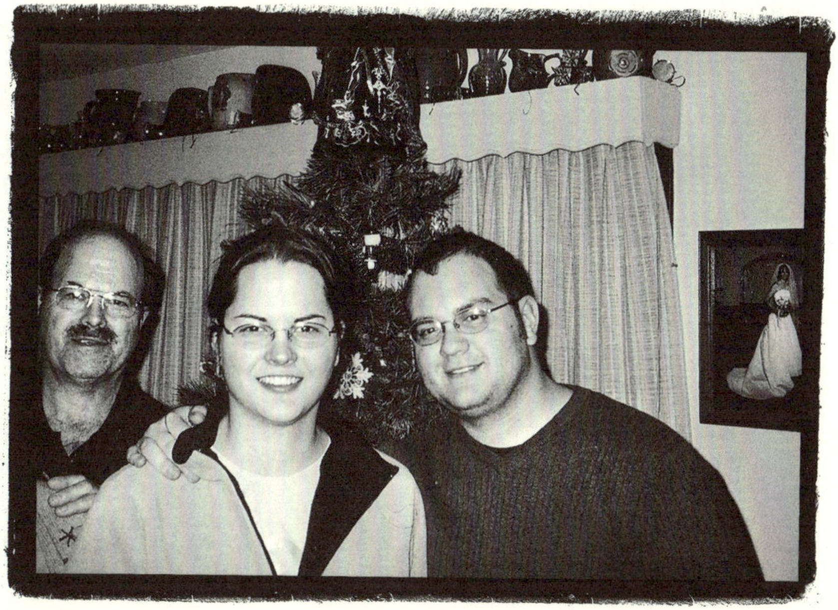

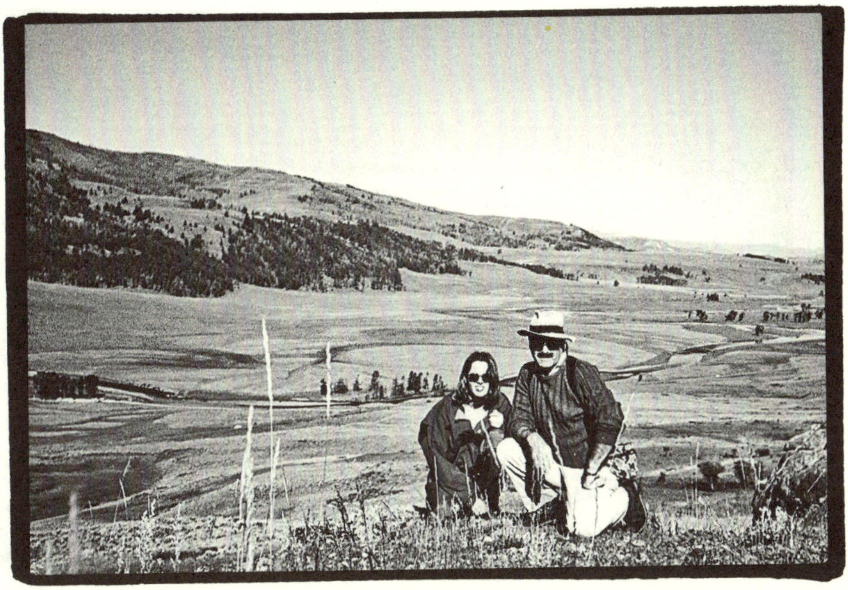

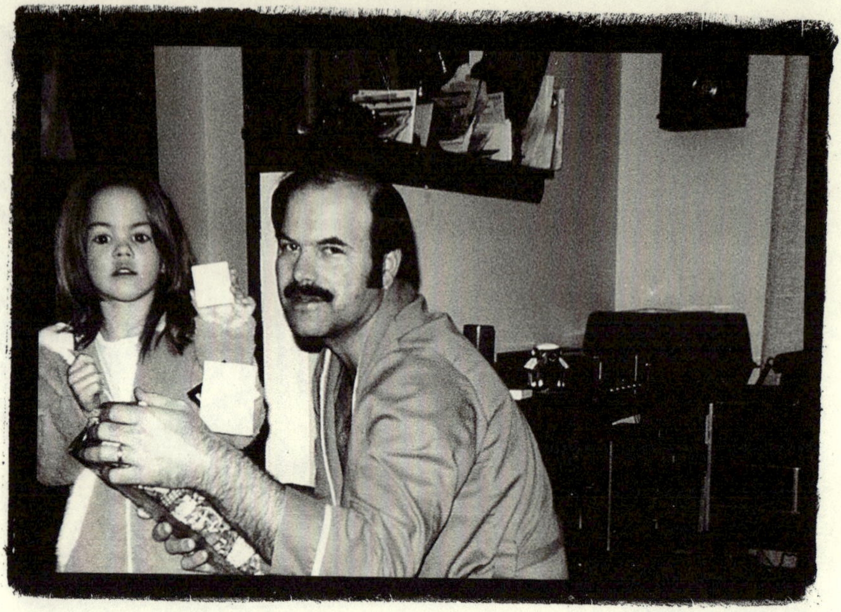

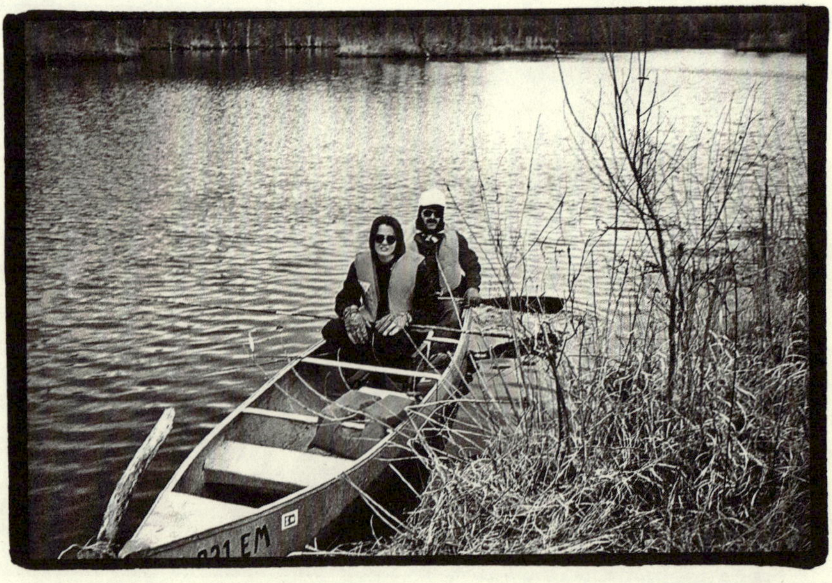

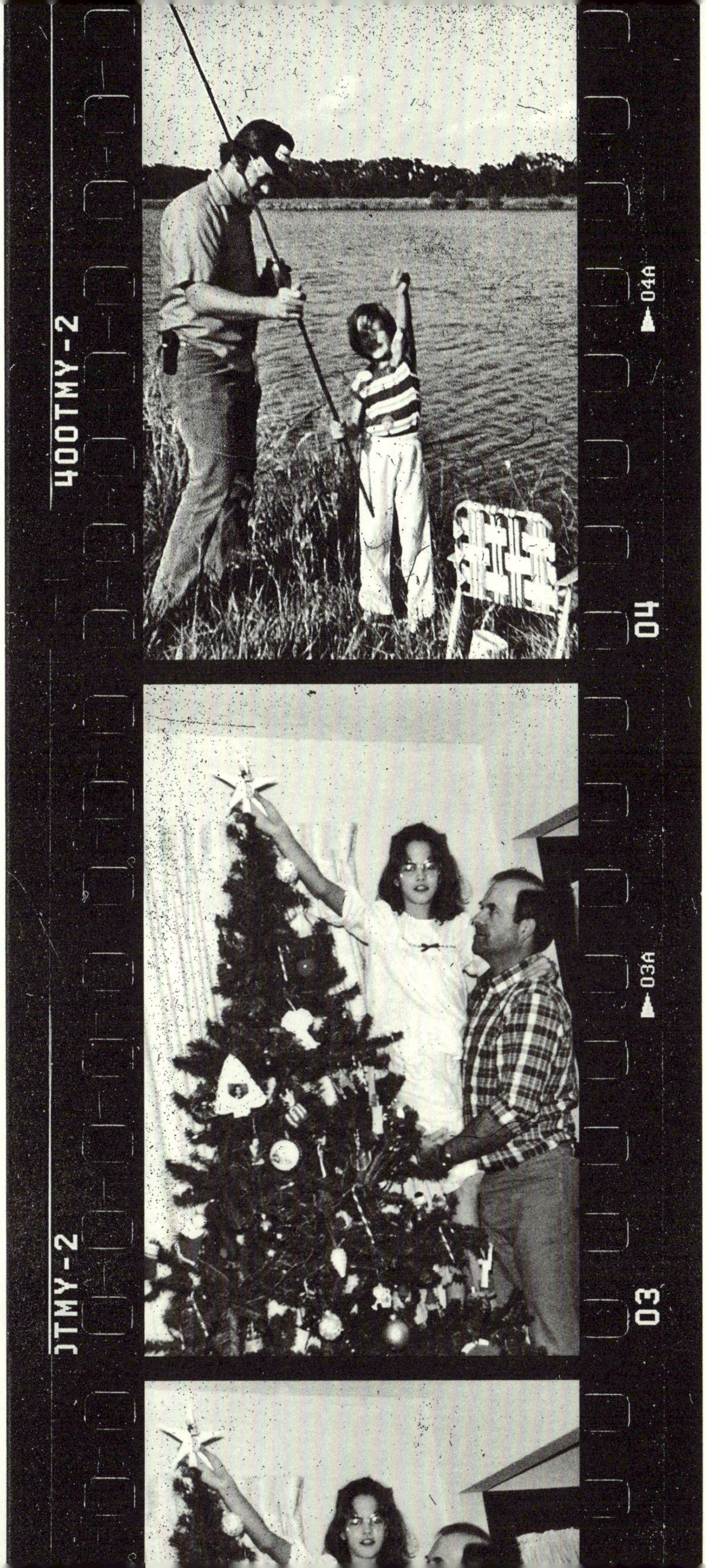
400TMY-2
04A
04
03A
TMY-2
03

Roll Films

32° HP3

29° FP3

30° Selochro[me]

▶

35 mm Miniature

32° HP3

29° FP3

23° Pan F

▶

Colour Film 'D'

Colour Fil[m]
great brilliance and
in daylight but ma[y]
lighting with equal
filter No. 351. Suppl[ied]
settes which must [be]
for processing.

Me[

Daylight:
Photoflood:

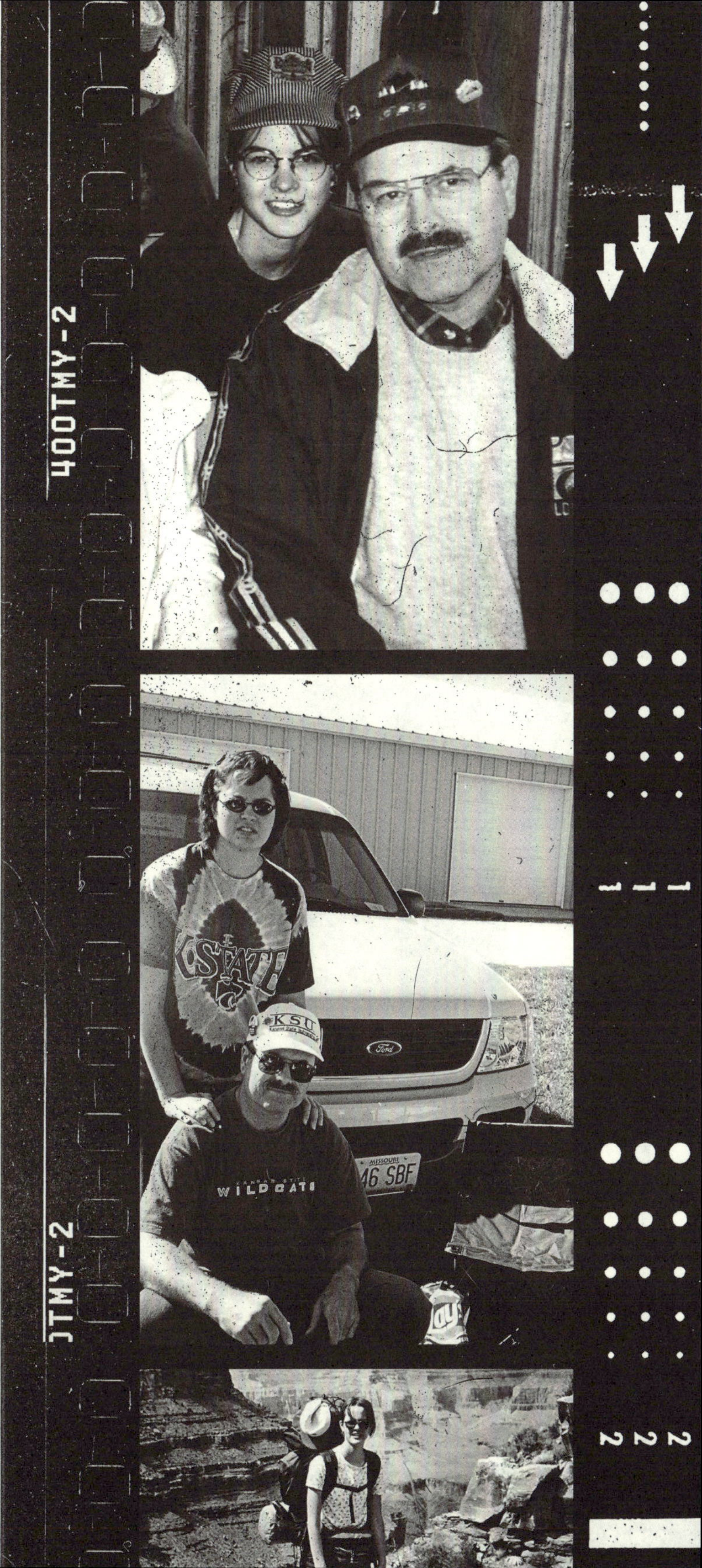
400TMY-2
KSU
WILDCATS
MISSOURI

EXPOSED
EXPOSED
EXPOSED
EXPOSED
EXPOSED

撮影済
EXPOSED

15

CNK 4 C-41
120

EXPOSED 撮影済
内に折ってシールしてください。

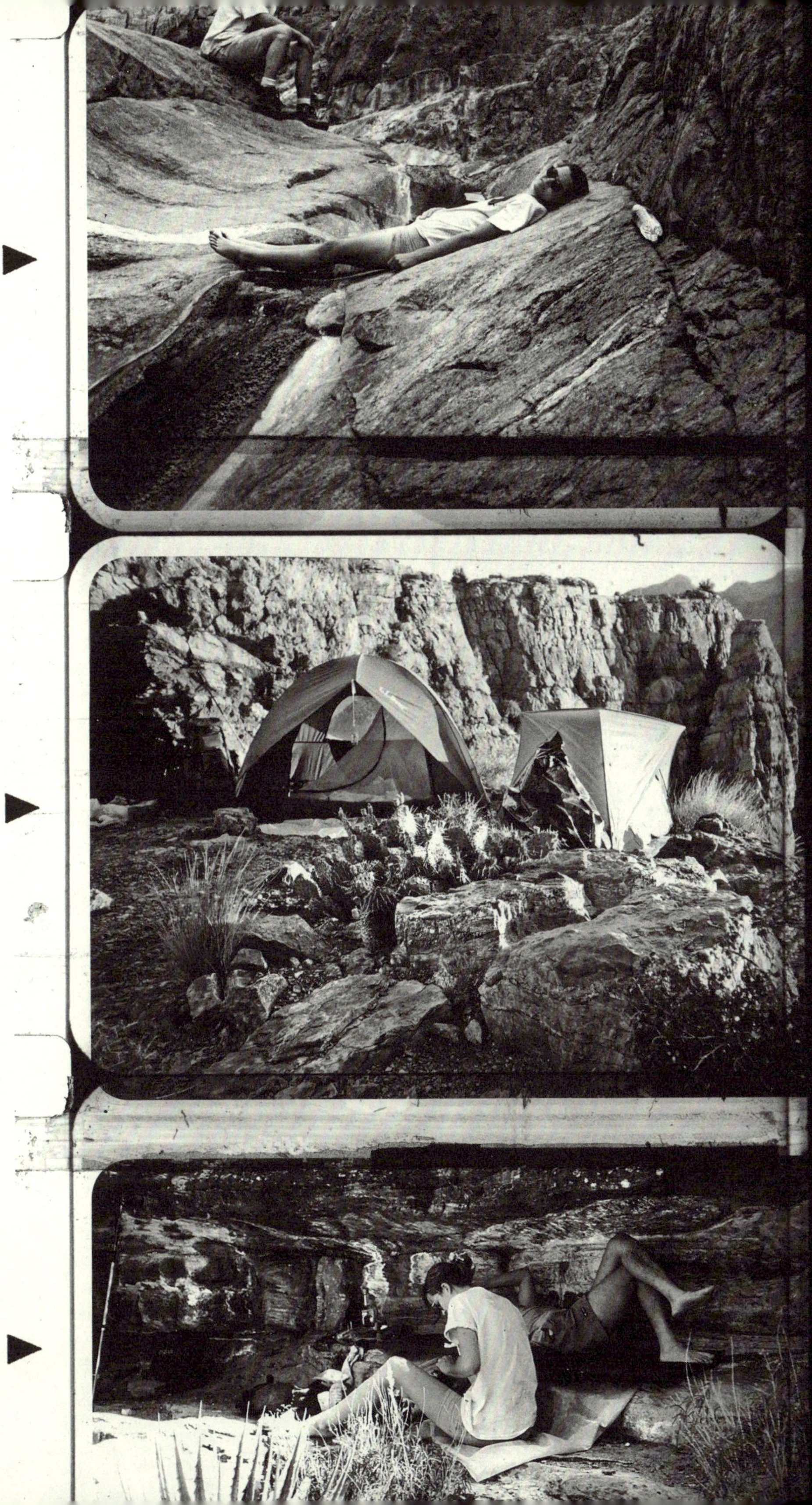

AGRADECIMENTOS

Começou com a pergunta: "E o que vem agora?". E isso levou ao melhor agente do mundo, Doug Grad. Obrigada, Doug, por sua fé em mim, paciência infinita e anos de trabalho para fazer essa novata escalar geleiras. L. Kelly, as garotas precisam ajudar umas às outras e eu posso contar com você. Obrigada por fazer meu coração e minha cabeça andarem de novo e me mostrar o que seria possível se eu ao menos saísse das rochas.

Um enorme agradecimento a Nelson Books e Brian Hampton, por apostarem em mim e a Jenny Baumgartner, minha editora com a paciência e a fé de uma santa. Jenny, obrigada por suportar meus inícios indevidos, minhas demoras, meus colapsos e meus muitos meses e palavras. Obrigada por sua amizade e gentileza. Nós superamos isso juntas, portanto, sempre serei grata.

Um grande agradecimento a Belinda Bass, Brigitta Nortker e a equipe de design da Thomas Nelson por um livro de aparência fantástica e por seu trabalho árduo. Obrigada a Jamie Chavez, por seu cuidadoso trabalho de edição. Você organizou minhas bagunças e me desafiou a ser melhor. Obrigada a Stephanie Tresner e Sara Broun, da Nelson Books e a Sarah Miniaci e Michela DellaMonica, da Smith Publicity, pela dedicação com que levou este livro para as massas e suportou o fardo por mim.

Obrigada à minha família por confiar em mim para contar nossa história que se estende por décadas. Darian, Emilie e Ian, obrigada por suportar anos a fio de convivência com uma escritora trôpega e por me amar ao longo de todo o processo.

MINIBIO

KERRI RAWSON

É filha de Dennis Rader, conhecido mundialmente como o serial killer BTK. Desde a prisão de seu pai, Kerri tem defendido vítimas de abusos, crimes e traumas, compartilhando sua jornada de esperança, cura, fé e perdão. Ela mora com o marido, dois filhos e dois gatos no Michigan.

Lord, show me the day
When everything will be okay
For my life is short
And I'm afraid

— DANIEL JOHNSTON —

CRIME SCENE
DARKSIDE

DARKSIDEBOOKS.COM

FRESH AGFACOLOR RC PAPER

agfa ONE OF THE WORLD'S FINEST COLOR PAPERS PRICED LOWER THAN BLACK & WHITE! Dries quickly, lays flat. Use Agfa or type "B" chemistry. Satin or glossy surface. (Specify surface)

Size	25 sheets	100 sheets	200 sheets	500 sheets
8x10	5.99	19.95	37.95	89.95
5x7	12.49 (100 sh.)		34.50 (200)	49.50 (500)
11x14	5.99 (10 sh.)		13.95 (25)	19.99 (50)
16x20	9.89 (10 sh.)		23.49 (25)	44.95 (50)

AGFACOLOR PROCESS KIT
Use with Agfa RC color paper for excellent results.
8.95 ½ gallon (develops up to fifty 8x10s)

AGFACOLOR RC OUTFITS
GLOSSY or SATIN (specify surface)
- Outfit #1A • 50 sheets 8 x 10 • 50 sheets 5 x 7 • ½ gal. develop kit — **22.95**
- Outfit #2A • 100 sheets 8 x 10 • 100 sheets 5 x 7 • Two ½ gal. dev. kits — **42.95**
- Outfit #3A • 100 sheets 8x10 • Two ½ gal. dev. kits — **35.95**

COLOR ACCESSORY SPECIALS
- 8x10 Color Print Process Drum ... 12.49
- 11x14 Center Tube ... 6.49
- COMPLETE SET OF 22 – 3"x3" COLOR PRINTING FILTERS ... 9.49

3M COLOR PRINT MA[ILERS]
HUGE 5x7 PRO QUALITY COLOR PRI[NTS]
Processing & deluxe borderless silk prints, standard C-41 color print film. BEAUTIFUL 35mm and HUGE 5x5s from 120 or 126. Save time. Buy mailers! Send film to la[b]

12 EX. 35mm 126 or 120	20 EX.	SAVE 60%	24 EX.
4.79	7.29		8.29

New Low Prices: Processing plus standard 3X size color prints. Any film size inc[l.]
- 12 Ex. 2.79 | 20 Ex. 3.79 | 24 Ex. 4.69

FREE MAIL RETURN | 48-HOUR LAB [...]

35mm FILM BUYS

GAF 35mm COLOR SLIDE FILM
ASA 500	ASA 64	Process Mailers For GAF
100' 19.99	100' 14.99	20 EXP. 6@1.89 ea.
50'—10.99	50'—8.25	12@1.79 ea.
36 EXP. 10-1.45 ea.	36 EXP. 10-1.29 ea.	36 EXP. 6@3.09 ea.
20 EXP. 10-1.04 ea.	20 EXP. 10-1.05 ea.	12@2.99 ea.

GAF COLOR DEVELOPING KIT
One quart 75° kit develops ten 20 Exp. cartridges. One quart ... **9.99**
ONE GAL. KIT 19.95 | 3 Qts. 27.95

KODAK SUPER XX ASA 250
BLACK & WHITE FILM. FINE GRAIN. USE ANY STANDARD DEVELOPER.
35mm x 100' Roll 11.95

ADOX B&W FILM ASA 100
FRESH KB21. Excellent contrast. Fine grain. Use any standard developer.
35mm x 100' Roll! 12.95

35mm KODAK 5247
FRESH WORLD FAMOUS COLOR ASA 100 NEGATIVE FILM
35mm x 100' - **17.95** | 50' roll **9.99**
36 EXP. 10 or more **1.39** ea.

HOME DEV. OUTFIT	• 50' 5247 Color Film • 1 qt. developing kit • 10 empty carts	**17.99**
DELUXE OUTFIT	• 100' 5247 Color Film • ½ gal. developing kit • 25 empty carts	**29.95**

PAKO 2x2 35mm SLIDE MOUNTS
Full frame plastic slip-in mounts
Thin mounts fit all trays 100 - 3.25 | 500 - 14.95 | 1,000 - 28.95
Kodak 2 x 2 Cardboard Mounts 375-7.99

FRESH 35mm HP-5 ASA 400
ILFORD'S best in finest reloadable carts.
36 Exp. 10 or more **1.69** ea. | 5 or more **1.79** ea.
35mm x 100' ... **19.95**

America's Most Popular Loaders — 35mm BULK FILM LOADERS

Latest Deluxe Watson "100" Includes 10 metal reloadable carts Made In U.S.A.	Western Model 45 Includes 10 reloadable carts Made In U.S.A.	Genuine Lloyd Includes 10 metal reloadable carts Made In U.S.A.
11.39 Add Postage	**8.99** Add Postage	**8.69** Add Postage

POSTAGE FREE SPECIALS WITH PURCHASE OF ANY LOADER!
35mm x 100' FRESH ILFORD PAN F SUPER B&W FILM — **11.99**
Use at ASA 50 or easily pushed to ASA 125
Finest Reloadable Metal Cartridges: 25 for **4.49** | 100 for **15.99**
Plastic Film Cans for Cartridges: 25 for **2.59** | 50 for **4.99**

C-41 COLOR NEGATIVE KIT
PROCESS ANY C-41 COLOR FILM Fast 3-Step Start-to-Finish 15 Min.
One Quart **6.95** (2 lb) | Half Gallon **9.95** (3 lb)
(1 qt. does 10-36 exp.) Add Postage

COLOR RETOUCHING KIT
INCLUDES EVERYTHING: Brushes, dyes, paints, etc. For Black & White, color prints and slides ... **12.95**
With purchase of any color paper **9.95**

AIR COLLAPSE CUBITAINER
Keeps air out. Lengthens chemical life. One gallon **2.49**

PAPER SAFES (Add Postage)
- 3 Shelves holds 200 8x10 sheets, Auto Closing ... **17.95** (5 lb)
- 100 sheet Model. Lift top. Single Tray. 8x10 ... **6.49** (2 lb)
- 11x14 Model. Holds 100 Sheets ... **8.39** (3 lb)

CHANGING BAG
Finest made. Light tight. Dbl. zipper. Dbl. lined. Pro size—27" x 30" ... **9.49** (3 lb) Add Postage

KODAK B&W DUPLICATING FILM
1-step direct positive continuous tone. Duplicate slides or negs. Develop in Dektol. Red safelite OK.
35mm x 50' Roll **5.95** | 4 x 5 50-**6.95**
35mm x 100' Roll **9.98**

KODAK POSITIVE PRINT FILM
Make slides from negatives. Use like enlarging paper. Develop in Dektol. Okay to use with any safelight.
35mm x 100' Roll ... **7.95**
4 x 5 50 sheets **8.49** | 8 x 10 50 sheets **8.95**
9½" x 20 ft. **9.50** | 9½" x 50 ft. **14.50**

35mm PLASTIC FILM CANS
Ideal for storage and shipping.
25 cans **2.99** | 50 cans **5.49**

FRESH RC COLOR PAPER
MADE IN U.S.A. USE KODAK 2-STEP OR ANY "A" CHEMISTRY. SUPERB PRINTS FROM ANY COLOR NEGATIVE.

Size	Satin or Glossy	100 sh.	200 sh.
8 x 10	25 Sheets **7.29**	**22.95**	**44.95**
8" sh. 5" Roll Glossy			**89.95**
5x7	Silk, Satin or Glossy 100 Sheets **12.95**	300 Sheets (OK to mix) **35.95**	5"x575 ft. Silk-makes 985-5x7s **64.50**
11x14	Glossy 10 Sheets **6.49**		25 Sh. **14.95**
16 x 20 Glossy — 10 Sheets ... **10.95**
3½ x 5 Satin - 500 sheets ... **20.95**
3½ ft. 775 ft. Roll (Satin) ... **42.50**

2-STEP "A" COLOR PROCESS KIT
64 oz. w/stabilizer (does up to 50—8 x 10s) ... **7.98**

HOME PROCESS COLOR OUTFITS
(Please specify surface. See above.)
- 100 Sheets 8x10 OUTFIT #2 — 100 Sheets 5x7 — Two ½ gal. A Chemistry — **44.95**
- 100 Sheets 5x7 OUTFIT #3 — 500 Sheets 3½x5 ALL FOR — Two ½ gal. A Chemistry — **39.95**

COLOR PRINTING FILTERS
Full set of 22 – 3"x3" filters **9.49**
Kodak Filter Holder (Fits Lens) **6.49**

GLASSINE NEGATIVE PAGES
35mx42 Exp. holds 7 strips of 6 negs. 120/12 Exp. holds 4 strips of 3 negs.
50 8½ x 11 pages **4.49** | 100 pages **8.49**
STURDY LOOSE-LEAF BINDER w/24 pgs. 35mm or 120 (specify) **7.49**

35mm NEGATIVE FILE
Book Bound. Holds 900-35mm negatives **4.79**

STAINLESS STEEL TANKS and RE[ELS]
Lab Quality Stainless Steel for Lifetime Use. NEW LOW [...]
Smooth, no-scratch finish. Spring clip reels for easy lo[ading]
Newest rapid fill for thorough development. Exceptional [...]

SS Steel or PVC Plastic Easy Lift Top:
- OUTFIT "A"—16 oz. tank w/PVC plastic leak-proof top, plus 2 35mm x 36 Exp. Reels [...]
- OUTFIT "B"—16 oz. tank w/PVC plastic leak-proof top, plus 1 120/620 size reel ...
- OUTFIT "C"—16-oz. tank with stainless steel top, plus two 35mm x 36 Exp. Reels ...
- OUTFIT "D"—16-oz. tank with stainless steel top, plus one 120/620 size Reel ...
- 16 oz. Rapid Fill Tank w/stainless steel top 11.99 ... w/plastic
- 30 oz. tank with stainless steel top 17.99 ... w/plastic

Stainless Steel REELS ONLY: 35mm x 36 Exp. Reel **2.75** | 120/620 Reel 3.19 ea. 4 or more [...] | 3.25 ea. 4 or m[ore]

AGFA-LUPE
Finest 8X Magnifier **3.49**

Stainless Steel Dial Thermom[eter]
For color or B&W 1½" dial 6" probe **6.95** | Lumin[ous ...] able 2[...] —7½[...]

SCOTCH or [...]
Sound Recording [...]
1800' on 7" reel [...]
10 or more ...
5 or more ...

GLASS SLIDE [...]
AGFA "K" M[...]
Easy to Use. A[...] Glass. protect[...] most b[...] Kodak [...]
100 - **8.95**

KODAK AERIA[L ...]
PLUS X Pan [...]
For non-critic[...]
35mm x 100 [...]

Metal Cable Rele[ase] 12" - 1.49 [...]

AIR CLEAN [...]
20 ft. Fits all Can[...]
Kodak Anti-Fog [...]
50 for ...

STATICMA[STER]
1" Pro Brush removes dust and lint from negatives ...

Deluxe Gra[in Focuser]
w/adjust[able] eye piece ...

HOME PROCE[SSING]
35mm Color P[aper]
ASA 100 — M[...]
• 50' Roll Color [...]
• 1 Qt. Develop [...]
• 10 Empty Cart[...]
FRESH 35mm [...]
Type 3. Kodak [...]
highest cont. ...

FRESH AGFA PORTRAIT RAPID
DOUBLE WEIGHT PREMIUM QUALITY
Fine Grain Lustre or Semi-Matte #2, 3
8x10 100 Sheets **21.95** | 500-[...]

FRESH 35mm EKTACHROME
Kodak Color Slide (E-6). Loaded in finest metal reusable carts
• Daylight ASA 200 YOUR CHOICE
• Tungsten ASA 160 **3.99**
36 EXP. 10 or ...

126
Black & White Normal speed For 126 cameras

35mm Reloadable Cartridges
Finest metal cassettes. Extra heavy felt. Positive locking ends. Re-us[able]
50 ft. 17.95
5 @ [...]

BUY 5 FILTERS – D[...]
OPTICAL GLASS [...]
Fully Coated • Sup[er]
Double Threaded • Pr[...]
UV, Sky, Yellow, Red, O[...]
80A, 80B, 81A, 8[...]
ND2X, ND4X.
49mm **3.69** [...]

JOSEPH OTERO, JULIA MARIA OTERO, JOSEPH OTERO, JR., JOSEPHINE OTERO,
KATHRYN DOREEN BRIGHT, SHIRLEY RUTH VIAN RELFORD, NANCY JO FOX, MARINE
WALLACE HEDGE, VICKI LYNN WEGERLE, DOLORES EARLINE JOHNSON DAVIS

FEBRUARY 2
FINAL EDITION
$1.50

A SERIAL KILLER'S DAUGHTER

Park City man held in 17-year killing spree

Police have booked Dennis Rader, 59, on 10 counts of suspicion of first-degree murder

BY HURST LAVIANA
AND TIM POTTER
Wichita Eagle

A man suspected of being Wichita's BTK serial killer has been arrested and is now tied to 10 killings dating to 1974, Wichita police said Saturday.

Dennis Rader, 59, has been booked on 10 counts of suspicion of first-degree murder, authorities said. He is expected to be charged this week.

Police said Rader was arrested without incident about 12:15 p.m. Friday during a traffic stop on 61st Street North near Park City. He was booked into the Sedgwick County Jail late Saturday.

"The bottom line: BTK is arrested," Wichita Police Chief Norman Williams said Saturday during a news conference at City Hall.

Liked by ma
loathed